Niets te verliezen

SARAH DESSEN

Vertaald door Michèle Bernard

moon

Lees ook van Sarah Dessen:
Ik moet je iets vertellen
Sleutel naar geluk
Spring maar achterop

© Sarah Dessen, 2011
All rights reserved including the right of reproduction in whole or in part in any form. This edition published by arrangement with Viking Children's Books, a division of Penguin Young Readers Group, a member of Penguin Group (USA) Inc.
Oorspronkelijke titel *What Happened to Goodbye*
Nederlandse vertaling © 2012 Michèle Bernard
Nederlandse uitgave © Moon, Amsterdam 2015
Omslagbeeld Getty Images
Omslagontwerp Studio Marlies Visser
Opmaak binnenwerk ZetSpiegel, Best

ISBN 978 90 488 1397 1
ISBN 978 90 488 1458 9 (e-book)
NUR 285

www.uitgeverijmoon.nl
www.overamstel.com

OVERAMSTEL
uitgevers
Moon is een imprint van Overamstel uitgevers bv

1

De tafel plakte, er zat een vette streep op mijn waterglas en na tien minuten hadden we nog geen serveerster gezien. Toch wist ik precies wat mijn vader zou zeggen. Het was zo onderhand gesneden koek.

'Nou, ik kan je wel vertellen dat ik mogelijkheden zie.'

Hij nam zijn omgeving in zich op terwijl hij dat zei. Op de menukaart stond de Luna Blu beschreven als 'eigentijds Italiaans van ouderwetse kwaliteit!', maar ik zette vraagtekens bij die laatste bewering op grond van wat ik had gezien in de paar minuten dat we hier waren. Ten eerste was er op een doordeweekse dag om halfeen 's middags nog maar één ander tafeltje bezet. Ten tweede was mijn oog gevallen op de plastic plant die naast onze tafel stond, waar een halve centimeter stof op zat. Maar mijn vader moest wel de optimist uithangen. Daar werd hij voor betaald.

Nu keek ik naar hem terwijl hij met gefronste wenkbrauwen de menukaart bestudeerde. Hij had eigenlijk een bril nodig, maar die droeg hij niet meer nadat hij er drie achter elkaar was kwijtgeraakt, en daarom tuurde hij tegenwoordig met half samengeknepen ogen. Ieder ander zou er daardoor misschien vreemd uitzien, maar bij mijn vader stond het juist heel charmant.

'Ze hebben inktvisringen én guacamole,' zei hij, en hij streek het haar dat voor zijn ogen hing opzij. 'Dat heb ik nog nooit eerder op een kaart gezien. Ik vind dat we het allebei moeten bestellen.'

'Jammie,' zei ik, terwijl er een serveerster, gekleed in leren moonboots en een minirok, langsliep zonder ons een blik waardig te keuren.

Mijn vader keek haar na en richtte toen zijn ogen op mij. Ik zag aan hem dat hij zich afvroeg, zoals altijd als we net weer waren verhuisd, of ik boos op hem was. Dat was niet het geval. Natuurlijk was het altijd best irritant om je boeltje weer te pakken en alles en iedereen achter te laten. Maar het lag er maar net aan hoe je ertegenaan keek. Als je het beschouwt als een allesverpletterende, levensverziekende verandering, dan ben je er geweest. Maar giet je het in de vorm van een opknapbeurt, een nieuwe kans en een frisse start, dan is alles goed. We waren in Lakeview. Het was begin januari. Ik zou vanaf nu iedereen kunnen zijn die ik wilde.

We hoorden een klap en we keken allebei in de richting van de bar, waar een meisje, met lang zwart haar en armen die onder de tatoeages zaten, blijkbaar net een grote kartonnen doos op de grond had laten vallen. Ze zuchtte diep, duidelijk geïrriteerd, en liet zich op haar knieën vallen om de papieren bekers op te rapen die eruit waren gerold. Toen zij ze voor de helft had opgeraapt, keek ze op en zag ze ons zitten.

'O, nee,' zei ze, 'zitten jullie hier al lang?'

Mijn vader legde zijn menukaart weg. 'Nog niet zo lang.'

Ze keek hem aan met een blik die duidelijk maakte dat ze daar zo haar twijfels over had. Ze stond op en keek het restaurant door. 'Tracy!' riep ze. Toen wees ze naar ons. 'Er zitten mensen aan jouw tafeltje. Kan je misschien, alsjeblieft, naar ze toe gaan en ze een drankje aanbieden?'

Ik hoorde wat gestamp en een paar tellen later verscheen van om de hoek de serveerster met de laarzen in beeld. Ze keek alsof ze slecht nieuws voor ons had terwijl ze haar notitieboekje tevoorschijn haalde. 'Welkom in de Luna Blu,' dreunde ze met vlakke stem op. 'Wat willen jullie drinken?'

'Zijn de inktvisringen goed?' vroeg mijn vader aan haar.

Ze keek hem aan alsof dit een strikvraag was. Toen zei ze uiteindelijk: 'Gaat wel.'

Mijn vader glimlachte. 'Geweldig. Dan nemen we daar een portie van, en van de guacamole. O, en nog een kleine salade van het huis.'

'We hebben vandaag alleen een vinaigrettedressing,' vertelde Tracy hem.

'Perfect,' zei mijn vader. 'Dat is precies wat we willen.'

Ze keek hem over haar notitieboekje heen met een sceptische blik aan. Toen zuchtte ze, stak haar pen achter haar oor en liep weg. Ik wilde haar net achternaroepen omdat ik nog een cola wilde bestellen, toen mijn vaders telefoon plotseling zoemde, over tafel begon te schuiven en tegen zijn bestek aan stootte. Hij pakte hem op, tuurde met half samengeknepen ogen naar het scherm en legde hem weer neer, het bericht negerend zoals hij al die andere berichten had genegeerd die hij had gekregen sinds we die ochtend uit Westcott waren vertrokken. Toen hij me weer aankeek, zorgde ik ervoor dat ik glimlachte.

'Ik heb een goed gevoel over deze plek,' zei ik. 'Oneindig veel mogelijkheden.'

Hij keek me even aan en stak toen zijn hand naar voren om me in mijn schouder te knijpen. 'Jij bent een fantastische meid, wist je dat?'

Zijn telefoon zoemde weer, maar deze keer sloegen we er geen van beiden acht op. Maar in Westcott zat een andere fantastische meid te sms'en en te bellen en zich af te vragen waarom haar vriendje, die ene die zo charmant was maar zich niet kon binden, haar telefoontjes en berichten negeerde. Misschien stond hij onder de douche. Of was hij weer vergeten om zijn mobieltje mee te nemen. Of misschien zat hij met zijn dochter in een restaurant in een stad, honderden kilometers verderop, om wederom aan een nieuw leven te beginnen.

Een paar minuten later kwam Tracy terug met de guacamole en de salade, die ze met een klap voor onze neus op tafel zette. 'De inktvisringen duren nog even,' informeerde ze ons. 'Willen jullie verder nog iets?'

Mijn vader keek mij aan en ondanks mezelf voelde ik een steek van vermoeidheid bij de gedachte dat hetzelfde liedje steeds maar werd herhaald. Maar ik had twee jaar geleden een keus gemaakt. Om te blijven of mee te gaan, om één iemand te zijn of vele anderen. Je kon over mijn vader zeggen wat je wilde, maar het leven was nooit saai met hem.

'Nee,' zei hij tegen Tracy, hoewel hij zijn ogen op mij gericht hield. Hij kneep ze in het geheel niet samen, zijn helderblauwe ogen – net als die van mij. 'Wij hebben niets meer nodig.'

Als mijn vader en ik naar een nieuwe stad verhuisden, gingen we altijd als eerste naar het restaurant dat hij toegewezen had gekregen om er een maaltijd te bestellen. En elke keer namen we dezelfde voorgerechten: guacamole als het een Mexicaans restaurant was, inktvisringen in de Italiaanse tentjes en een eenvoudige salade, wat er ook gebeurde. Mijn vader meende dat dit de basisgerechten waren, die in elke eetgelegenheid die zichzelf serieus nam op de kaart moesten staan en die geramd moesten zitten, waarmee ze het uitgangspunt vormden voor alles wat nog zou volgen. In de loop van de tijd waren ze ook een maatstaf geworden voor mijn inschatting van hoe lang we op de nieuwe plek zouden blijven. Als de guacamole redelijk was en de sla een beetje knapperig, dan wist ik dat ik me niet te veel moest hechten. Maar als de inktvisringen naar rubber smaakten en de sla slijmerige zwarte randjes had, dan kon ik op school wel deelnemen aan een sportteam of zelfs lid worden van een of twee clubjes, omdat we dan nog wel een tijdje zouden blijven.

Als we hadden gegeten, rekenden we af en gaven we een flinke fooi, maar niet te uitbundig, voor we op zoek gingen naar onze huurwoning. Na het ontkoppelen van de boedelbak ging mijn vader weer terug naar het restaurant om zich officieel voor te stellen en ging ik aan de slag om het huis in te richten.

EAT INC, een restaurantketen waar mijn vader voor werkte als adviseur, regelde altijd een huis voor ons. In Westcott, een badplaats in Florida waar we net vandaan kwamen, hadden ze een schattige bungalow voor ons gehuurd, in een straat achter de zee, die helemaal in roze- en groentinten was ingericht. Overal stonden flamingo's van plastic: op het gazon, in de badkamer, aan elkaar geregen als kleine lampjes boven de open haard. Kitsch, maar wel aandoenlijk. Daarvoor, in Petree, een kleine buitenwijk van Atlanta, woonden we in een omgebouwde zolderverdieping in een hoog pand waar voornamelijk vrijgezellen en zakenmannen woonden. Alles was er van teak en donker, de moderne meubels hadden scherpe randen en het was er altijd stil en koud. Misschien viel het me zo op omdat ons eerste huis, een splitlevelwoning in Montford Falls, in een doodlopende straat stond waar alleen maar gezinnen woonden. Op alle gazons lagen fietsen en op bijna alle veranda's wapperden decoratieve vlaggetjes: dikke kerstmannen met kerst, robijnrode hartjes met Valentijnsdag, regendruppels en regenbogen in de lente. De troep moeders, die 's ochtends en 's middags allemaal in joggingbroek in looppas de kinderwagen voortduwden om naar de schoolbus te gaan, bestudeerde ons zonder gêne vanaf het eerste moment dat we aankwamen. Ze keken hoe mijn vader voor zijn werk op de gekste tijden vertrok en thuiskwam, en ze wierpen mij meelevende blikken toe als ik met de boodschappen en de post het huis in liep. Ik wist maar al te goed dat ik geen deel meer uitmaakte van wat men een traditioneel gezin noemt. Maar hun gestaar bevestigde dat nogmaals, voor het geval ik het even vergeten was.

Alles was zo anders na die eerste verhuizing, dat ik niet het gevoel had dat ik ook anders moest zijn. Dus was mijn naam het enige wat ik veranderde. Voorzichtig maar vastberaden corrigeerde ik mijn mentor op mijn eerste schooldag. 'Eliza,' zei ik tegen hem. Hij liet zijn blik over de presentielijst glijden, kraste dat wat er stond door en schreef deze naam op. Het was zo makkelijk als wat. Zonder enige moeite, op een gehaast moment tussen de mededelingen door, had ik zestien jaar van mijn leven ingepakt en uit het zicht gezet en was ik herboren, nog voor het eerste lesuur officieel was begonnen.

Ik wist niet precies wat mijn vader ervan vond. Toen er een paar dagen later iemand belde voor Eliza keek hij verward, ook toen ik mijn hand naar de telefoon uitstak en hij hem aan mij gaf. Maar hij heeft er nooit iets over gezegd. Ik wist dat hij het begreep, op zijn eigen manier. We waren allebei uit dezelfde stad en onder dezelfde omstandigheden vertrokken. Hij moest blijven wie hij was, maar ik twijfelde er geen seconde aan dat hij ook veranderd zou zijn als dat had gekund.

Ik was als Eliza niet heel anders dan degene die ik daarvoor was geweest. Ik had mijn moeders uiterlijk geërfd: lang, goudblond haar en blauwe ogen, en daarom leek ik precies op de andere populaire meisjes op school. Tel daarbij op het feit dat ik niets te verliezen had, wat me zelfvertrouwen gaf, waardoor ik snel werd opgenomen in de groep populaire jongens en meisjes en gemakkelijk vrienden maakte. Het hielp ook dat iedereen in Montford Falls elkaar al zijn hele leven kende: een nieuw gezicht, ook als je er bekend uitzag, maakte je exotisch, anders. Ik hield zo van dit gevoel dat toen we vervolgens naar Petree verhuisden, ik het nog wat verder opschroefde en mezelf Lizbet noemde, en optrok met de toneelmeisjes en de dansers van de muziekproductie. Ik droeg leggings en zwarte coltruitjes, deed felroze lippenstift op en had mijn haar naar achteren getrokken in de strakst mogelijke knot. Ik hield mijn calorieën bij, begon met roken en maakte van alles een Toneelstuk. Het was wel degelijk anders, maar ook heel vermoeiend. En dat was waarschijnlijk de reden dat ik er in Wesycott, onze verblijfsplaats hiervoor, helemaal tevreden mee was om Beth te zijn: secretaris van de leerlingenraad en duizendpoot. Ik schreef voor de schoolkrant en gaf bijles aan kinderen uit de onderbouw die onder de maat presteerden. In mijn vrije tijd organiseerde ik dagen waarop er auto's werden gewassen en zelfgebakken taarten werden verkocht om geld in te zamelen voor het literaire tijdschrift, het debatteam en de Spaanse club, die een clubhuis voor de kinderen in Honduras wilde bouwen. Ik was dat Meisje dat Iedereen Kent en mijn gezicht stond meerdere malen in het jaarboek. En daarom zou het des te meer opvallen als ik niet in het volgende jaarboek zou staan.

Het vreemdste van dit alles was wel dat ik hiervoor, in mijn oude leven, al deze dingen niet was geweest: geen leerlingenvoorzitter of toneelspeelster of atleet. Daar was ik heel gewoon, normaal en onopvallend. Gewoon Mclean.

Dat was mijn echte naam, die mijn ouders mij hadden gegeven. Ook de naam van de succesvolste trainer van mijn vaders lievelingsbasketbalteam aller tijden aan de Defriese-universiteit, waar mijn ouders hadden gestudeerd. Dat hij een fan was van het basketbal dat aan de Defriese werd gespeeld was net zo'n understatement als dat je zou zeggen dat de zon gewoon een planeet was. Zijn hele leven bestond uit DB, zoals hij en mensen die net zo geobsedeerd waren het team noemden, al vanaf zijn kinderjaren, toen hij opgroeide op nog geen tien kilometer afstand van het universiteitsterrein. In de zomer ging hij naar het Defriese-basketbalkamp, hij kende de statistieken van elk team en iedere speler uit zijn hoofd en vanaf de kleuterschool tot en met de middelbare school droeg hij op elke klassenfoto een shirt met DEFRIESE erop. De totale speeltijd van veertien minuten die hij kreeg gedurende de twee jaar dat hij in het team voornamelijk als wisselspeler op de bank had gezeten, waren zonder twijfel de beste minuten van zijn leven.

Met uitzondering van mijn geboorte, natuurlijk, haastte hij zich altijd erbij te zeggen. Die was ook geweldig. Zo geweldig dat het eigenlijk vanzelf sprak dat ik vernoemd zou worden naar Mclean Rich, zijn enige trainer en de man die hij het meest van iedereen bewonderde en respecteerde. Mijn moeder, die wist dat verzet tegen deze keus zinloos was, stemde alleen in onder de voorwaarde dat ik een normale tweede naam zou krijgen: Elizabeth, om mij een alternatief te bieden, mocht ik daar ooit gebruik van willen maken. Ik had nooit verwacht dat die tijd echt een keer zou aanbreken. Maar je kunt blijkbaar nooit alles voorspellen.

Drie jaar geleden waren mijn ouders, geliefden vanaf de universiteit, gelukkig getrouwd en de opvoeders van mij, hun enige kind. We woonden in Tyler, de universiteitsstad waarvan de Defriese-universiteit het middelpunt vormde, waar we een restaurant hadden: de Mariposa Grill. Mijn vader was de chef-kok, mijn moeder zorgde voor de zakelijke kant en de ontvangst van de gasten, en ik groeide op in het volgestouwde kantoor, waar ik tekeningen maakte op de rekeningen. Of ik zat op de snijtafel in de keuken, waar ik naar het keukenpersoneel keek dat dingen in de frituurpan gooide. We hadden een seizoenskaart voor de allergoedkoopste plaatsen hoog bovenin, waar mijn vader en ik de longen uit ons lijf schreeuwden als de spelers ver onder ons als mieren heen en weer schuifelden. Ik kende de statistieken van het Defriese-team net zo goed als andere meisjes feitjes over prinsessen uit Disneyfilms kenden: de vroegere en huidige spelers, de puntengemiddelden van de basis- en de wisselspelers, en hoeveel keer het team moest winnen om van Mclean Rich de coach te maken die de meeste overwinningen op zijn naam had staan. De dag dat hem dat lukte omhelsden mijn vader en ik elkaar en proostten we met bier (hij) en frisdrank (ik) alsof we een trotse familie waren.

Toen Mclean met pensioen ging, rouwden we, maakten we ons zorgen over de kandidaten die hem zouden vervangen en bestudeerden we hun carrières en aanvalsstrategieën. We waren het erover eens dat Peter Hamilton de beste keus was. Hij was jong, enthousiast en had een goede staat van dienst. Vervuld van goede hoop gingen wij naar de bijeenkomst om hem te verwelkomen. Een hoop die zelfs geheel werd ingelost toen Peter Hamilton op een avond in hoogsteigen persoon de Mariposa binnen stapte en het eten zo lekker vond dat hij onze besloten eetruimte wilde gebruiken voor een diner met het team. Mijn vader was in de DB-hemel toen zijn twee grootste passies, basketbal en het restaurant, eindelijk met elkaar werden verenigd. Het was geweldig. Dat was het niet meer toen mijn moeder verliefd werd op Peter Hamilton.

Het zou al erg genoeg zijn geweest als ze mijn vader had

verlaten voor een ander. Maar voor mij en mijn vader, fanatieke DB-aanhangers, was Peter Hamilton een god. Maar idolen vallen van hun voetstuk en soms landen ze boven op je en blijf je verpletterd achter. Ze verscheuren je gezin, vernederen je in de ogen van de bewoners van de stad waar je van houdt en verzieken voorgoed het basketbal voor je.

Zelfs na al die tijd leek het nog steeds onmogelijk dat ze het had gedaan, en als ik er op willekeurige momenten aan dacht, voelde het alsof mijn keel onverwacht werd dichtgeknepen. In de eerste onwerkelijke weken nadat mijn ouders mij apart hadden genomen om me te vertellen dat ze uit elkaar gingen, liet ik in gedachten de afgelopen jaren keer op keer de revue passeren om erachter te komen hoe dit had kunnen gebeuren. Ik bedoel... ja, het restaurant liep moeizaam en ik wist dat het spanningen tussen hen gaf. En ik ben er getuige van geweest dat mijn moeder altijd zei dat mijn vader niet genoeg tijd aan ons besteedde, waarop hij zei dat dat veel makkelijker zou zijn als we in een golfplaten hut langs de kant van de weg zouden wonen. Maar in alle gezinnen kwamen dat soort ruzies voor, of niet soms? Dat betekende niet dat het oké was om er met een andere man vandoor te gaan. En al helemaal niet met de trainer van het lievelingsteam van je man en je dochter.

Maar de enige die de antwoorden op al deze vragen had, zei helemaal niets. Tenminste, niet zoveel als ik van haar verlangde. Misschien had ik dat kunnen verwachten, omdat mijn moeder nooit een bijster emotioneel, spraakzaam, bekentenisvol type is geweest. Maar die paar keer dat ik in die onwerkelijke begindagen van de scheiding en tijdens de nog steeds niet zo stabiele dagen erna de cruciale vraag ter sprake probeerde te brengen, waarom wilde ze me toen gewoon niet vertellen wat ik wilde horen? In plaats daarvan was haar standaardantwoord: 'Wat er in een huwelijk gebeurt is iets tussen twee mensen. Je vader en ik houden heel veel van jou. Dat zal nooit veranderen.' De eerste paar keer werd dat met verdriet gezegd. Daarna klonk er een vleugje irritatie in door. Toen haar toon scherp werd, hield ik op met vragen stellen.

HAMILTON VERSCHEURT GEZIN! kopten de sportblogs. GEEF ME JE VROUW MAAR.

Grappig dat de krantenkoppen zo geestig waren, terwijl de waarheid zo grimmig was. En hoe gek was het wel niet dat dit altijd onderdeel van mijn leven was geweest: hoe ik aan mijn naam was gekomen, en dat het nu letterlijk een deel van mijn leven werd. Het was alsof je dol was op een film waarvan je elk beeldje kende en waar je plotseling zelf in zat. Maar dat het geen komische of romantische film meer was, maar je ergste nachtmerrie.

En natuurlijk had iedereen het erover. De buren, de sportjournalisten, de kinderen bij mij op school. Ze hadden het er waarschijnlijk nog steeds over, drie jaar en een kleine Hamilton-tweeling later, maar godzijdank was ik er toen niet meer om het aan te horen. Ik heb hen achtergelaten, samen met Mclean, toen ik met mijn vader een boedelbak aan onze oude Land Rover haakte en we naar Montford Falls reden. En Petree. En Westcott. En nu hiernaartoe.

Het was het eerste wat ik zag toen we de oprit op draaiden van ons nieuwe huurhuis. Niet de frisse witte verflaag, het vrolijke groene houtwerk of de brede, uitnodigende veranda. In eerste instantie vielen me de huizen aan weerszijden niet eens op, die vergelijkbaar waren qua grootte en stijl. Het ene met een zorgvuldig gemaaid gazon, het pad keurig omzoomd met nette struiken en het andere met geparkeerde auto's op het gazon, dat ook nog eens bezaaid was met lege rode plastic bekertjes. In plaats daarvan zag ik alleen dat ding aan het uiteinde van de oprit, dat ons persoonlijk verwelkomde.

We stopten er pal voor en zeiden geen van beiden een woord. Toen zette mijn vader de motor af en we bogen ons naar voren en keken door de voorruit hoe het boven ons uittorende.

Een basket. Natuurlijk. Soms was het leven gewoon hilarisch.

Heel even deden we niets anders dan staren. Toen liet mijn vader zijn hand van de autosleutel glijden. 'We gaan maar eens uitladen,' zei hij, en hij duwde zijn portier open. Ik deed hetzelfde en volgde hem naar de boedelbak. Maar ik zou kunnen zweren dat de basket me in de gaten hield toen ik mijn koffer pakte en die naar de veranda bracht.

Het huis was schattig, klein maar wel heel knus en het was duidelijk onlangs opgeknapt. De keukenapparatuur leek nieuw en ik zag op de muren geen sporen van punaises of spijkers. Mijn vader liep weer naar buiten om verder uit de laden, terwijl ik nog even op verkenning ging om me te oriënteren. Er was kabel en een draadloos netwerk: dat was goed. Ik had mijn eigen badkamer: dat was nog beter. En zo te zien lag het centrum op loopafstand, wat betekende dat er minder gedoe met het vervoer zou zijn dan in onze vorige verblijfsplaats. Ik voelde me eigenlijk best goed, op die herinnering aan de basket na, tot het moment dat ik de veranda aan de achterkant van het huis betrad en daar iemand trof die languit op een stapel tuinstoelkussens lag.

Ik slaakte een kreet die zo hoog en meisjesachtig klonk dat ik me ervoor zou hebben geschaamd als ik niet zo was geschrokken. Maar degene die op de kussens lag was net zo verrast, gezien de manier waarop hij opwipte en zich omdraaide om naar mij te kijken, terwijl ik me naar de deur achter me haastte en naar de deurknop greep om hem zo snel mogelijk dicht te doen. Toen ik het slot erop draaide, nog steeds met bonkend hart, kon ik zien dat het een jongen was in een spijkerbroek en met lang haar; hij droeg een verschoten flanellen shirt en had afgetrapte Adidas-schoenen aan. Hij had een heel dik boek zitten lezen, tot ik hem stoorde.

Nu ging hij overeind zitten, terwijl ik naar hem keek, en legde hij het boek naast zich. Hij streek over de achterkant van zijn haar – slordig, zwart en een beetje krullend – en pakte toen een jasje dat hij had opgerold en als kussen had gebruikt, en schudde het uit. Het was een verschoten corduroy jasje met een of ander embleem op de voorkant, en ik stond toe te kijken hoe hij het zogezegd kalmpjes aantrok voor hij ging staan en zijn boek oppakte. Ik zag dat het een of ander leerboek was. Toen streek hij zijn haar opzij en draaide zich om. Hij keek me recht aan door het raam van de deur tussen ons in. Sorry, zei hij zonder geluid. Sorry.

'Mclean!' riep mijn vader vanuit het halletje, en zijn stem galmde door de lege gang. 'Ik heb je laptop hier. Wil je dat ik die naar je kamer breng?'

Ik stond als aan de grond genageld naar die jongen te staren. Zijn ogen waren felblauw en zijn gezicht was winters bleek, maar met rode wangen. Ik was er nog steeds niet uit of ik nou om hulp moest roepen, toen hij ineens naar me lachte en min of meer naar me salueerde met zijn vingers tegen zijn slaap. Vervolgens draaide hij zich om en liep door de hordeur naar de achtertuin. Hij struinde langzaam weg, liep onder de basket door naar het hek van het huis ernaast, waar hij, in mijn ogen, heel elegant overheen sprong. Toen hij de veranda op liep, ging de keukendeur open. Het laatste wat ik van hem zag was dat hij zijn schouders rechtte alsof hij zich voor iets schrap zette voor hij naar binnen verdween.

'Mclean?' riep mijn vader weer. Hij kwam nu dichterbij en zijn voetstappen echoden. Toen hij me zag, stak hij mijn laptoptas in de lucht. 'Weet je al waar je deze wilt hebben?'

Ik keek weer naar het huis van de buren, waar die jongen net naar binnen was gegaan, en vroeg me af welk verhaal hierachter zat. Je hangt niet rond bij een huis waarvan je denkt dat het leegstaat als je er pal naast woont, tenzij je niet graag thuis bent. En dat was zijn huis, dat was wel duidelijk. Je kunt het zien als iemand ergens thuishoort. Dat kun je niet spelen, hoe hard je ook je best zou doen.

'Bedankt,' zei ik tegen mijn vader, terwijl ik me naar hem toe draaide. 'Leg hem maar ergens neer.'

2

Als je vader chef-kok is, nemen mensen automatisch aan dat hij thuis altijd kookt. Dat was niet het geval in ons gezin. Sterker nog: als hij uren in een restaurantkeuken was geweest om het eten voor te bereiden of toe te zien hoe anderen dat deden, was achter het fornuis staan wel het laatste waar hij zin in had als hij eindelijk thuis was.

Daarom was mijn moeder op zichzelf aangewezen, en zij was absoluut geen keukenprinses. Zoals mijn vader een perfecte witte saus kon maken, zo overgoot zij alles met een 'roomsaus': romige kippensoep over kipfilets, romige broccolisoep over aardappelen uit de oven, romige champignonsoep over... tja, over van alles en nog wat. Als ze in de stemming was voor iets speciaals, strooide ze wat kruimels chips over het gerecht dat ze in elkaar had geflanst en noemde ze dat garnituur. We aten groenten uit blik, Parmezaanse kaas uit een bus en kipfilets uit de diepvries, die ze in de magnetron ontdooide. En dat gaf niks. Op de zeldzame avonden dat mijn vader thuis was en overgehaald kon worden om te koken, deed hij dat altijd met de barbecue. Daar grilde hij zalmfilets of dikke T-bonesteaks, terwijl hij ondertussen ballen opgooide in de richting van onze gehavende basket waarvan het backboard was volgeplakt met Defriese-stickers, zodat er geen witte plek meer te zien was. Mijn moeder opende binnen in huis een zak met sla en strooide daar croutons uit een doosje overheen, om het af te maken met dressing uit een flesje. Dat contrast zou misschien vreemd hebben geleken, maar op de een of andere manier werkte het.

Toen het huwelijk van mijn ouders net was geïmplodeerd, verkeerde ik in een shocktoestand. Misschien was het naïef, maar ik had altijd gedacht dat mijn ouders een voorbeeld waren van een Groots Amerikaans Liefdesverhaal. Zij kwam uit een rijke familie in het Zuiden van Amerika dat schoonheidskoninginnen voortbracht, en hij was het enige kind van een arbeider in een autofabriek en een schooljuf, die hem op latere leeftijd hadden gekregen. Twee mensen konden niet meer van elkaar verschillen dan zij. Mijn moeder was een debutante die écht op een etiquetteschool had gezeten; mijn vader veegde zijn mond af aan zijn mouw en had niet eens een pak in de kast hangen. Maar op de een of andere manier werkte het, tot mijn moeder besloot dat ze dit niet meer wilde. En zo was alles op slag veranderd.

Toen ze mijn vader verliet voor Peter, kon ik het écht niet geloven, wat er allemaal gebeurde, ook al kwam ik overal om me heen de bewijzen ervan tegen: gegniffel in de gangen op school, mijn moeder die het huis uit ging, de plotselinge diepe vermoeidheid die op mijn vaders gezicht stond gegrift. Ik verkeerde in zo'n schemergebied dat ik er niet eens aan dacht om te protesteren toen er voor mij werd besloten dat ik doordeweeks bij mijn moeder in Casa Hamilton zou wonen en in het weekend bij mijn vader in ons oude huis. Ik ben er slaapwandelend in gelopen, net als in al het andere.

Peter Hamilton woonde in The Range, een exclusieve, met hekken afgeschermde wijk aan het meer. Je moest langs een poortwachter om erin te komen en er was een aparte ingang voor tuin- en klusjesmannen, zodat de bewoners niet oog in oog hoefden te staan met mensen uit de lagere klassen. Alle huizen waren gigantisch groot. De hal van Peters huis was zo groot dat alles wat je zei opsteeg, helemaal tot aan het hoge plafond, waardoor je prompt sprakeloos werd. Er was een speelruimte met een Defriese-flipperkast (een welkomstgeschenk van de basketbalcommissie) en een zwembad waarin op de bodem het Defriese-logo was geschilderd (een welkomstgeschenk van de aannemer, die een grote DB-fan was). Ik moest er altijd aan denken dat de enige die dit alles werkelijk op prijs had gesteld degene was die daar nooit de kans voor zou krijgen: mijn vader. Ik kon hem er niet eens over vertellen, omdat dat zou aanvoelen als de zoveelste belediging.

Wat koken betreft: Peter Hamilton bakte er niks van. Net zomin als mijn moeder, trouwens. In plaats daarvan hadden ze een huishoudster: miss Jane. Zij stond bijna altijd tot je beschikking als je iets wilde, en ook als je niets wilde. Na school lag er altijd een gezonde, aantrekkelijke snack op me te wachten, en 's avonds stond er stipt om zes uur, als er geen wedstrijden waren, een verantwoorde maaltijd met groente, vlees en brood op tafel. Maar ik miste de gerechten met de roomsoepen en de chipskruimels, net zoals ik alles van mijn oude leven miste. Ik wilde het terug. Pas toen mijn moeder vertelde dat ze in verwachting was van een tweeling, besefte ik dat dat nooit meer zou gebeuren. Alsof ik een emmer water over mijn hoofd kreeg, zo schudde het nieuws van hun komst mij wakker.

Mijn moeder had me er niets over gezegd toen ze bij mijn vader wegging, maar als ik het narekende – en god wat heb ik de pest aan rekenen – werd het wel duidelijk dat zij het niet alleen wist, maar dat het ook de enige reden was geweest om alles op te biechten. Het enige wat ik wist, was dat er zoveel nieuws met grote snelheid op me af kwam (zoals: we gaan scheiden, jij zult een groot deel van de week in een ander huis wonen – o, en het restaurant gaat sluiten) dat ik had gedacht dat niets me nog zou choqueren. Ik had het mis. Plotseling had ik niet alleen een nieuwe stiefvader en een nieuw huis, maar ook nog een nieuw gezin. Het was niet genoeg om het gezin waar ik van hield uit te wissen: ze was het aan het vervangen.

Mijn ouders waren in april uit elkaar gegaan. Die zomer, toen ik wist dat er halfbroertjes of -zusjes op komst waren, besloot mijn vader dat hij de Mariposa zou verkopen en een baan als adviseur zou nemen. De eigenaar van EAT INC, een oud-teamgenoot aan de universiteit, had al tijden geprobeerd om hem in dienst te nemen, en nu leek hun aanbod precies datgene wat hij nodig had. Een nieuwe richting, een nieuwe omgeving. Een verandering, punt. En daarom zei hij ja. Hij zou in de herfst beginnen en hij beloofde me dat hij me altijd als dat kon zou opzoeken en dat ik in de zomer en tijdens de vakanties bij hem zou zijn. Het kwam geen seconde in hem op dat ik met hem mee wilde gaan, net zoals het niet in mijn moeder opkwam dat ik niet voorgoed bij haar en Peter wilde intrekken. Maar ik was het zat dat mijn ouders – mijn moeder – alles voor mij beslisten. Zij kon haar stralende nieuwe leven met een nieuwe man en nieuwe kinderen krijgen, maar mij kreeg ze er niet bij. Ik besloot dat ik met mijn vader mee zou gaan.

Dat ging niet zonder slag of stoot. Er werden advocaten gebeld en bijeenkomsten belegd. Mijn vaders vertrek werd eerst een paar weken en toen een paar maanden uitgesteld, omdat ik uren aan een vergadertafel zat in een of ander kantoor, terwijl mijn moeder met rode ogen en ontzettend zwanger me blikken toewierp alsof ik een verrader was, en dat vond ik zo ironisch dat het bijna grappig werd. Bijna. Mijn vader was stil wanneer haar advocaat en die van hem mij voor de zoveelste keer lieten verklaren dat het mijn eigen keuze was en dat hij er niet op had aangedrongen. De stenograaf van de rechtbank kreeg een kleur en deed net alsof ze niet de hele tijd zat te kijken naar Peter Hamilton, die naast mijn moeder zat. Hij hield haar hand vast met het ernstige gezicht dat ik van hem kende als zijn team in de blessuretijd zat. Na ongeveer vier maanden gewurm en gedoe werd er besloten (verrassing!) dat ik deze beslissing zelf mocht nemen. Mijn moeder was in alle staten, omdat zij er natuurlijk niets van begreep dat je deed wat je wilde en alleen wat jij wilde, ongeacht de gevoelens van anderen.

Sinds ik ben vertrokken is onze relatie op z'n zachtst gezegd lauwtjes. Volgens de omgangsregeling ben ik verplicht om haar in de zomer en tijdens de vakanties te bezoeken, wat ik met net zoveel enthousiasme deed als ieder ander die een uitspraak van de rechtbank opvolgt. Elke keer werd onmiddellijk weer hetzelfde duidelijk: mijn moeder wilde gewoon een frisse start. Ze had er totaal geen behoefte aan om over ons leven hiervoor te praten of over de rol die zij er wel of niet in had gespeeld om ervoor te zorgen dat het tot het verleden behoorde. Nee, ik moest maar naadloos in haar nieuwe leventje passen en nooit meer achteromkijken. Het is heel wat anders wanneer je wordt gedwongen om een ander te zijn dan als je dat uit eigen vrije wil doet. Bij haar kwam ik dus in verzet.

In die twee jaar dat we rondzwierven miste ik mijn moeder wel. Toen ik in die eenzame, onzekere begindagen echt heimwee had, miste ik niet zozeer ons oude huis, mijn vrienden of iets anders, als wel de troost waar zij voor stond. Het waren kleine dingen, zoals haar geur, de manier waarop ze mij altijd een te stevige knuffel gaf en het feit dat ik genoeg op haar leek om me al veilig te voelen als ik alleen maar naar haar keek. Maar dan bedacht ik dat ik niet echt naar haar verlangde, maar naar een soort illusie, naar degene die ik dacht dat zij was. Naar degene die genoeg om ons gezin gaf om het niet uiteen te laten vallen. Die zoveel van het strand hield dat ze er altijd voor in was om spontaan de spullen te pakken en erheen te gaan, ongeacht het weer, het seizoen of de vraag of we het ons wel konden veroorloven om te overnachten in het Poseidon, een verlopen motel met uitzicht op zee. Degene die aan het uiteinde van de bar in de Mariposa, met een bril op het puntje van haar neus, de bonnetjes zat door te nemen in de tijd tussen het serveren van de lunch en het diner in. Die voor de open haard vierkante stukjes stof van onze oude kleren aan elkaar naaide om quilts te maken, zodat we onder onze eigen herinneringen sliepen. Ik was niet de enige die er niet meer was; zij was er ook niet meer.

Maar ik dacht niet het meest aan mijn moeder op de eerste dag op een nieuwe school, als we niet bij elkaar waren op een feestdag en zelfs niet als ik een flits van haar op televisie zag wanneer ze tijdens een Defriese-wedstrijd in beeld kwam voor ik de kans kreeg om naar een ander kanaal te zappen. Vreemd genoeg gebeurde dat vooral als ik 's avonds stond te koken. Als ik in een vreemde keuken stond en vlees stond te braden en een in stukken gesneden groene paprika bij een saus uit een pakje deed. Als ik in de schemering een blik soep openmaakte, wat kip en een zak chips pakte om van niets iets te maken.

Altijd als mijn vader kwam om de leiding in een nieuw restaurant over te nemen, was er altijd wel iemand die weerstand bood. Iemand die alle kritiek persoonlijk opvatte, zich tegen elke verandering verzette en steevast de woordvoerder van het legertje klagers werd. Opal was zo iemand in de Luna Blu.

Zij was de huidige manager, het lange meisje met de tatoeages dat er gisteren voor had gezorgd dat er een serveerster bij onze tafel kwam. Toen ik de volgende dag vroeg in de avond binnenkwam was ze gekleed als een pin-upgirl in oude stijl: haar donkere haar was opgestoken, ze droeg felrode lippenstift, een spijkerbroek en een pluizig roze truitje met parelknopen. Ze was heel aardig toen ze een cola voor me neerzette en ze lachte en was erg beleefd toen ze mijn bestelling opnam. Maar toen ik eenmaal mijn eten had gekregen en zij bij mijn vader ging zitten om te praten, was het wel duidelijk dat mijn vader zijn handen vol zou krijgen.

'Het is een slecht idee,' zei ze tegen hem aan het andere eind van de bar. 'De klanten zullen in opstand komen. Ze verwachten rozemarijnbroodjes.'

'De vaste klanten verwachten die,' antwoordde mijn vader. 'Maar je hebt niet veel vaste klanten. En het is een feit dat zo'n gratis voorgerecht geen economisch of praktisch doel heeft. Je wilt dat er meer mensen meer drank en eten gaan bestellen en niet dat er een paar mensen zijn die hun buikje rond eten met gratis brood.'

'Maar het heeft wél een doel,' zei Opal op tamelijk scherpe toon. 'Als mensen de broodjes hebben geproefd, worden ze hongerig en zullen ze meer bestellen dan ze normaal gesproken zouden doen.'

'Dus die mensen die ik gisteravond zag, die goedkoop bier dronken en de broodjes aten en verder niets anders bestelden, waren een uitzondering?' vroeg mijn vader.

'Er zaten gisteren maar een stuk of twee mensen aan de bar!'

Mijn vader stak zijn wijsvinger op. 'Dat bedoel ik.'

Opal keek hem alleen maar aan terwijl ze rood werd. Het was nu eenmaal een feit dat niemand stond te springen van blijdschap als hun baas er iemand van buiten bij haalde die kwam vertellen dat wat zij deden niet werkt. Het maakte niet uit of het restaurant verlies draaide of de slechtste reputatie, vieste wc's of het smerigste eten had, en dus baat zou hebben bij welke verbetering dan ook. Mensen klaagden in het begin altijd. De werknemers die er het langst zaten deden dat meestal het hardst, en dat was de reden dat EAT INC hen vaak ontsloeg voordat wij ook maar in beeld verschenen. Op de een of andere manier ging het hier anders, en daarom was het moeilijk.

'Oké,' zei ze met een beheerste en gelijkmatige stem, 'stel dat we de broodjes afschaffen. Wat gaan we de klanten dan aanbieden? Zoute krakelingen? Pinda's? Misschien kunnen ze de schillen op de grond gooien om bij te dragen aan een sfeer die er volgens jou niet is?'

'Nee.' Mijn vader lachte. 'Ik dacht eigenlijk meer aan augurken.'

Opal staarde hem aan. 'Augurken?'

Ik keek hoe hij de menukaart die voor hem lag oppakte. Het was dezelfde kaart die ik vanochtend op onze keukentafel had aangetroffen, vol met aantekeningen en doorhalingen gemaakt met een zwarte Sharpie-pen. Hij zag er zo toegetakeld uit dat hij wel op een van mijn werkstukken voor Engels leek die ik had teruggekregen van meneer Reid-Barbour, de strengste leraar op mijn laatste school. Een eerste blik leerde al dat het er niet best uitzag voor de meeste voorgerechten en voor alle desserts.

Nu legde hij de kaart tussen hen in op de bar en Opal sperde haar ogen wijder open. Ze keek zo verslagen dat ik het niet meer kon aanzien en me maar weer stortte op de sudoku in de krant die iemand op de bar had laten liggen. 'O, mijn god,' zei ze met lage stem. 'Je gaat alles veranderen, of niet soms?'

'Nee,' zei mijn vader.

'Je hebt al onze vleesgerechten doorgestreept!' Ze hield haar adem in. 'En de voorgerechten! Er blijft niets meer over!'

'Jawel, hoor,' zei mijn vader kalm. 'De augurken.'

Opal boog zich met half samengeknepen ogen wat dieper over de kaart. 'Niemand bestelt augurken.'

'Dat is echt jammer,' zei mijn vader, 'want ze zijn heel lekker. Uniek. En heel erg economisch. Het ideale gratis voorafje.'

'Wil jij klanten bij binnenkomst gefrituurde augurken geven?' wilde Opal weten. 'Dit is een Italiaans restaurant!'

'Dat brengt me op mijn volgende vraag,' zei mijn vader, die de menukaart omdraaide. 'Als dat zo is, waarom heb je dan guacamole, taco's en fajita's op de kaart staan? Of zelfs gefrituurde augurken?'

Ze kneep haar ogen tot spleetjes. 'Je weet vast wel dat de vorige eigenaren hier een heel succesvol Mexicaans restaurant runden. Toen er een nieuw management kwam en de kaart veranderde, leek het niet meer dan logisch om de populaire schotels op de kaart te laten staan.'

'Dat weet ik inderdaad,' zei mijn vader. 'Maar dat weet de GMOS niet.'

'De GMOS?'

'De gemiddelde man op straat. De gemiddelde klant – mensen die langslopen – op zoek naar een eettent.' Hij schraapte zijn keel. 'Wat ik wil zeggen is dat dit restaurant in een identiteitscrisis zit. Je bent de weg kwijt, en het is mijn taak je op het rechte pad te zetten.'

Opal staarde hem aan. 'Door alles te veranderen?'

'Niet alles,' antwoordde hij terwijl hij de menukaart omdraaide. 'Augurken. Niet vergeten!'

Het was niet fraai. Tegen de tijd dat ze klaar waren en mijn vader bij mij kwam zitten, zag hij er uitgeput uit, terwijl het toch niet de eerste keer was dat hij dit deed. Opal verdween de keuken in en ze liet de deur met een klap achter zich dichtvallen. Even later viel er iets met veel kabaal op de grond, gevolgd door een vloek.

'Nou,' zei mijn vader, die een barkruk naast mij naar zich toe trok en erop ging zitten. 'Dat ging goed.'

Ik glimlachte en schoof mijn bord naar hem toe, zodat hij wat van de chips en salsasaus kon nemen die ik had laten staan. 'Ze is blijkbaar nogal dol op broodjes.'

'Het gaat niet over de broodjes.' Hij nam wat chips, rook eraan en legde ze weer terug. 'Ze is gewoon haar zone aan het verdedigen.'

Ik trok verrast mijn wenkbrauwen op. Sinds dat hele Peter Hamilton-gedoe was mijn vaders liefde voor het basketbalteam van Defriese geslonken tot een absoluut minimum, wat begrijpelijk was. Maar hij was zo lang fan geweest en de legende en het jargon van het team hadden zo'n groot deel van zijn leven uitgemaakt dat sommige gewoonten er helemaal in gesleten waren. Zoals het toepassen van de beroemdste aanvalsmanoeuvre van Mclean Rich – die eruit bestond de tegenstander af te leiden met een of andere pass of manoeuvre, zodat die niet opmerkte wat er achter hem gebeurde – als hij vermoedde iemand hem probeerde te beïnvloeden. Mijn vader had niet door dat hij in basketbaltermen sprak, of wilde het niet toegeven, en daarom zei ik ook maar niets.

'Ze draait nog wel bij,' zei ik dus maar. 'Je weet dat het eerste gesprek altijd het moeilijkste is.'

'Klopt.' Ik keek toe hoe hij met een hand door zijn haar streek en de lok weer op zijn voorhoofd liet terugvallen. Hij had altijd een lang en slordig kapsel gehad, waardoor hij er jonger uitzag dan hij was, hoewel de echtscheiding voor een paar rimpels bij zijn ogen had gezorgd. Toch had zijn aantrekkelijkheid er tot nu toe altijd voor gezorgd dat er op een gegeven moment sprake was een nieuwe vriendin, zo niet wannabe-stiefmoeder, op de plek waar we waren neergestreken.

'Maar,' zei ik, 'ben je klaar voor de laatste nieuwtjes?'

Hij leunde achterover en haalde diep adem. Toen sloeg hij zijn handen tegen elkaar aan en schudde ze vervolgens uit, alsof hij zichzelf weer opstartte, waarna hij zei: 'Jazeker, kom maar op.'

Ik haalde een lijst uit mijn zak, die ik op de bar openvouwde. 'Goed,' begon ik. 'Alle huishoudelijke apparatuur doet het, behalve de kabeltelevisie, die nog niet de helft van de kanalen geeft, maar dat wordt morgen opgelost. De vuilnis wordt op donderdag opgehaald en het gft-afval op dinsdag. Ik kan me maandagochtend inschrijven op school als ik me vroeg meld en al mijn gegevens meeneem.'

'Waar is het?'

'Ongeveer tien kilometer van huis. Maar een straat bij ons vandaan stopt een bus die ik kan nemen.'

'Mooi,' zei hij. 'En boodschappen?'

'Ik heb vanochtend een supermarkt gevonden en heb boodschappen gedaan. Het broodrooster is kapot en daarom heb ik een nieuwe gekocht. O, en ik heb een reservesleutel laten maken.'

'Heb je al met de buren kennisgemaakt?'

Terwijl ik mijn cola oppakte en een slokje nam, dacht ik aan de jongen die ik op onze veranda had aangetroffen. Dat was niet echt een ontmoeting, dus ik schudde mijn hoofd. 'Maar ik denk dat er rechts van ons een gezin woont – leraren. En links studenten. Ik heb de hele nacht basgedreun gehoord.'

'Ik ook,' zei hij terwijl hij weer over zijn gezicht wreef. 'Maar ik kon toch al niet slapen.'

Ik keek naar de menukaart met de aantekeningen erop, die aan de ander kant naast hem lag. 'Augurken dus?'

'Jij hebt ze gisteren gegeten,' zei hij. 'Die waren toch lekker?'

'Beter dan deze taco's. Ze vielen meteen al uit elkaar toen ik ze oppakte.'

Hij pakte een vork en nam een hap van het eten op mijn bord. Hij kauwde met een uitgestreken gezicht, waarna hij hem weer neerlegde en zei: 'Het vlees is niet goed uitgelekt. Dat is al het halve werk voor een goede taco. Bovendien zit er te veel koriander in die salsasaus.'

'Maar de trouwe klanten bestellen ze wel,' bracht ik hem in herinnering.

Hij schudde zijn hoofd. 'Ik ben bang dat zij zich bij de broodjesmensen moeten scharen.'

'*Vive la révolution*,' zei ik om hem aan het lachen te maken. En dat lukte ook min of meer.

We hoorden nog een klap uit de keuken komen, deze keer gevolgd door een hele hoop gekletter. Hij zuchtte en zette zich af tegen de bar. 'Het is tijd om kennis te maken met het keukenpersoneel,' zei hij zonder enig enthousiasme in zijn stem. 'Red jij je wel vanavond?'

'Ja, hoor,' zei ik. 'Ik moet nog een hele hoop uitpakken.'

'Nou, bel me maar, of kom hier terug als je je eenzaam voelt. Ik probeer op een redelijke tijd thuis te zijn.'

Ik knikte en sloot mijn ogen toen hij me kuste, mijn haar in de war maakte en achter me langs wegliep. Toen ik hem nakeek en zijn langzame tred en zijn verkrampte schouders zag, voelde ik dezelfde steek die sinds de scheiding mijn tweede natuur was geworden omdat ik hem wilde beschermen. Daar bestond vast een term voor, voor wederzijdse afhankelijkheid, waarbij een dochter zich te veel gedraagt als een echtgenote als de echte echtgenote de benen heeft genomen. Maar wat kon ik anders? Wij hadden alleen elkaar. Meer niet.

Mijn vader kon wel voor zichzelf zorgen. Dat wist ik. Net zoals ik wist dat er een heleboel dingen in zijn leven waren die ik niet kon herstellen, hoe hard ik ook mijn best deed. Dat was misschien wel de reden dat ik zo mijn best deed voor de dingen die ik wél aankon. Het huis voor ons inrichten, met oog voor de details om de chaos waar wij voor hadden gekozen zo beperkt mogelijk te houden. Ik kon zijn gebroken hart niet voor hem lijmen en hem zijn liefde voor het basketbalteam niet teruggeven, maar een nieuw broodrooster kopen, voor genoeg zeep en keukenrollen zorgen en instemmen met de augurken? Dat kon ik best.

Helemaal omdat ik niet wist of ik nog een keer de kans zou krijgen om het te doen. Ik zat in de eindexamenklas en mijn aanmelding voor een vervolgopleiding was al verstuurd, wat op z'n zachtst gezegd een hele toer was geweest, gezien mijn uitgebreide schoolgeschiedenis. Ik wist dat ik in de herfst, net als de twee jaar hiervoor, ergens anders zou wonen en wéér niet zou weten waar dat was. Wat ik wel zeker wist, was dat ik in mijn eentje zou gaan. Ik werd zo verdrietig van die gedachte dat ik nu alles wat ik kon voor mijn vader wilde doen, als een soort spaarpot voor mijn uiteindelijke afwezigheid.

Ik betaalde mijn rekening – dat was weer een van mijn vaders regels: geen gratis maaltijden – stond op en liep naar buiten voor de korte wandeling naar huis. Het was een frisse dag, begin januari, met van dat snel verdwijnende middaglicht dat je het gevoel geeft dat de duisternis je besluipt. Ik wilde net een steeg links van de Luna Blu inslaan, omdat ik bijna zeker wist dat het een kortere weg naar onze straat was, toen ik Opal tegen het lijf liep. Ze zat met haar rug naar me toe op een melkkrat bij de zijdeur van het restaurant en praatte met een jongen in een spijkerbroek en met een schort voor die een sigaret stond te roken.

'Ik bedoel, je moet maar durven, om binnen te stormen en jezelf een expert op alle terreinen te noemen,' zei ze. 'O, en je kan gewoon zien dat hij het gewend is dat vrouwen zich voor zijn voeten werpen en hem overal gelijk in geven, ook als het nergens op slaat en bijna beledigend is. Die man is duidelijk verliefd op zichzelf. Ik bedoel, heb je zijn haar gezien? Wat ben je voor een volwassen vent als je geen kapsel kan vinden dat bij je leeftijd past?'

De lange, dunne jongen met de sigaret – en een behoorlijk vooruitstekende adamsappel – schoot in de lach en knikte naar mij terwijl ik hen naderde. Opal draaide zich ook lachend om. Toen sperde ze haar ogen wijd open en sprong ze op. 'Hallo,' zei ze, iets te snel. 'Eh... ik had niet door... Hoe vond je het eten? Heeft het gesmaakt?'

Ik knikte zonder iets te zeggen en stak mijn handen in mijn zakken terwijl ik tussen hen door liep. Ongeveer twee tellen later hoorde ik voetstappen achter me; iemand haalde me rennend in.

'Wacht!' riep Opal. En toen: 'Alsjeblieft?'

Ik bleef staan en draaide me om. Van dichtbij zag ze er ouder uit dan ik had beseft. Ze was waarschijnlijk begin dertig, in plaats van achter in de twintig. Ze had rode wangen, misschien van de kou of van verlegenheid. Ze zei: 'Hoor eens, ik was gewoon stoom aan het afblazen, oké? Het was niet persoonlijk bedoeld.'

'Geeft niets,' zei ik tegen haar. 'Het heeft niets met mij te maken.'

Ze keek me even aan en sloeg toen haar armen voor haar borst over elkaar. 'Het is gewoon...' begon ze, maar toen stopte ze om adem te halen. 'Het is nogal irritant als je ineens zo onder de loep wordt genomen. Ik weet dat het geen excuus is, maar ik zou het waarderen als jij niet... je weet wel...'

'Ik zal het niet doen,' zei ik.

Opal knikte langzaam. 'Bedankt.'

Ik draaide me om en wilde verder lopen, met mijn hoofd omlaag vanwege de kou. Ik had nog maar een paar stappen gezet toen ik haar hoorde zeggen: 'Hé, ik heb je naam niet goed verstaan. Hoe heet je?'

Ik koos nooit zelf het moment uit; het koos mij altijd. Op de een of andere manier wist ik precies wat zou werken op het moment dat het nodig was.

'Ik heet Liz,' zei ik, me naar haar omdraaiend.

Ik vond het wel goed klinken. Eenvoudig, drie letters.

'Liz,' herhaalde ze, alsof ze een deal met me sloot. 'Aangenaam kennis met je te maken.'

Eenmaal thuis pakte ik mijn koffer uit, borg ik de rest van de boodschappen op en verplaatste ik onze bank vier keer in de huiskamer voor ik besloot dat de plek waar mijn vader en ik hem zonder erover na te denken het eerst hadden neergezet de beste plek was. Maar om er helemaal zeker van te zijn plofte ik erop neer met een glas melk erbij en startte ik mijn laptop op.

Mijn startpagina van Ume.com was nog steeds die van Beth Sweet. Bovenaan stond een foto van mij die op het strand was genomen, met onze bungalow als een vage roze-groene vlek op de achtergrond. Er stond een lijst van mijn activiteiten (jaarboek, vrijwilligerswerk, leerlingenraad) en interesses (reizen, lezen, uitgaan met mijn vrienden). Die vrienden stonden er vlak onder, alle honderdtweeënveertig. Het ene na het andere kleine gezicht dat ik waarschijnlijk nooit meer zou zien. Ik scrolde naar beneden, naar de opmerkingen, en keek er even een paar door:

Meid, we missen je nu al! De laatste vergadering was dood-saai zonder jou.

Beth, ik hoorde van Misty dat je bent verhuisd. Wat kort dag, ik hoop dat alles goed gaat. Bel me!

Zeggen we geen gedag meer?

Ik boog me wat dieper over het beeldscherm, las die vijf woorden opnieuw en daarna nog een keer. Ik klikte op het gezicht dat ernaast stond om naar Michaels startpagina te gaan.

Daar was hij dan, zittend op een dijk aan zee in zijn surf-pak, met zijn natte haar dat achter in zijn nek omhoogstak. Hij keek naar rechts, naar de zee, niet naar de camera, en toen ik hem zag voelde ik vlinders in mijn buik. We kenden elkaar nog maar een paar maanden, sinds we elkaar op een ochtend op het strand waren tegengekomen toen ik aan het wandelen was en hij de golven opzocht. Wekenlang troffen we elkaar tussen kwart voor en kwart over zeven 's ochtends en ontstond er... tja, uiteindelijk dus niets.

Maar hij had gelijk. Ik had geen afscheid genomen. Het was, net als altijd, makkelijker geweest om gewoon te ver-dwijnen en mezelf het gedoe van het vaarwel zeggen te be-sparen. Nu gleed mijn vinger over de touchpad en bewoog ik de cursor naar zijn opmerkingenvak, maar toen stopte ik. Wat had het voor zin? Alles wat ik nu zou zeggen, zou alleen maar mosterd na de maaltijd zijn.

Om eerlijk te zijn had ik na de scheiding van mijn ouders niet veel vertrouwen meer in relaties, en ik had geen en-kele behoefte om er zelf een te beginnen. Thuis had ik ver-schillende vriendinnen gehad die ik vanaf de basisschool kende, meisjes met wie ik in een voetbalteam zat en met wie ik op de middelbare school bevriend bleef. Ik had een paar vriendjes gehad en mijn hart was meer dan eens gebroken. Ik was een gewoon meisje in een gewone stad, tot de scheiding kwam.

Toen viel ik ineens buiten de groep: niemand had een stiefvader die basketbaltrainer was, mijn ouders hadden een schandaal veroorzaakt, en als klap op de vuurpijl was er een tweeling onderweg. Het was allemaal zo openbaar en afschuwelijk, en ook al probeerden mijn vrienden er voor me te zijn, toch was het te moeilijk om uit te leggen wat ik allemaal voelde. Daarom trok ik me terug van alles en iedereen. Pas toen we in Petree aankwamen, besefte ik dat ik al aan het veranderen was voordat we steeds verhuisden, dat ik mezelf al opnieuw aan het uitvinden was op de plek waar ik me het meest thuis had gevoeld. Maar als de omgeving nieuw was, kon ik dat zelf eindelijk ook zijn.

Sinds we rondtrokken had ik veel opgestoken over hoe mensen met elkaar omgaan. Ik wist dat we niet voorgoed ergens bleven, en daarom hield ik mijn gevoelens ook maar op een tijdelijk niveau. Dat betekende dat ik makkelijk vrienden maakte, maar nooit een bepaalde kant koos en ook jongens uitzocht met wie het toch nooit serieus zou kunnen worden. Mijn beste vriendschappen begonnen juist meestal als ik al wist dat we binnenkort weer zouden gaan verhuizen. Dan kon ik me helemaal geven en ontspannen zijn, omdat ik wist dat wat er ook zou gebeuren, ik toch snel de benen zou nemen. Daarom begon ik met Michael om te gaan, een jongen die ouder was, niet meer op school zat en met wie ik nooit een toekomst zou hebben. Als dat inderdaad niet gebeurde, dan zou het tenminste geen verrassing zijn.

Ik ging terug naar de pagina van Beth Sweet en meldde me vervolgens af. MAAK NU JE EIGEN ACCOUNT OP UME! Ik typte net mijn e-mailadres en LIZ SWEET in, toen mijn computer een vrolijk piepgeluid maakte en mijn webcam werd geactiveerd.

Shit, dacht ik. Ik zette mijn laptop snel op de koffietafel en liep naar de keuken. Het was het chatprogramma HiThere!, dat al op mijn computer was geïnstalleerd en dat ik er met geen mogelijkheid af kon krijgen. Dat was ook geen probleem geweest, omdat niemand van mijn vrienden het gebruikte. Maar iemand anders helaas wel.

'Mclean?' Toen niets, behalve wat ruis. 'Schatje? Ben je daar?'

Ik leunde tegen de koelkast en sloot mijn ogen, terwijl mijn moeders smekende stem ons lege huis binnendrong. Dit was haar laatste redmiddel als ik haar sms-berichten en e-mails had genegeerd, de enige manier waarop ze me altijd op de een of andere manier te pakken kreeg.

'Nou,' zei ze, en ik wist dat als ik naar mijn beeldscherm zou kijken, ik haar te zien zou krijgen, reikhalzend om mijn gezicht te ontdekken in de zoveelste kamer die zij niet herkende. 'Ik neem aan dat je niet thuis bent. Ik had even een minuutje de tijd en wilde je gedag zeggen. Ik mis je, schatje. En ik zat te denken aan je aanmeldingen en of je al iets had gehoord. Als je aan Defriese wordt aangenomen, dan kunnen we...'

Ze werd onderbroken door een plotselinge gil, gevolgd door een tweede. Toen hoorde ik gebabbel en wat geworstel voor ze weer iets zei.

'Oké, je mag op mijn schoot zitten, maar wel voorzichtig doen met de computer. Connor! Wat zei ik nou net?' Nog meer gesmoorde geluiden. 'Madison, schatje, kijk maar in de camera. Kijk, daar! Zie je haar? Kan je hallo zeggen tegen

Mclean? Zeg: hallo, Mclean! Hallo, grote... Connor! Geef dat potlood eens hier. Jullie zijn echt..'

Ik zette me af tegen de koelkast en liep door de keukendeur naar het terras. Het was helder buiten en de lucht was koud. Ik stond alleen maar te kijken naar de basket toen haar stem uiteindelijk achter me wegviel.

Vanaf het punt waar ik stond, kon ik een deel van de eetkamer van het huis ernaast zien, waar een vrouw met kort, kroezend haar aan het hoofd van de tafel zat. Ze droeg een geruite trui en een bril. Er stond een leeg bord voor haar neus, waarop netjes een mes en een vork gekruist lagen. Links van haar zat een man, ik denk haar echtgenoot, lang en dun, en ook met een bril, die een glas melk dronk. Hun gezichten stonden serieus en hun aandacht leek gericht op degene die tegenover hen zat. Maar ik kon alleen een schaduw zien.

Ik ging weer naar binnen en bleef in de keuken even staan luisteren. Niets dan stilte, behalve het geruis van de koelkast. Toch liep ik voorzichtig naar mijn laptop en gluurde stiekem om me ervan te verzekeren dat ik alleen de screensaver zag, waarna ik weer ging zitten. Zoals ik al had verwacht, zag ik een HiThere!-tekstballonnetje dat vrolijk van links naar rechts stuiterde in afwachting van mijn terugkomst.

Wilde gedag zeggen, wat jammer dat je er niet bent! We zijn de hele avond thuis, bel me en vertel me alles over je nieuwe huis. Ik hou van je. Mam.

Mijn moeder heeft een olifantenhuid, ik meen het. Ik kon haar duizend keer vertellen dat ik haar niet wilde spreken en dat ik wat ruimte nodig had, maar dat maakte haar niets uit. Wat haar betreft was ik niet woedend en probeerde ik niet haar te ontlopen. Ik had het gewoon druk.

Ik klapte mijn laptop dicht en had er ineens helemaal geen zin meer in om een nieuwe Ume.com-account te maken. Toen ging ik ontspannen achteroverzitten en staarde naar het plafond. Een tel later begon het basgedreun weer aan de andere kant van het huis.

Ik stond op en liep door de gang naar mijn kamer. Vanaf mijn bed had ik een prima uitzicht op het kleine witte huis rechts achter de heg. Er stonden nog steeds een paar auto's op het gazon en nu zag ik een suv die ernaast parkeerde, tegen de stoep botste en bijna de brievenbus omverduwde. Even later ging de achterklep open en een gedrongen jongen in een schippersjas sprong uit de auto. Hij floot op zijn vingers, iets wat ik altijd heb bewonderd, en liep naar de achterklep, waar hij aan iets begon te trekken, terwijl er een paar jongens door de voordeur kwamen om hem te helpen. Even later droegen ze een thuistap naar binnen. Toen de deur eenmaal achter hen dicht was gevallen, klonk het basgedreun nog harder.

Ik keek door de straat in de richting van de Luna Blu en overwoog het aanbod van mijn vader om daarnaartoe te gaan aan te nemen. Maar het was koud, ik was moe en ik kende daar ook helemaal niemand. Dus ging ik maar weer terug naar de keuken.

In het huis van de buren was het echtpaar van de eetkamer naar de keuken gegaan, waar de vrouw in de geruite trui bij het aanrecht stond, terwijl haar man de kraan opendraaide en een stapel borden in de gootsteen zette. Zij was aan het praten en bleef maar hoofdschuddend kijken naar de achterdeur, en een tijdje later stak hij zijn natte, druipende hand uit om in haar schouder te knijpen. Ze leunde tegen hem aan, met haar hoofd tegen zijn borstkas, en zo stonden ze samen terwijl hij doorging met de afwas.

Het was net een onderzoek naar contrasten. Het leek

alsof ik een keus kreeg: de luidruchtige studenten voor wie de avond nog maar net was begonnen en het echtpaar van middelbare leeftijd voor wie de avond ten einde liep. Ik ging terug naar de bank om er weer op te gaan liggen, maar deze keer schoof ik eerst de laptop een stukje van me af. Ik bleef een tijdje naar het plafond staren en onder me voelde ik de basdreun zachtjes vibreren. *Bonk. Bonk. Béng. Béng.* Het had wel iets troostends, die geluiden uit het leven van anderen om me heen, fraai of niet. Daar was ik dan, te midden van die levens, als een pasgeborene die lag te wachten tot m'n leven zou beginnen.

Ik schrok wakker van een klap.

Ik kwam overeind en wist eerst niet waar ik was. Dat was niet ongewoon tijdens de eerste dagen in een nieuw huis en daarom raakte ik niet in paniek, zoals vroeger. Toch duurde het even voor ik weer een beetje was bijgekomen en mijn hartslag was gedaald, waarna ik van de bank kwam om op onderzoek te gaan.

Het duurde niet lang voor ik de bron van het lawaai had gevonden. Een bloempot die op de rand van onze veranda stond was kapotgevallen en er lag overal aarde omheen. De vermoedelijke dader, een brede gast met een universiteits-T-shirt aan en een kralenketting om zijn nek, strompelde weer in de richting van het feest bij de buren, terwijl er een groepje mensen op de veranda stond te lachen en te klappen.

'O, o!' riep een magere jongen met een parka aan, naar mij wijzend. 'Kijk uit, Grass. Je bent er gloeiend bij!'

De brede jongen draaide zich wankel om en keek mij aan. 'Sorry!' riep hij vrolijk uit. 'Maar je bent toch cool?'

Ik wist niet precies hoe hij dat bedoelde, maar ik wist wel dat ik zo meteen een bezem en een vuilniszak moest pakken. Voor ik kon antwoorden stapte er een roodharig meisje in een gewatteerde jas over het grasveld tussen onze huizen. Ze hield een blikje bier in haar hand. Ze maakte het open, gaf het aan de jongen en fluisterde iets in zijn oor. Even later kwam hij weer mijn kant op en stak het naar mij uit als een soort zoenoffer.

'Voor jou,' zei hij, terwijl hij een soort grappige buiging maakte waarbij hij bijna omviel. Iemand joelde achter hem. 'Geachte dame.'

Nog meer gelach. Ik stak mijn hand uit en nam het blikje aan, maar zei verder niets.

'Zie je wel?' zei hij, wijzend naar mij. 'Ik wist het! Cool.'

Ik was dus cool. Blijkbaar. Ik keek hoe hij terug naar zijn vrienden ging en langs het groepje het huis in liep. Ik wilde net het blikje bier in de heg leeg laten lopen en op zoek gaan naar die vuilniszak, maar ineens moest ik denken aan het huis aan de andere kant, met dat verdrietige, oudere echtpaar, en ik bedacht me. Mijn namen kozen mij altijd uit en dat had gevolgen voor de handel en wandel van het meisje dat onder die naam door het leven ging. Beth of Lizbet of Eliza zou er nooit over hebben gepiekerd om naar een feestje te gaan met volslagen onbekende mensen. Maar Liz Sweet was misschien wel zo'n meisje. Daarom schoot ik weer naar binnen en pakte ik mijn jas om erachter te komen.

'Jackson High?' Het blonde meisje bij de thuistap rolde theatraal met haar ogen. 'Arm kind. Je vindt het daar vast vreselijk.'

'Het is een gevangenis,' voegde haar vriendje eraan toe. Hij droeg een zwart T-shirt, een lange jas en een ring door zijn neus als een Spaanse stier. 'Als de goelag, maar dan met een bel.'

'Je meent het,' zei ik, en ik nam een slokje bier.

'Echt wel.' Het kleine, welgevormde meisje droeg een soort onderjurk, die niet zo goed bij het winterseizoen paste, met een dikke parka eroverheen en daaronder leren moonboots. Ze frunnikte even aan haar gevulde boezem. 'Je kan daar alleen overleven met een flinke dosis humor en een stel goede vrienden. Als je die niet hebt, kan je het schudden.'

Ik knikte zonder iets te zeggen. We stonden in de keuken van het witte huis, waar ik beland was nadat ik me een weg had gebaand door de menigte op de veranda en in de huiskamer. Aan de inrichting te zien waren de bewoners studenten; de koelkast zat onder de stickers van het universiteitsbasketbalteam en er hingen een heleboel gestolen straatborden aan de muur. Maar de meeste aanwezigen waren van mijn leeftijd. In de keuken was niet veel meer te vinden dan de thuistap, waar lege plastic bekers omheen lagen, en een aftandse tafel en stoelen. Verder stonden er boodschappentassen op een rijtje waaruit kartonnen pizza- en bierverpakkingen puilden, en nog een levensgrote bodybuilder van karton die een energiedrankje in de lucht hield. Iemand had een baard op zijn gezicht en grote tepels op zijn borst getekend en iets in zijn schaamstreek waarnaar ik niet eens goed wilde kijken. Fraai.

'Als ik jou was,' adviseerde de blondine mij terwijl er door de zijdeur een groepje binnenkwam dat een koude windvlaag en een hoop lawaai met zich meenam, 'zou ik mijn ouders smeken om me in te schrijven op de Fountain School.'

'De Fountain School?' vroeg ik.

'Dat is een volkomen vrije, alternatieve openbare school,' legde de jongen in de lange jas uit. 'Je kan er meditatie kiezen in plaats van gym. En alle leraren zijn oude hippies. En er is geen schoolbel. Ze spelen op een fluit om je aan te bevelen naar een andere les te gaan.'

Ik wist niet wat ik hierop moest zeggen.

'Ik was dol op de Fountain School,' verzuchtte het blonde meisje, waarna ze een slok bier nam.

'Heb jij erop gezeten?' vroeg ik haar.

'Daar hebben we elkaar leren kennen,' zei de jongen, die zijn arm om haar middel legde. Ze drukte zich tegen hem aan en trok haar parka steviger om haar flinterdunne jurkje heen. 'Maar toen werd iedereen op een Big Brother-achtige manier doorgelicht en is ze van school getrapt.'

'Al die praatjes over dat je anderen en hun keuzes moet respecteren,' zei het meisje, 'en dan hebben ze het lef om mijn tas te doorzoeken op drugs. Hoe mis is dat?'

'Je was wel flauwgevallen in de Cirkel van Vertrouwen,' wees de jongen haar terecht.

'De Cirkel van Vertrouwen,' zei ze. 'Nou, het vertrouwen was ver te zoeken.'

Ik wierp een blik om me heen, omdat ik het wel tijd vond om andere gesprekspartners te vinden. Maar de enige andere mensen in de keuken waren twee jongens die tequila-shots dronken en een meisje dat tegen de koelkast leunde en een huilerig, dronken telefoongesprek voerde. Ik zat klem, tenzij ik naar buiten wilde gaan.

Achter me vloog de deur met een klap open en ik voelde weer een koude windvlaag. Even later kwam het meisje in het gewatteerde jack dat voor mijn biertje had gezorgd naast me staan. Ze haalde een flesje water uit haar zak en draaide de dop eraf.

'Hé, Riley,' zei het meisje in de onderjurk tegen haar. Ze wees naar mij en zei: 'Zij is nieuw. Begint maandag op Jackson.'

Riley was dun en ze had blauwe ogen. Ze had haar haar

in een lage staart en ze droeg aan bijna elke vinger een zilveren ring. Ze lachte vriendelijk naar me en zei: 'Het is er niet zo erg als ze je hebben verteld, dat garandeer ik je.'

'Luister maar niet naar haar, ze is een hopeloze optimist,' zei de jongen. Tegen haarzelf zei hij: 'Hé, heb je Dave al gezien?'

Riley schudde haar hoofd. 'Hij had een ernstig gesprek met zijn ouders vanavond. Ik denk dat hij daarna niet meer van ze weg mocht.'

'Weer een ernstig gesprek?' vroeg de blondine. 'Die mensen zijn wel dol op gesprekken, zeg.'

Riley haalde haar schouders op en nam een slokje water. Haar lippenstift liet een felroze halvemaanvorm achter op het flesje. 'Volgens mij hoopte hij dat ze hadden besloten om wat minder streng te zijn,' zei ze. 'Ik bedoel, het is twee maanden geleden. Dat hij er nu niet is, is geen goed teken.'

'Zijn ouders zijn overbezorgd,' legde de blondine mij uit. 'Het is gewoon gestoord.'

'Net als de goelag, maar dan thuis.'

'Ik meen het. Die jongen volgt zijn hele leven het rechte pad en dan wordt hij op een avond op een feestje betrapt met een biertje in zijn hand.' Het blonde meisje rolde met haar ogen en checkte haar decolleté alsof het een ingestudeerde beweging was. 'Eén biertje maar! Zelfs van de rechtbank hoefde hij alleen maar een paar uur taakstraf te doen. Maar zij deden net alsof hij een omaatje had vermoord.'

'Helemaal waar,' stemde haar vriendje in.

Ik keek hoe Riley nog een slok nam en daarna op haar horloge keek. Daarbij zag ik dat ze een tatoeage op haar linkerpols had. Het was een eenvoudige zwarte cirkel ter grootte van een muntje. 'Oké,' zei ze, 'het is tien over halftien. We moeten hier uiterlijk om halfelf vertrekken om op tijd te zijn. Geen uitzonderingen, geen geintjes. Snap je?'

'Je bent mijn moeder niet,' klaagde de blondine.

Riley keek haar alleen maar aan. 'Gesnopen,' zei ze uiteindelijk.

'Halfelf,' zei de jongen, en hij salueerde vervolgens naar haar. 'Genoteerd.'

Riley lachte naar me en liep weer naar de huiskamer, op weg naar de bank. Daar zat een donkerharige jongen in een legerjasje met wilde gebaren een verhaal te vertellen aan een paar meisjes die aan zijn lippen leken te hangen. Ik keek hoe ze naast hem ging zitten, een pluk haar achter haar oor streek en ook meeluisterde.

Toen ik me weer omdraaide naar de goelagjongen en het vertrouwenskwestiemeisje zag ik dat ze ineens hartstochtelijk aan het zoenen waren; zijn handen schoven onder haar jack. Ik wierp een blik op het meisje bij de koelkast, dat nog steeds stond te huilen, en besloot naar buiten te gaan voor wat frisse lucht.

Op de veranda aan de zijkant stonden mensen te roken en op en neer te huppen om warm te blijven. Het was een koude, heldere avond en de sterren schenen zo fel dat het bijna leek of je ze kon aanraken. Zonder erover na te denken begon ik ernaar te kijken. Eén, dacht ik toen ik Cassiopea had gevonden. Twee was Orion. Drie was de Grote Beer. Sommige mensen stappen expres over spleten, kloppen af op hout of gooien zout over hun schouder; ik kon nooit naar de avondlucht kijken zonder ten minste drie sterrenbeelden te zoeken. Ik voelde me er veiliger door, meer in balans. Want waar ik ook was, ik kon er altijd een vinden dat ik herkende.

Mijn moeder had me veel over sterren geleerd. Aan de universiteit had ze sterrenkunde als bijvak gedaan – eigenlijk een van de vele verrassingen aan haar – en mijn vader had een telescoop voor haar gekocht toen ze vijf jaar getrouwd waren. Ze had hem op de kleine veranda voor hun slaapkamer neergezet en op heldere avonden gingen we er samen bij staan en dan zocht zij sterrenbeelden die ze mij aanwees. 'Eén,' zei ze, en dan wees ze naar de Kleine Beer. 'Twee,' zei ik, en dan zocht ik er zelf een. Dan keken we allebei heel goed, zo goed als we konden, naar een derde. Degene die hem het eerst vond en hem benoemde, was de winnaar. Daarom werd ik altijd aan mijn moeder herinnerd als ik 's avonds naar de hemel keek, waar ik ook was. Soms vroeg ik me af of zij ook aan mij dacht als ze naar de lucht keek.

Wauw, dacht ik terwijl ik een brok in mijn keel voelde opwellen. Wat was er aan de hand? Ik had hooguit vier slokjes bier gedronken, maar dat was duidelijk genoeg om nostalgisch te worden. Ik zette net mijn blikje neer, toen ik de blauwe zwaailichten zag.

'Politie!' riep een stem achter me, en plotseling kwam iedereen onder de eenentwintig in beweging. Mensen die binnen zaten, stormden door de deur naar buiten, terwijl anderen die op de veranda stonden over de balustrade sprongen of over de treden stoven en dwars over het grasveld in de duisternis verdwenen. Ik zag een paar mensen over mijn veranda en aan de andere kant over onze oprit hollen, terwijl nog weer anderen de straat uit renden en hun tassen en jassen achter zich aan sleepten. Een dun meisje, met vlechtjes en oorwarmers, had niet zoveel geluk en werd ingesloten door een politieagent die het voetpad op kwam. Ik keek toe hoe hij haar bij de arm naar zijn auto meevoerde en haar op de achterbank zette. Daar zakte ze opzij, tegen het raam aan, en ze legde haar hoofd in haar handen.

'Jij daar!' Er schoot een fel licht over me heen en toen scheen het weer recht in mijn ogen, waardoor alles om me heen onzichtbaar werd. 'Blijf onmiddellijk staan!'

Mijn hart bonkte en ondanks de kou begon mijn gezicht ineens te gloeien. Terwijl het licht feller werd, dichterbij kwam en een beetje schommelde bij elke stap die de agent in mijn richting zette, moest ik een keus maken. Mclean, Eliza, Lizbet en Beth zouden allemaal stil zijn blijven staan en het bevel hebben opgevolgd. Maar Liz Sweet niet. Zij ging er als een speer vandoor.

Zonder erbij na te denken rende ik van de verandatrap af; ik viel in het gras en stoof vervolgens weer weg door de modderige, bevroren achtertuin. De agent, met zijn zaklamp, zat me op de hielen; af en toe ving ik een glimp op van zijn arm of voet. Toen kwam ik bij de dikke heg die het begin van mijn eigen tuin markeerde en riep hij tegen me dat ik moest stilstaan, of anders... In plaats daarvan dook ik door de heg en kwam ik met een klap aan de andere kant terecht.

Ik landde op het gras en sprong onmiddellijk weer op om verder te rennen. 'Hé!' brulde de agent, terwijl de heg begon te ruisen en het licht van de zaklamp erboven danste. 'Als je weet wat goed voor je is, dan hou je daar nu meteen mee op!'

Ik wist dat ik dat moest doen: hij was vlak bij me en het zou me nooit lukken om mijn huis te bereiken voordat zijn zaklamp me weer had gevonden. Maar in mijn paniek haastte ik me toch gewoon vooruit, zelfs toen ik hem achter me hoorde. Ik had net twee stappen gezet, toen ik ineens op mijn linkerarm een hand voelde die me opzij trok. Voor ik wist wat er gebeurde, viel ik op mijn linkerzij over een laag muurtje, en nog verder omlaag. Maar deze keer landde ik niet op iets, maar op iemand.

'Oempf,' zei de onbekende terwijl we samen omlaag rolden. Het voelde alsof we over een trap gleden, maar het was veel te donker om het met zekerheid te kunnen zeggen. Even later hoorde ik gehaaste voetstappen en daarna twee klappen, alsof er deuren dichtvielen. Waar ik ook was neergekomen, de bodem was vlak en alles rook er naar aarde. En het was donker. Heel erg donker.

'Wat is...' zei ik, maar meer kreeg ik er niet uit, omdat ik tot stilte werd gemaand.

'Wacht even tot hij is doorgelopen,' zei een stem.

Een tel later klonk er gestamp boven mijn hoofd, dat steeds luider werd. Het kwam dichterbij en er verscheen een geel licht. Toen ik opkeek, zag ik het licht dat door de kieren scheen van twee dichte deuren boven ons hoofd. 'Verdomme,' hoorde ik iemand zeggen tussen wat gehijg door. Plotseling werd er aan de deuren gerammeld, die langzaam een stukje omhooggingen voor ze weer terugvielen. Toen vertrok het licht in de richting waar het vandaan was gekomen.

In de stilte die volgde zat ik daar maar gewoon en probeerde ik op een rijtje te krijgen wat er net allemaal was gebeurd. In slaap gevallen, een bloempot die brak, slokjes bier, de goelag, zwaailichten, en nu...? Goeie vraag. Er schoot door mijn hoofd dat ik eigenlijk zenuwachtig zou moeten zijn, omdat ik niet alleen onder de grond zat, maar daar ook nog eens met iemand anders was. En toch hing er op de een of andere manier een kalme sfeer om me heen, een bekend gevoel te midden van al dit vreemde gedoe. Het was echt een heel gek gevoel. Iets wat ik nog nooit eerder had meegemaakt.

'Ik ga een lichtje maken,' zei de stem. 'Geen paniek.'

Dat was wel het stomste wat je kon zeggen tegen iemand die je net in een donkere kelder, of iets dergelijks, had getrokken. Maar een paar tellen later sprong er na een zacht klikgeluid een zaklamp aan en het verbaasde me niets dat ik mijn buurjongen zag die veranda's op sluipt. Hij zat naast me in zijn spijkerbroek en dikke geruite shirt en had een gebreide muts op, die strak over zijn lange haar getrokken was. We zaten onder aan een soort trap die naar twee deuren liep die met een haakje op slot zaten.

'Hallo,' zei hij nonchalant, alsof we onder de normaalste omstandigheden met elkaar kennismaakten. 'Ik ben Dave.'

Ik had al wel het een en ander meegemaakt sinds ik de afgelopen jaren met mijn vader was meegereisd. Nieuwe scholen, verschillende culturen en een heleboel nieuwe vrienden. Maar binnen vijf minuten was het me duidelijk dat ik nog nooit iemand als Dave Wade had ontmoet.

'Het spijt me als ik je heb laten schrikken,' zei hij toen ik hem met open mond aanstaarde. 'Maar het leek me beter om je te laten schrikken dan om je te laten arresteren.'

Ik kon in eerste instantie niet eens reageren, omdat ik te veel werd afgeleid door mijn omgeving. We zaten in een kelder, zo leek het, een kleine ruimte met houten planken tegen de muur en een vloer van aarde. Een versleten ligstoel nam de meeste ruimte in beslag en er lag een stapel boeken naast, waar nog een zaklamp op lag.

'Wat is dit hier?' vroeg ik.

'Een schuilkelder,' antwoordde hij, alsof het doodnormaal was dat dit de eerste vraag was aan iemand die je onder de grond had getrokken. 'Voor tornado's en zo.'

'Is hij van jou?'

Hij schudde zijn hoofd en stak zijn hand uit naar de zaklamp, die tussen ons in op de grond lag. Daarbij vloog er een mot langs, die vreemde schaduwen op de muur wierp. 'Het hoort bij het huis dat achter ons staat. Maar dat staat al jaren leeg.'

'Hoe ben je erachter gekomen?'

'Ik heb het al gevonden toen ik klein was. Je weet wel, toen ik op verkenning ging.

'Op verkenning,' herhaalde ik.

Hij haalde zijn schouders op. 'Ik was een raar kind.'

Dat geloofde ik maar al te graag. Toch bleef ik het opvallend vinden dat ik gedurende het hele incident niet bang was geweest. In elk geval niet van hem, ook niet toen ik nog niet wist wie hij was. 'Dus je hangt hier gewoon wat rond?'

'Soms wel.' Hij ging staan, klopte de aarde van zijn broek en ging op de ligstoel zitten, die kraakte onder zijn gewicht. 'Als ik niet op bezoek ben op jouw veranda.'

'Ja,' zei ik terwijl hij onderuit ging liggen en zijn benen over elkaar sloeg. 'Maar ben je dan niet graag thuis of zo?'

Hij keek me even aan alsof hij aan het afwegen was wat hij hierop zou zeggen. 'Of zo,' zei hij.

Ik knikte. Dat verkennen en onder de grond kruipen was misschien gek, maar dit begreep ik wel.

'Hoor eens,' zei hij, 'ik wou je niet bang maken. Ik kwam alleen net hieruit gekropen, toen ik die lichten zag en jou hoorde rennen. Het was een impulsbeweging om je bij je arm te pakken.'

Ik keek weer naar de deuren. 'Je hebt wel een goed instinct.'

'Misschien wel. Maar weet je, ik heb dat haakje er vorige week op gezet. Wat een geluk.' Hij keek er met half dichtgeknepen ogen naar voor hij mij weer aankeek. 'Het komt er gewoon op neer dat je als minderjarige niet gearresteerd wilt worden met drank in je hand. Dat is niet grappig. Ik weet er alles van.'

'Hoe weet jij dat me dat al niet eens eerder is gebeurd?' vroeg ik hem.

Hij nam me heel serieus op. 'Jij lijkt me daar het type niet voor.'

'Jij mij ook niet,' wees ik hem terecht.

'Dat is waar.' Hij dacht even na. 'Ik trek mijn opmerking in. Jij zou heel goed een jeugdcrimineel kunnen zijn, net als ik.'

Ik keek weer om me heen en nam de kleine ruimte in me op. 'Dit ziet er niet echt uit als een kelder voor jeugdcriminelen.'

'Niet?' Ik schudde mijn hoofd. 'Of vind je het meer iets voor padvinders?'

Ik trok een gekke bek en knikte naar de stapel boeken: in het vage licht kon ik de ruggen nauwelijks lezen, maar er stond iets over abstracte geometrie en natuurkunde. 'Dat is zware kost.'

'Dat wil niks zeggen,' zei hij. 'Ik had gewoon iets nodig om mijn zaklamp op te leggen.'

Boven ons hoorde ik plotseling een uitbarsting van muziek. De agenten waren blijkbaar weg en het feest kwam weer op gang, waarschijnlijk met een stel meerderjarige achterblijvers. David kwam overeind, liep de trap op, maakte het haakje los en duwde toen langzaam een van de deuren open, waarna hij zijn hoofd door de opening stak. Ik stond van beneden af naar hem te kijken en het viel me op dat hij er ineens jonger uitzag: ik kon me hem makkelijk voorstellen als een acht-, negenjarige die tunnels in deze tuin graaft.

'De kust is veilig,' meldde hij, en toen liet hij de deur helemaal openvallen, die met een klap de grond raakte. 'Nu moet het je wel lukken om thuis te komen, denk ik.'

'Ik hoop het,' zei ik, 'want het is ongeveer...'

'... vier komma vijfenveertig meter naar jouw veranda,' zei hij, mijn zin afmakend. Ik trok mijn wenkbrauwen op en hij zuchtte. 'Ik zei het toch: raar kind.'

'Ben je dat nog steeds?'

Nu moest hij lachen. 'Wees voorzichtig op de trap.'

Hij nam de laatste paar treden, tot hij op het gras kon stappen, en scheen mij toen bij met zijn zaklamp. Toen ik er bijna was, bood hij me zijn hand aan. Die pakte ik en ik voelde me weer niet vreemd op het moment dat zijn vingers de mijne omklemden en hij me hielp toen ik weer in de bovenwereld kwam.

'Jouw vrienden waren op het feest,' zei ik. 'Ze vroegen zich af waar je bleef.'

'Ja, maar het is al een lange avond geweest.'

'Vertel mij wat.' Ik liet mijn handen in mijn zakken glijden. 'Nou, eh, bedankt voor de redding.'

'Niks te danken,' antwoordde hij.

'Het had zonder jou echt anders kunnen aflopen,' verzekerde ik hem.

'Ik ben gewoon een goede buur.'

Ik lachte en keerde me naar mijn huis om die vier komma vijfenveertig meter af te leggen. Ik had nog geen twee stappen gezet toen hij zei: 'Hé, als ik je heb gered, moet je wel zeggen hoe je heet.'

Ik had de afgelopen twee jaar al heel vaak in deze situatie gezeten en vandaag zelfs ook al een keer. De naam die ik gekozen had voor het meisje dat ik besloten had te zijn, lag op het puntje van mijn tong. Maar op dat moment en daar ter plekke gebeurde er iets aparts. Alsof dat korte bezoekje onder de grond niet alleen het verloop van mijn leven in deze stad had veranderd, maar misschien ook mijzelf.

'Mclean,' zei ik.

Hij knikte. 'Aangenaam kennis te maken.'

'Insgelijks.'

Ik hoorde de muziek van het feest, datzelfde basgedreun terwijl ik over het terras liep. Toen ik de zijdeur van mijn huis opendeed, wierp ik een blik achterom en kon ik nog net zien dat hij de trap af liep, omgeven door het licht van de zaklamp.

Ik liep mijn huis in, trapte mijn schoenen uit en ging op mijn sokken door de gang naar de badkamer. Toen ik het licht aandeed, schrok ik van de felheid en ook van het laagje zwarte stof op mijn gezicht. Het was alsof ik ook een tunnel had gegraven en net op tijd boven was gekomen om naar lucht te happen.

3

Jackson High was niet de goelag. Het was ook niet de Foun-tain School. Sterker nog: het was er ongeveer zoals op alle andere openbare middelbare scholen waar ik op had geze-ten: groot en anoniem, en het rook er naar ontsmettings-middel. Nadat ik de gebruikelijke berg papierwerk had inge-vuld en een gehaast gesprek met een duidelijk overwerkte schooldecaan had gehad, kreeg ik een lesrooster aangereikt en werd ik naar mijn mentorklas verwezen.

'Oké, mensen, stilte graag,' zei de leraar, een lange vent van begin twintig die leren Adidas-sneakers en een keurig overhemd droeg, toen ik in de deuropening stond. 'Zoals altijd hebben we vijf minuten de tijd om dingen te doen die minstens twintig minuten kosten. Dus werk even mee.'

Niemand leek te luisteren, al nam de herrie iets af toen de leerlingen naar de tafels liepen, die in een halve kring stonden, en een stoel naar achteren schoven, op een tafel gingen zitten of ernaast op de grond. Er ging een mobiele telefoon over; iemand achter in de klas kreeg een hoest-aanval. Bij de deur stond een televisie waarop twee leer-lingen te zien waren, een blond meisje en een jongen met korte dreadlocks, die aan een geïmproviseerd bureau zaten met een bord achter hen waarop stond: JACKSON NIEUWS-FLASH! De leraar was nog steeds aan het praten.

'... Vandaag is de laatste dag dat je je jaarboek kunt be-stellen,' zei hij, lezend vanaf blaadjes die op het bureau voor hem lagen, terwijl er zich nog steeds mensen in de klas verspreidden. 'Op het schoolplein zal er tijdens de drie pauzes een tafel staan en de deuren gaan vanavond vroeg open voor de basketbalwedstrijd, dus als je op tijd komt, heb je een goede plaats. En waar is Mclean?'

Ik sprong op en stak toen mijn hand omhoog. 'Hier,' zei ik, al kwam het er meer uit als een vraag.

'Welkom op Jackson High,' zei hij terwijl iedereen zich omdraaide om naar mij te kijken. Op het televisiescherm namen de nieuwslezers zwaaiend afscheid, waarna het beeld op zwart ging. 'Als je vragen hebt, kan je die aan iedereen hier stellen. We zijn een vriendelijk zootje!'

'Nou, eigenlijk heet ik...' wilde ik hem in een reflex corrigeren.

'We gaan verder,' zei hij, omdat hij me niet hoorde. 'Ik moet jullie er nogmaals op wijzen dat jullie niet aan de natte verf buiten de kantine mogen komen. De meeste mensen snappen dat uit zichzelf wel, maar blijkbaar horen sommigen van jullie niet bij de meeste mensen. Dus kom niet met je vieze wanten aan de natte verf. Alvast bedankt.'

De bel klonk en dat deed de verschillende reacties op deze boodschap verstommen. De leraar zuchtte, keek op de blaadjes waar hij duidelijk niet aan toe was gekomen en legde ze maar bij elkaar op een stapeltje toen iedereen weer opstond.

'Maak er een goede dag van!' riep hij nog half gemeend toen iedereen alweer naar de gang liep. Ik bleef nog even hangen bij zijn bureau tot hij opkeek en mij zag staan. 'Ja? Wat kan ik voor je doen?'

'Ik wou alleen,' begon ik terwijl er een stel meisjes in hun cheerleadersuniform kletsend en al binnenkwam, 'zeggen dat mijn naam...'

'Wendy!' riep hij ineens uit. Hij kneep zijn ogen half

dicht. 'Hadden we niet net besproken welke kleding je op school draagt?'

'Meneer Roberts,' kreunde een meisje achter me, 'laat me alstublieft met rust. Ik heb een slechte dag.'

'Dat komt misschien doordat het januari is en jij half-naakt rondloopt. Ga je omkleden,' was zijn reactie. Hij keek weer naar mij, maar niet meer dan een seconde, omdat zijn aandacht weer werd afgeleid door een klap achter in de klas. 'Hé,' zei hij. 'Roderick, had ik je niet gezegd dat je niet op die plank moet leunen! Lieve hemel...'

Het had duidelijk geen zin om te proberen nu iets voor elkaar te krijgen, en daarom liep ik maar naar de gang en keek ik op mijn rooster, terwijl Wendy, een groot meisje dat inderdaad wel een heel kort rokje droeg, voor welk seizoen dan ook, snuivend achter me aan kwam. Ik liep terug naar het kantoor van de decaan om van daaruit de rest van het gebouw te verkennen. Toen ik dat eenmaal had gevonden, sloeg ik rechts af in de hoop dat ik in de B-vleugel terecht zou komen en ik passeerde een groepje mensen dat voor het administratiekantoor stond.

'... natuurlijk begrijpt u onze positie,' zei een oudere man met krullend haar die een net overhemd en een jack droeg. Hij stond met zijn rug naar mij toe. 'De opleiding van onze zoon heeft de hoogste prioriteit sinds we hebben gezien dat er als klein kind al zoveel in hem zat. Daarom hebben we hem op Kiffney-Brown gedaan. Daar waren de mogelijk-heden voor hem...'

'... buitengewoon goed,' maakte een kleine, slanke vrouw zijn zin voor hem af. 'En zoals u heel goed weet, begonnen de problemen pas toen hij hier op school kwam.'

'Ik snap het,' antwoordde de vrouw die tegenover hen stond. Ze droeg een broek met een blazer erop en uit haar praktische kapsel kon je opmaken dat ze bij de administratie werkte, zelfs zonder dat ze een gelamineerde kaart om haar nek had hangen met haar naam en foto erop. 'Maar wij geloven echt dat wij hem hier op Jackson High alles kunnen bieden wat hij nodig heeft, zowel in academisch als in sociaal opzicht. Ik denk dat als we allemaal met elkaar samenwerken, we dat ook voor elkaar kunnen krijgen.'

De man knikte. Zijn vrouw, die met een bezorgd gezicht haar handtas vastgeklemd hield, leek minder overtuigd en ze wierp een blik op mij toen ik langsliep. Ze kwam me bekend voor, maar ik kon haar in eerste instantie niet plaatsen. Daarom liep ik gewoon door, sloeg ik links af en keek ik nog eens op mijn rooster.

Ik tuurde door de gangen en naar de lokaalnummers, toen ik Riley zag. Ze zat op een bankje naast een rugzak, een beetje voorovergebogen en reikhalzend door de gang te kijken. Ik herkende haar meteen aan de ringen aan haar vingers en hetzelfde gewatteerde jack, dat ze nu om haar middel had gebonden. Ze keek me niet aan toen ik langsliep, omdat ze te ingespannen naar dat kluitje mensen in de gang tuurde.

Mijn wiskundeles zou in lokaal 215 zijn, maar ik kon alleen de lokalen 214 en 216 vinden en een wc die buiten gebruik was. Ik vermoedde dat ik in de volgende gang moest zijn en daarom liep ik terug. Ik naderde Riley weer, toen ze ineens opsprong, haar rugzak pakte en voor me uit door de gang rende. Het groepje stond nu wat verderop bij de trap. De enige ander in de gang was een jongen met kort haar die een effen overhemd en een kakikleurige broek droeg.

'Wat zeiden ze?' vroeg Riley toen ze op hem af rende.

Hij keek even naar het groepje en toen weer naar haar. 'Ik mag van ze blijven als ik mijn vakken ter voorbereiding op de universiteit goed bijhoud. En nog honderden andere voorwaarden.'

'Maar je mag dus blijven?' vroeg ze voor de zekerheid.

'Daar ziet het wel naar uit.'

Ze sloeg haar armen om zijn nek en gaf hem een knuffel. Hij lachte naar haar en wierp weer een blik op het kluitje mensen bij de administratie. 'Hé, moet jij niet in de les zitten?'

'Geeft niks,' zei Riley met een wegwerpgebaar. 'Ik heb toneel, dus ze hebben waarschijnlijk niet eens door dat ik er niet ben.'

'Je moet geen straf riskeren,' zei hij. 'Dat is het echt niet waard.'

'Ik wou alleen zeker weten dat ze je niet van school halen. Dat zou ik echt niet trekken.'

'Niks aan de hand,' zei hij. 'Geen paniek.'

Geen paniek. Pas toen ik dit hoorde, had ik het door. Ik keek nog een keer naar de jongen: kort haar, om door een ringetje te halen. Een doorsnee middelbare scholier. Behalve dan dat hij dat niet was. Hij was Dave Wade, mijn buurjongen en de bewoner van een schuilkelder. Zijn kleren mochten dan anders zijn en zijn haren kort, maar ik kende dat gezicht. Dat was het enige wat je echt niet zomaar kon veranderen.

Riley zette een stap achteruit. 'Goed, maar ik zie je in de lunchpauze. Afgesproken?'

'David?' Zijn moeder hield de deur van het administratiekantoor open. Net daarachter zag ik dat zijn vader en de vrouw een gang in verdwenen. 'We kunnen naar binnen.'

Dave knikte naar haar en keek toen weer naar Riley. 'De plicht roept,' zei hij, en hij lachte quasi zielig naar haar voor hij wegliep. Ze keek hem na, bijtend op haar lip, waarna ze zich omdraaide en de trap af ging. Even later sloeg er een deur dicht en zag ik haar over het voetpad rennen dat naar het aangrenzende gebouw leidde. Haar rugzak stuiterde op haar rug.

Ik keek weer naar mijn rooster, haalde diep adem en liep toen naar de andere gang en tuurde op alle deuren tot ik lokaal 215 had gevonden. Ik keek er niet echt naar uit om de les te verstoren als de leraar net lekker op dreef was. En ik had er net zomin zin in te gaan zitten terwijl alle ogen op mij gericht waren. Maar het was beter dan een hele hoop andere opties, met name de opties die ik zou hebben gehad als Dave me gisteravond níét had gered. Ik had geluk dat ik hier was. Daarom stak ik mijn hand uit naar de deurkruk, haalde diep adem en ging naar binnen.

Twee lesuren later ging ik dapper naar de kantine en had ik de gok genomen met een kipburrito die er niet echt eetbaar uitzag. Ik nam mijn eten mee naar buiten, samen met een stel servetten en een flesje water, waar ik op een muurtje ging zitten dat langs het hoofdgebouw stond. Verderop was een groepje jongens met draagbare spelcomputers aan het spelen; aan de andere kant deelden een lange, breedgeschouderde jongen en een knap, blond meisje samen een koptelefoon en een iPod; ze kibbelden goedgehumeurd over de muziek waar ze naar luisterden.

Ik haalde mijn mobieltje tevoorschijn, zette het aan en begon een bericht aan mijn vader te typen: HEB HET TOT DE LUNCHPAUZE OVERLEEFD. EN JIJ?

Ik drukte op VERZENDEN, keek toen om me heen op het schoolplein en nam de verzamelde standaardkliekjes in me op. De blowers trapten tegen een Hacky Sack, de toneelmeisjes praatten te hard en de wereldverbeteraars zaten aan de verschillende tafels die langs het voetpad opgesteld stonden, waar ze geld inzamelden met zelfgebakken spullen voor een aantal goede doelen. Ik haalde mijn burrito uit de verpakking en zat me net af te vragen bij welk groepje Liz Sweet het best zou passen, toen ik het blonde meisje met de flinke boezem zag dat ik vrijdagavond op het feest had leren kennen. Ze sneed de weg af over het gras. Ze droeg een strakke spijkerbroek, hoge laarzen en een kort rood-leren jasje, dat ze meer aanhad voor de show dan voor de warmte. Ze leek geïrriteerd toen ze langsliep, op weg naar een stel picknicktafels aan de rand van de parkeerplaats. Nadat ze aan een van die tafels had plaatsgenomen, sloeg ze haar ene been over het andere, haalde haar mobieltje tevoorschijn en keek omhoog naar de lucht terwijl ze het tegen haar oor drukte.

Mijn telefoon piepte en ik pakte hem op om naar het scherm te kijken.

NET GELUKT, DE AUTOCHTONEN ZIJN ERG RUSTELOOS, luidde de boodschap van mijn vader.

Hij verwachtte in het begin altijd tegenstand als hij een restaurant binnen kwam, maar blijkbaar was de Luna Blu een extreem geval. Er waren een paar 'levenslangen', zoals hij de mensen noemde die jaren voor de oorspronkelijke eigenaren hadden gewerkt. Dat was een ouder echtpaar dat vorig jaar naar Florida was verhuisd. Ze hadden gedacht dat ze de zaak ook op afstand konden runnen, maar hun jaar-balans wees uit dat ze daar alleen van konden dromen, en toen besloten ze om het restaurant aan EAT INC te verkopen om van hun welverdiende oude dag te genieten. Mijn vader had me vanochtend aan het ontbijt het een en ander ver-teld en volgens hem had de Luna Blu het afgelopen jaar vooral gedraaid op de goodwill van de trouwe klantenkring, maar zelfs die liet het steeds meer afweten. Maar het was onbegonnen werk om dat aan de autochtonen – de werk-nemers – uit te leggen. Net als alle anderen voor hen kon het hun niets schelen dat mijn vader alleen maar de boodschapper was. Ze wilden hem desondanks een kopje kleiner maken.

Ik nam een hap van mijn burrito. Tegen de tijd dat ik een slok water had genomen en genoeg moed had verzameld om nog een hap te nemen, zag ik Riley, die op de blondine aan de tafel af liep. Ik keek hoe ze haar rugzak op de grond liet vallen en zich toen naast haar op de bank liet glijden en haar hoofd op de schouder van de blondine legde. Even later kreeg ze een paar klopjes op haar rug van haar vriendin.

'Hallo!'

Van schrik maakte ik een sprongetje, waardoor ik een paar bonen op mijn shirt morste. Daarna keek ik op. Een meisje in een felgroene trui met een kakikleurige broek en witte sneakers eronder, en een bijpassende groene haarband in haar haar, stond naar me te lachen. 'Hallo,' zei ik, duidelijk minder enthousiast.

'Jij bent toch nieuw hier?' vroeg ze.

'Eh...' zei ik, terwijl ik weer een blik op Riley en haar vriendin wierp. 'Ja, dat klopt wel.'

'Geweldig!' Ze stak haar hand uit. 'Ik ben Deb en zit in de leerlingenwelkomstcommissie? Het is mijn taak om je welkom te heten op Jackson en te kijken of je je weg een beetje kunt vinden.'

Welkomstcommissie? Daar had ik nog nooit van gehoord. 'Wauw,' zei ik, 'bedankt.'

'Graag gedaan!' Deb stak haar hand uit om het muurtje af te vegen en ging vervolgens naast me zitten. Ze legde haar tas – een groot, groen geval van lapjesstof – naast zich neer. 'Ik was zelf vorig jaar nieuw hier,' legde ze uit. 'Dit is zo'n grote school dat het heel moeilijk is om overzicht te krijgen, en daarom leek me dat er behoefte was aan een soort programma om mensen hier meer op hun gemak te stellen. Dus ben ik de Jackson Ambassadeurs begonnen. O, wacht, ik ben je welkomstgeschenk bijna vergeten!'

'O,' zei ik, 'dat hoeft helemaal..'

Maar ze ritste de groene tas al open. Vervolgens haalde ze er een papieren tasje uit met een blauw-geel strikje erop. Er zat een sticker voorop met JACKSON-TIJGERKRACHT!, ook blauw-geel. En glimmend. Ze gaf het aan mij, duidelijk trots, en ik vond dat ik het niet kon weigeren.

'Er zitten een potlood, een pen en de schema's voor al de wintersporten in. O, en een lijst met handige telefoonnummers, zoals dat van de decaan, de administratie en de bibliotheek.'

'Wauw,' zei ik weer. Aan de andere kant van het schoolplein deelden Riley en haar vriendin een zak zoute krakelingen, die ze aan elkaar doorgaven.

'Plus,' ging Deb verder, 'nog wat geweldige gratis geschenken van winkeliers uit de buurt. Er zit een coupon bij voor een gratis drankje bij de Frazier Bakery, en als je een muffin koopt bij de Java Jump, krijg je de tweede voor de halve prijs!'

Terwijl ik daar zo zat, besefte ik dat er vanaf nu twee dingen zouden kunnen gebeuren. Ik zou Deb haten, of we zouden beste vriendinnen worden en Liz Sweet zou net zo worden als zij. 'Dat klinkt goed,' zei ik, terwijl ze me stralend van trots aankeek. 'Ik ben er erg blij mee.'

'Nou, graag gedaan,' zei ze. 'Ik probeer er alleen voor te zorgen dat mensen zich meer thuis voelen dan ik toen ik nieuw was.'

'Heb je het moeilijk gehad?'

Heel even, een fractie van een seconde maar, verflauwde haar glimlach. 'Misschien wel,' zei ze. Toen klaarde ze weer op. 'Maar nu gaat het geweldig, echt waar. Ik vind het hier echt leuk.'

'Ik ben heel vaak verhuisd, dus ik heb er niet zo'n last van, hoop ik.'

'Ik weet zeker van niet,' zei ze. 'Maar als je in de problemen komt, kan je mij bellen. Mijn kaartje zit er ook in. Aarzel niet om te bellen of te mailen, oké? Dat meen ik echt.'

Ik knikte. 'Bedankt, Deb.'

'Jij bedankt!' Ze lachte naar me en sloeg toen haar hand voor haar mond. 'Lieve hemel, wat ben ik toch onbeleefd! Ik heb niet eens gevraagd hoe je heet. Of heb...'

'Mclean!'

Ik knipperde met mijn ogen, omdat ik dacht dat ik het niet goed had gehoord. Maar toen hoorde ik het weer: ja, iemand riep me. Bij mijn echte naam.

Ik keek achterom. Daar, aan de picknicktafel, stond het blonde meisje, dat nu met haar handen als een toeter voor haar mond stond te roepen. Naar mij.

'Mclean!' riep ze zwaaiend. 'Hé, we zitten hier!'

'O,' zei Deb, met een blik naar haar en toen weer naar mij. 'Nou, zo te zien heb je al vrienden gemaakt.'

Ik keek naar de tafel, waar Riley ook naar me zat te kijken, met een zak zoutjes in haar hand. 'Daar lijkt het wel op,' zei ik.

'Misschien heb jij dat pakket helemaal niet nodig. Maar ik dacht alleen...'

'Nee,' zei ik tegen haar, omdat ik me op de een of andere manier ineens rot voelde. 'Ik ben er echt blij mee.'

Ze lachte naar me. 'Mooi zo. Aangenaam kennis met je te maken, Mclean.'

'Insgelijks.'

Ze liet zich van het muurtje glijden, draaide zich op haar hippe sneakers om en liep weg over het pad, terwijl ze met haar hand haar groene haarband wat verschoof. Ik keek naar de blondine. Kom op, zei ze zonder geluid, en ze zwaaide er weer bij. Dit was dus mijn moment, dacht ik, dat mij weer uitkoos, al ging het niet helemaal zoals ik had verwacht. Toch sprong ik op de grond, gooide mijn burrito in de dichtstbijzijnde vuilnisbak en stak het schoolplein over om te kijken wat er verder zou gebeuren. Ik was er bijna, toen ik omkeek in richting die Deb op was gegaan en zag haar even later op het parkeerterrein voor de schoolbussen staan. Daar zat ze onder een boom met haar groene tas naast haar een blikje fris te drinken. Alleen.

De blondine heette Heather. Hoe zij wist hoe ik heette, was me nog niet helemaal duidelijk.

'Ik moest je wel redden,' legde ze uit toen ik hun tafel naderde. 'Die Deb is zo'n troela. Ik heb een goede daad verricht door je bij ons te roepen.'

Ik keek weer naar Deb, zittend onder de boom. 'Ze leek me helemaal niet zo vreselijk.'

'Meen je dat nou?' vroeg Heather vol verbazing. 'Ze zat vorig jaar naast me bij biologie. Het hele semester heeft ze geprobeerd om me bij al haar clubjes te krijgen waarvan zij het enige lid is. Het was alsof je een bunsenbrander moet delen met een sektelid.'

'Wat zit er in dat tasje?' vroeg Riley, knikkend naar het pakket dat ik nog steeds vasthield.

'Een welkomstgeschenk,' zei ik. 'Van de leerlingenambassadeurs.'

'Ambassadeur,' corrigeerde Heather mij terwijl ze haar goedgevulde beha rechttrok. 'Hallo? Zij is de enige, hoor!'

Ik wist niet goed wat ik hier deed, nu ik gered was van Deb. Maar voor ik daarachter kwam, wilde ik nog één ding ophelderen.

'Hoe wisten jullie mijn naam?' vroeg ik aan Heather.

Ze zat op haar mobieltje te kijken en nu keek ze met half

dichtgeknepen ogen omhoog naar mij. 'Die had je mij op dat feest verteld, voor de politie kwam.'

'Nee,' zei ik, 'dat klopt niet.'

Riley en zij wisselden een blik. Nu gedroeg ik me als een sektelid. Heather zei: 'Dan denk ik dat Dave hem terloops heeft genoemd.'

'Dave?'

'Dave Wade? Je buurjongen? Je hebt hem toch zaterdag ontmoet?' vroeg ze. 'Hij is niet iemand die je makkelijk vergeet.'

'Hij is niet zo vreemd als hij lijkt,' zei Riley tegen mij.

'Hij is nog vreemder,' voegde Heather eraan toe. Toen Riley haar een blik toewierp, zei ze: 'Wat nou? Die jongen hangt rond in de kelder van een leegstaand huis. Dat is toch niet normaal?'

'Het is een schuilkelder. Hij heeft hem niet gebouwd of zo.'

'Luister je ooit zelf naar wat je zegt?' verzuchtte Heather luid. 'Moet je horen, je weet dat ik dol ben op Dave, maar hij is wel een beetje een freak.'

'Zijn we dat niet allemaal?' zei Riley, die nog een zoute krakeling pakte.

'Nee.' Heather zat weer aan haar boezem. 'Ik ben bijvoorbeeld in alle opzichten normaal.'

Riley lachte door haar neus, at nog een krakeling en toen waren ze allebei even stil. Nu, dacht ik. Dit is het moment dat ik mezelf voorstel als Liz Sweet en een einde aan deze hele toestand maak. Dan doe ik morgen hetzelfde in de mentorklas en dan is alles weer in positie gebracht om de dingen te laten verlopen zoals ik dat wil. Maar ik kon het niet, op de een of andere manier. Want ook al zou ik er moeite voor kunnen doen, Mclean had hier al een verhaal. Zij was het meisje dat Dave op haar veranda had ontdekt en dat haar toevlucht had genomen in zijn schuilkelder. Het meisje op het feest, het meisje dat Deb had verwelkomd op haar eigen troela-achtige manier. Ze was niet meer dezelfde Mclean die ik de eerste veertien jaar van mijn leven was geweest. Maar ze was Mclean. En er viel geen nieuwe naam meer te bedenken die dat nog kon veranderen.

Heather keek naar Riley. 'Nu we het toch over Eihoofd hebben, wat is het verhaal? Hebben zijn ouders hem voorgoed van school gehaald, of hoe zit het?'

Riley schudde haar hoofd. 'Ik heb hem na het mentoruur gezien. Hij zei dat hij van hen mocht blijven, maar dat hij wel door tientallen hoepeltjes moet springen. Ze zitten al de hele ochtend te praten met mevrouw Moriarity.'

'God, dat klinkt afschuwelijk,' kreunde Heather. Tegen mij zei ze: 'Mevrouw Moriarity is de rector. Ze haat me.'

'Dat is niet waar,' zei Riley.

'Toch wel, hoor. Sinds dat hele... je weet wel... dat incident toen ik achteruit op het wachthuisje in reed. Weet je nog?'

Riley dacht even na. 'O, ja. Dat was vreselijk. Toen keek ze naar mij en voegde eraan toe: 'Zij kan heel slecht rijden. Ze kijkt nooit als ze invoegt.'

'Waarom moet ik altijd degene zijn die goed kijkt?' vroeg Heather. 'Waarom kunnen andere mensen niet goed uitkijken voor mij?'

'Een wachthuisje is een ding. En dus weerloos.'

'Zeg dat maar tegen mijn bumper. Ik ben nog steeds bezig mijn vader af te betalen voor de reparatiekosten.'

Riley rolde met haar ogen. 'Ik dacht dat we het over Dave hadden.'

'Juist. Dave.' Heather wendde zich tot mij. 'Mijn punt is dat hij de natte droom is van iedere docent. Dat kindgenie heeft zo'n beetje alle klassen in de onderbouw overgeslagen en volgde al vakken aan de universiteit toen hij er zelf voor koos om naar deze helse plek op aarde te komen. Dat zal ik echt nooit begrijpen.'

'Hij wou normaal zijn,' zei Riley rustig terwijl ze nog een krakeling nam. Ze keek me aan en begon het uit te leggen: 'Dave had nog nooit op een openbare school gezeten. Hij zou eigenlijk naar de universiteit zijn gegaan, omdat hij zo slim is en zoveel klassen heeft overgeslagen. Maar toen besloot hij dat hij het leven van een doorsneetiener wilde leiden. En daarom ging hij na school bij de Frazier Bakery smoothies maken, in de tijd dat mijn toenmalige vriendje daar ook werkte.'

'Nicolas,' zei Heather. Ze zuchtte. 'Man, die jongen kon pas overweg met de blender. Je had zijn spierballen moeten zien.'

Riley negeerde haar en ging verder. 'Dave en ik kenden elkaar al van kinds af aan, maar we waren elkaar uit het oog verloren. Maar toen hij met Nic werkte, pakten we de draad weer op en gingen we weer dingen doen met elkaar.'

'En op dat moment werd hij verliefd op haar,' vertelde Heather. Riley schudde haar hoofd. 'Wat nou? Dat is precies wat er gebeurde. Ik bedoel, hij is er nu zogenaamd overheen, maar in die tijd...'

'Hij is als een broer voor me,' zei Riley. 'Ik zou hem nooit als mijn vriendje kunnen zien.'

'Bovendien valt zij alleen op rotzakken,' liet Heather me weten.

Riley zuchtte. 'Dat is waar. Het is een afwijking.'

Heather wierp haar een meelevende blik toe, waarna ze opnieuw klopjes op haar rug gaf. Toen keek ze mij aan. 'Maar ga jij nou nog zitten? Ik word er onrustig van als je zo blijft staan.'

Ik keek weer om naar Deb, in haar eentje onder die boom,

en vervolgens naar de willekeurige groepjes die zich overal verspreid hadden, net zo complex verdeeld als dieren in
het dierenrijk. 'Natuurlijk,' zei ik, terwijl ik mijn welkomstgeschenk in mijn tas propte. 'Waarom niet?'

Na school nam ik de bus naar de Luna Blu en sneed de weg
weer af door de steeg naar de keukeningang. Ik trof mijn
vader achter een bureau in het volgepropte kantoor, dat zo
te zien eigenlijk een omgebouwde voorraadkast was. Overal om hem heen slingerden papieren. Hij hield zijn telefoon tegen zijn oor.

'Hé, Chuckles. Met Gus,' zei hij. 'Zeg, het is niet zo erg als
jij vreesde. Dat gezegd hebbende, is er nog een hele hoop
werk aan de winkel voor ons.'

Charles Dover was de eigenaar van EAT INC. Hij was een
voormalig profbasketballer, meer dan twee meter lang
en oersterk, dus niet iemand die je een koosnaam als
Chuckles zou geven. Maar mijn vader was een van zijn
beste vrienden sinds zijn eigen gloriedagen als bankzitter
bij Defriese. Nu was Chuckles een televisiecommentator
en een multimiljonair. Hij moest voor zijn werk bij de televisie veel reizen door het hele land, en hij hield van eten.
En zo was het dus gekomen dat hij eigenaar werd van een
bedrijf dat restaurants kocht en die nieuw leven inblies
voordat ze weer werden doorverkocht. De Mariposa was
altijd zijn lievelingsrestaurant geweest als hij in de stad was
voor een wedstrijd van Defriese, en nu hij mijn vader daar
had weggelokt, liet hij hem heel hard werken. Maar hij betaalde goed en hij zorgde ook goed voor ons.

Ik liet mijn rugzak op de grond van het kantoor vallen
en omdat ik mijn vader niet wilde storen, liep ik naar het
restaurant. Het was er leeg, op Opal na, die bij de voordeur
naast een stapel kartonnen dozen stond. Een koerier, die

zijn auto voor de deur had geparkeerd, was bezig nog meer dozen uit te laden.

'Weet je zeker dat er geen fout is gemaakt?' vroeg ze hem toen hij er nog meer neerzette bij de deur. 'Dit is veel meer dan ik had verwacht.'

Hij wierp een blik op zijn opdrachtformulier, dat boven op een doos balanceerde. 'Dertig van de dertig dozen, geteld en wel,' zei hij, en hij gaf het formulier aan haar.

Opal tekende het formulier en gaf het aan hem terug. Ze droeg een katoenen overhemd met lange mouwen met paarden en cowboys erop, een zwarte minirok en felrode laarzen tot boven de knie. Ik was er nog niet achter of haar stijl nou punk of retro was. Misschien wel petro.

'Weet je,' zei ze tegen de koerier, 'het is gewoon zielig, wat je in deze stad moet doen om aan genoeg parkeerplaatsen te komen. Echt zielig.'

'Je begint niets tegen de gemeente,' antwoordde hij terwijl hij een kopie van het formulier afscheurde, die hij aan haar gaf. 'Hé, heb je nog ergens van die gefrituurde augurken liggen? Die waren de laatste keer dat ik hier was heel lekker.'

Opal zuchtte. '*Et tu*, Jonathan?' vroeg ze verdrietig. 'Ik dacht dat jij dol was op onze broodjes!'

Hij haalde zijn schouders op. 'Die waren ook lekker. Maar die augurken? Knapperig en... je weet wel, augurkerig. Verdomme! Echt te gek!'

'Te gek,' herhaalde Opal met vlakke stem. 'Goed. Loop maar naar achteren en vraag aan Leo of hij er nog een paar voor je heeft.'

'Bedankt, schat.'

Hij knikte toen hij langs mij liep en ik knikte terug. Opal zette haar handen in haar zij, bekeek de dozen en zei toen over haar schouder: 'En wil je tegen hem zeggen dat hij iemand moet sturen om me met deze dozen te helpen?'

'Zal ik doen,' zei de koerier, die de keuken in liep, waarna de deur achter hem dichtklapte. Ik keek hoe Opal zich over een van de dozen boog, hem bestudeerde en toen weer recht ging staan en over haar rug wreef.

'Ik kan je wel helpen, als je wilt,' zei ik.

Ze draaide zich geschrokken om, maar haar gezicht ontspande zich al snel toen ze zag dat ik het was. 'O, bedankt. Het laatste waar ik op zit te wachten is dat Gus hier komt en me vragen gaat stellen. Hij is er al op uit om me te pakken.'

Ik wachtte een paar tellen tot ze zou beseffen wat ze er net had uitgeflapt. Eén. Twee. En ja hoor.

'O, god.' Ze werd helemaal rood. 'Ik bedoelde het niet zoals het klonk. Ik wou alleen...'

'Geeft niets,' zei ik tegen haar. Ik liep naar de dozen toe en pakte een van de kleinere. 'Jouw dozen met geheimen zijn veilig bij mij.'

'Waren het maar dozen met geheimen,' zei ze met een zucht. 'Dat zou stukken minder gênant zijn.'

'Wat zijn het dan?'

Ze haalde diep adem en zei toen: 'Plastic gebouwen, bomen en infrastructuur.'

Ik keek op de doos. STADSMAQUETTEN BV, stond er als afzender.

'Het is een lang verhaal,' ging Opal verder, die een doos op haar heup zette. Ik volgde haar naar de zijkant van de eetzaal. 'Maar de korte versie is dat ik mijn ziel heb verkocht aan de voorzitter van het gemeentebestuur.'

'Je meent het.'

'Ik ben er niet trots op.' Ze liep door een kleine gang, langs de toiletten, en duwde toen met haar heup een deur open, waardoor er een smalle trap zichtbaar werd. Toen we die op gingen, zei ze: 'Ze wilden het parkeerterrein naast ons afschaffen en dat zou, zakelijk gezien, een ramp zijn geweest. Ik wist dat ze iemand zochten voor dit project: een maquette van de stad in elkaar zetten ter ere van het honderdjarig bestaan deze zomer. Maar niemand wou het doen. En daarom heb ik me vrijwillig aangemeld. Op één voorwaarde.'

'Parkeerplaatsen.'

'Helemaal goed.'

We waren boven aan de trap gekomen en gingen een lange kamer in met aan één kant hoge, vuile ramen. Er stonden een paar tafels opgestapeld tegen een muur, een paar lege vuilnisbakken en, vreemd genoeg, twee ligstoelen, precies in het midden van het vertrek, met een omgekeerd melkkrat ertussenin. Er stonden een leeg bierflesje en een brandblusser op, en er lag een pakje sigaretten.

'Wauw,' zei ik terwijl ik mijn doos neerzette. 'Wat is dit voor ruimte?'

'Momenteel dient hij voornamelijk voor opslag,' antwoordde ze. 'Maar zoals je wel kunt zien, komt het personeel hier ook af en toe.'

'Om brandjes te stichten?'

'Liever niet, nee.' Ze liep naar het melkkrat, pakte de brandblusser en keek er onderzoekend naar. 'Mijn god! Ik heb overal naar dit ding gezocht. Die jongens in de keuken zijn ook zulke klepto's! Echt niet leuk meer.'

Ik liep naar een van de grote ramen en keek naar buiten. Er was een smal balkon van smeedijzer van waaraf je een perfect uitzicht op de straat eronder had. 'Wat leuk,' zei ik. 'Jammer alleen dat dit geen terras is voor klanten.'

'Dat was ooit wel zo,' zei ze, terwijl ze het bierflesje oppakte en het in de dichtstbijzijnde vuilnisbak gooide, gevolgd door de sigaretten. 'Heel lang geleden.'

'Echt waar?' vroeg ik. 'Hoe lang werk jij hier al?'

'Ik ben hier begonnen toen ik nog op de middelbare school

zat. Het was mijn eerste echte baantje.' Ze pakte het melk-krat op, zette dat tegen de andere muur en klapte daarna de ligstoelen een voor een in. 'Ik ben naar de universiteit gegaan, maar zelfs toen kwam ik 's zomers terug om in de bediening te werken. Eenmaal afgestudeerd, wou ik full-time gaan werken met mijn dubbele studies dans en kunstgeschiedenis, maar dat pakte anders uit.' Ze keek me aan en rolde met haar ogen. 'Ja, ik weet het. Wie had dat gedacht?'

Ik lachte en keek weer uit het raam. 'Je hebt tenminste gedaan wat je leuk vond.'

'Dat heb ik altijd aangevoerd als argument, zelfs toen ik helemaal blut was,' zei ze, en ze veegde het krat met een hand schoon. 'Hoe dan ook, ik was hier terug en had geen werk, toen de Melmans besloten dat ze iemand nodig had-den om de dagelijkse beslommeringen van ze over te ne-men. Ik stemde ermee in, maar alleen voor tijdelijk. Maar op de een of andere manier ben ik er nog steeds.'

'Het is moeilijk om uit de horeca te stappen. Soms ge-woonweg onmogelijk,' antwoordde ik. Ze keek me aan. 'Dat zegt mijn vader tenminste.'

Ze was even stil en pakte toen alleen de ingeklapte stoe-len, die ze tegen de muur zette. 'Weet je,' zei ze uiteindelijk, 'ik begrijp dat hij ook alleen maar zijn werk doet en dat we wel een paar veranderingen konden gebruiken. Ik denk dat hij een goeie vent is. Maar het voelt alsof... er een invasie heeft plaatsgevonden. Alsof we zijn bezet.'

'Je zegt het alsof dit een oorlog is.'

'Zo voelt het ook precies,' antwoordde ze. Ze ging zitten op het melkkrat en legde haar hoofd in haar handen. 'Ik bedoel, de halve menukaart is verdwenen en we serveren geen brunch meer. Ik had gewoon samen met de broodjes moeten vertrekken. Opgeruimd staat netjes.'

Ze zag er ineens moe uit toen ze dat zei. Ik kreeg het gevoel dat ik iets opbeurends moest zeggen, ook al kenden we elkaar nauwelijks. Maar voor ik dat kon doen, hoorde ik een klap op de trap, en daar verscheen de magere kok, die ik herkende van toen ik hem in de steeg had gezien, met een doos in zijn hand voor de deur. Mijn vader, ook met een doos, stond vlak achter hem.

'Hé, Opal, waar wil je dat we deze neerzetten?' vroeg de kok.

Opal kwam verschrikt overeind. 'Leo,' zei ze, en ze liep snel naar mijn vader om de doos van hem over te nemen. 'Ik kan gewoon niet geloven dat je Gus hebt gevraagd om je hiermee te helpen.'

'Je had gezegd dat iemand mij moest meehelpen!'

'Iemand,' mompelde ze nauwelijks hoorbaar. 'Niet de baas, goddomme nog an toe.'

'Geen probleem,' zei mijn vader ontspannen. Tegen mij zei hij: 'Mclean! Ik wist niet eens dat jij hier was. Hoe was jouw dag?'

Opal draaide zich om, keek me verward aan en toen besefte ik ineens dat ik tegen haar had gezegd dat ik Liz heette. Ik slikte en zei: 'Wel goed, hoor.'

'Gus, ik meen het,' zei Opal tegen hem. 'Het spijt me heel erg... Ik heb die andere dozen hier in een mum van tijd neergezet, dat beloof ik.' Ze wierp Leo een vernietigende blik toe, maar hij stond een beetje te spelen met de bandjes van zijn keukenschort.

'Wat is er?' vroeg hij toen ze hem bleef aanstaren. 'O, bedoel je mij?'

'Ja,' antwoordde ze, en ze klonk moeër dan ooit. 'Ik bedoel jou.'

Hij haalde zijn schouders op en stampte de trap af. Opal keek nog steeds doodsbenauwd, maar mijn vader leek het helemaal niet door te hebben toen hij naast me kwam staan bij het raam en ook naar de straat keek.

'Dit is een geweldige ruimte,' zei hij, om zich heen kijkend. 'Was dit ooit een eetzaal?'

'Ongeveer tien jaar geleden wel,' antwoordde Opal.

'Waarom werd hij niet meer gebruikt?'

'Meneer Melman vond dat het personeel te langzaam was op de trap. Het eten was koud als het eenmaal boven kwam, omdat de keuken zo ver weg is.'

'O,' zei mijn vader, die naar een van de muren liep en erop klopte. 'In zo'n oud gebouw vind ik het vreemd dat er geen liftje is.'

'Er was er wel een,' zei Opal tegen hem, 'maar die heeft het nooit goed gedaan. Als je het eten erin zette, zag je het nooit meer terug.'

'Waar zat-ie?'

Ze liep naar de muur bij de trap en schoof een tafel weg. Erachter, op de muur, kon je een vierkante vorm zien die een beetje uitstak. 'We hebben het gat dichtgemetseld,' zei Opal, 'omdat het personeel na sluitingstijd steeds voor de lol in de lift ging zitten. Dat was te gevaarlijk.'

'Dat kan je wel zeggen, ja.' Mijn vader liep ernaartoe om het beter te bekijken. Opal wierp weer een blik op mij en ik vroeg me af wat ze dacht.

Mijn vader richtte zijn aandacht weer op ons en vroeg: 'Maar hoe zit het met die dozen? Ik wist niet dat we vandaag zo'n grote bestelling binnen zouden krijgen.'

'Eh...' zei Opal, terwijl Leo met drie op elkaar gestapelde dozen binnenkwam. 'Dat is ook niet zo. Dit is... iets anders.'

Mijn vader keek haar aan. 'Iets anders?'

'Ik heb net al aan Liz verteld' – ze wierp een blik op mij en ik voelde dat mijn vader dat ook deed, al keek ik hem niet aan – 'dat dit een maquette is voor het gemeentebestuur. Ze

hadden een plek nodig en iemand die het project gaat leiden. En ze stonden op het punt om ons parkeerterrein op
te heffen en daarom heb ik me als vrijwilliger aangemeld.'

Ze dwaalde af, omdat ze uitgeblust naar de verschillende
dozen keek terwijl Leo die van hem erbij zette. Mijn vader
zei: 'Waar is het een maquette van?'

'Van de stad. Het is voor het honderdjarige bestaan, deze
zomer,' antwoordde ze. Ze haalde een stuk papier uit haar
achterzak en las het hardop voor: 'Deze levende kaart is zowel een gemeenschapsproject als openbare kunst en biedt
de bewoners de kans om hun stad op een geheel nieuwe
manier te bekijken.'

'Het ziet eruit alsof het nogal wat plaats gaat innemen,'
zei mijn vader.

'Ik weet het.' Ze stopte het papiertje weer in haar zak. 'Ik
had niet beseft hoe groot het was, maar ik zal er snel een
andere plek voor zoeken. Ik moet alleen een paar telefoontjes plegen.'

'Jo, Opal!' riep een stem door het trapgat. 'De man van
het linnengoed is er en hij heeft te weinig theedoeken bij
zich. En die dame hangt nog steeds aan de lijn voor jou.'

'Welke dame?'

'Die ene over wie Leo je had verteld,' antwoordde de
stem.

Opal wendde zich tot Leo, die bij het raam stond. 'O,' zei
hij, 'eh... er hangt iemand voor je aan de lijn.'

Ze zei niks, wierp hem alleen een boze blik toe en liep
vervolgens zwijgend de trap af. Mijn vader keek ook naar
Leo en zei toen: 'Als de dozen boven staan, moet jij paprika's
gaan snijden. En zorg ervoor dat de ingang schoon is als we
opengaan. Het zand moet weg, en zeem het raam in de voordeur even.'

'Komt voor elkaar, baas,' zei Leo weinig enthousiast.

Mijn vader keek met een uitdrukkingsloos gezicht toe toen Leo langzaam door het vertrek liep en de trap af ging. Toen de deur beneden dichtviel zei hij: 'Ik weet nog niet of dit een restaurant is of een liefdadigheidsinstelling. Ik bedoel, die jongen kan nog niet eens met een spuitbus overweg.'

'Hij komt wel een beetje overbodig over,' gaf ik toe.

'Het lijkt wel of het hier om een epidemie gaat.' Hij liep weer naar het raam en keek naar buiten. 'Ik kan helaas niet iedereen ontslaan. Niet meteen, tenminste.'

Ik ging bij hem staan en keek naar de straat beneden. Het was een mooie straat, met aan beide kanten grote bomen, die onze kant op bogen. 'Opal lijkt me heel aardig.'

'Ze hoeft van mij niet aardig te zijn,' zei hij. 'Ik wil dat ze de leiding neemt over haar personeel en de veranderingen doorvoert die ik heb aangegeven. In plaats daarvan gaat ze over alles met me in discussie en verspilt ze daarmee kostbare tijd.'

We waren weer even stil. Toen zei ik: 'Wist je dat ze hier al werkte toen ze nog op de middelbare school zat?'

'O ja?' Hij klonk niet echt geïnteresseerd.

Ik knikte. 'Het was haar eerste baantje. Ze houdt echt van dit restaurant.'

'Dat is leuk,' zei hij. 'Maar alle liefde in de wereld kan dit zinkende schip niet redden. Je moet overstag gaan of overboord springen.'

Ik dacht aan Opal, die er heel moe had uitgezien toen ze op het melkkrat zat. Misschien was ze er wel aan toe om ergens een eiland te vinden waar ze een danser of kunsthistoricus nodig hadden, en deed mijn vader haar juist een plezier door haar van de loopplank af te duwen. Dat wilde ik graag geloven. Dat hoorde ook bij mijn vaders baan.

'Het spijt me dat ik zo uitviel. Ik heb momenteel een rothumeur,' zei hij, en hij legde zijn hand op mijn schouder. 'Hé, wil je beneden met het personeel mee-eten? Het is de eerste avond met het gloednieuwe menu. Ik kan daar wel iemand gebruiken die mij aardig vindt.'

'Je kan op me rekenen,' zei ik.

Hij lachte naar me en ik volgde hem naar de trap. We waren halverwege, toen hij stilhield en me aankeek. 'Ze noemde je Liz,' zei hij. Het was niet echt een vraag. Maar ik wist waar hij naar vroeg.

'Dat was een misverstand,' zei ik tegen hem. 'Ik zal het wel rechtzetten.'

Hij knikte en we liepen samen langs de bar naar de eetzaal. Daar had het personeel zich verzameld voor de verplichte avondvergadering met het gezamenlijke eten dat hij in elk restaurant invoerde. Ik zocht Opal en zag haar staan aan het einde van de bar, waar ze alle borden, met verschillende gerechten erop, bedachtzaam bekeek.

'Oké, allemaal. Mag ik even jullie aandacht?' vroeg mijn vader.

De groep werd minder luidruchtig en uiteindelijk stil. Ik zag hoe hij zijn rug rechtte en diep inademde.

'Vanavond,' begon hij met luide en zelfverzekerde stem, 'begint de eerste fase van de reïncarnatie van de Luna Blu. Onze kaart is kleiner, onze gerechten zijn minder ingewikkeld en onze ingrediënten zijn verser en komen van leveranciers uit de buurt. Jullie zullen een aantal dingen herkennen. Andere zijn gloednieuw. Pak nu de menukaart en lees met me mee vanaf het begin.'

Opal pakte de menukaarten, de gelamineerde A4'tjes die in een stapeltje op een barkruk lagen, en deelde ze uit. Toen de groep ernaar keek, klonk er wat gekreun en gesteun. En één boe, al wist ik niet waar dat vandaan kwam. Het zou niet makkelijk worden, dit moment, deze hele avond. Maar mijn vader had het wel erger meegemaakt. Toen hij verder sprak, ging ik aan het tafeltje achter hem zitten, zodat hij wist dat ik er was.

'Rampzalig.'

Dat was het enige wat mijn vader zei als antwoord op mijn vraag hoe het de avond ervoor was gegaan. Het was de volgende ochtend en mijn vader was al wakker en stond in de keuken roereieren te maken. Ik had nog mijn best gedaan om op te blijven tot hij terugkwam, maar hij was er rond middernacht nog niet en toen was ik in slaap gevallen. Nu snapte ik waarom.

'De eerste avond met een nieuw menu is altijd lastig,' bracht ik hem in herinnering terwijl ik twee borden uit de kast pakte.

'Dit was niet lastig,' antwoordde hij, en hij klopte de eieren met subtiele polsbewegingen. 'Het was belachelijk. Het eerste uur was het één grote chaos in de keuken en bij de bediening, en daarvan zijn we nooit meer hersteld, terwijl maar de helft van de tafels bezet was. Ik heb nog nooit zo'n buitensporig zootje meegemaakt. En die houding! Het is verbijsterend.'

Ik zette de borden op onze kleine keukentafel, pakte vorken en servetten, en ging vervolgens zitten. 'Dat ruikt niet fris.'

'Wat echt niet fris ruikt,' raasde hij maar door, 'is dat ik daar nu heen moet en kan uitpluizen hoe we het moeten herstellen voor we opengaan.'

Ik bleef stil toen hij zich omdraaide en een flinke portie geel, luchtig roerei op mijn bord schoof. Maar wat ik had gezegd was waar: de eerste avond met een nieuwe kaart verliep altijd rampzalig, omdat het personeel im- of explodeerde, de klanten niet blij of ronduit boos vertrokken, en mijn vader concludeerde dat alle moeite voor niets was geweest. Deze volgorde van gebeurtenissen leek wel bijna een vereiste, een verplicht onderdeel van het proces. Maar hij leek het zich niet meer te herinneren als hij weer op een nieuwe plek was en het had geen zin om dat aan hem uit te leggen.

'Het probleem is,' ging hij verder terwijl hij de rest van de roereieren op het andere bord dumpte en daarna ging zitten, 'dat een restaurant zo goed is als zijn chef-kok. En dit restaurant heeft geen chef-kok.'

'Hoe zit het dan met Leo?'

'Hij is de keukenmanager, maar Joost mag weten waarom iemand hem geschikt vond voor die functie. De echte chef-kok is een week geleden vertrokken, nadat Chuckles vragen was gaan stellen over een paar louche zaakjes die zijn boekhouders hadden ontdekt. Hij had er blijkbaar geen zin in om het een en ander uit te leggen.'

'Dus je moet iemand aannemen?'

'Dat zou ik wel willen,' zei hij, 'maar een kok die zichzelf serieus neemt, wil op dit moment echt niet bij ons komen werken. Ik moet de nieuwe menukaart invoeren, de gang van zaken stroomlijnen en het restaurant aan een letterlijke en figuurlijke schoonmaakbeurt onderwerpen voor ik over sollicitanten kan nadenken.'

'Dat lijkt me een eitje,' zei ik.

'De tent sluiten en het verlies nemen zou veel makkelijker zijn,' antwoordde hij. 'Ik denk dat dat het beste is.'

'Echt?'

'Jep.' Hij zuchtte, keek toen door het keukenraam en nam nog een hapje. Voor iemand die zijn geld verdiende met zijn liefde voor eten was mijn vader een gehaaste, morsige eter. Hij nam nooit rustig de tijd om te proeven, maar schrokte het eten dat op zijn bord lag naar binnen alsof hij aan een wedstrijd meedeed. Hij was bijna klaar toen ik opstond om een glas melk voor mezelf in te schenken. Ik had zelf nog maar een paar happen van mijn ontbijt genomen.

'Nou,' zei ik voorzichtig, 'dat zat er wel een keer aan te komen.'

Mijn vader slikte en keek me toen aan. 'Wat bedoel je?'

'Een Hopeloos Geval,' antwoordde ik. Toen hij zijn wenkbrauwen optrok zei ik: 'Je weet wel. Een zaak die niet te redden valt. Zelfs niet door jou. Een hopeloos geval.'

'Misschien wel,' zei hij terwijl hij zijn mond afveegde met zijn servet. 'Sommige dingen kunnen niet meer gered worden.'

Dit was een feit waar we allebei veel van wisten. En misschien was het niet eens zo erg als dit schip zou zinken, dacht ik toen ik de koelkast opendeed. Natuurlijk zou dat betekenen dat we weer zouden verhuizen – weer een andere school. Maar dan zou ik tenminste een goede start kunnen maken en niet zoals het hier was gegaan, waar ik gewoon Mclean heette, ondanks al mijn goede...'

'Toch,' zei hij plotseling alsof hij zijn lawine van gedachten onderbrak, 'is er best wel talent te vinden in de keuken.'

Als ik beter had opgelet, zou ik hebben gehoord dat er een knoop werd doorgehakt. Gevolgd door een deur die op een kiertje werd gezet.

'Dan heb ik het natuurlijk niet over Leo,' ging hij verder, met zijn ogen op mij gericht. 'Maar over een paar van die keukenhulpen en een van de hulpkoks. En er zijn ook wel mogelijkheden in de bediening, als ik de zwartkijkers eruit heb gewerkt.'

Ik gleed terug op mijn stoel en zette mijn glas voor me op tafel. 'Hoe vonden de klanten de nieuwe gerechten op de kaart?'

'De paar klanten die we hadden en die hun bord warm en

compleet geserveerd kregen waren dolenthousiast,' zei hij met een zucht.

'En de augurken?'

'Die gingen erin als koek. Opal was woest.' Hij zat hoofd-schuddend te lachen. 'Maar die nieuwe kaart is echt goed. Eenvoudig, smakelijk en helemaal afgestemd op onze sterke punten. Al zijn dat er niet echt veel.'

Nu wist ik zeker dat hij zou blijven. Een ander teken was dat hij het eerst over 'zij' en nu over 'ons' had; dat hij eerst als een buitenstaander en nu als een betrokkene sprak.

Zijn telefoon, die op het aanrecht lag, ging plotseling. Hij stak zijn arm uit om hem te pakken en klapte hem open. 'Gus Sweet. O, juist. Ik wou het er met je over hebben...'

Terwijl ik de stem aan de andere kant van de lijn hoorde kwetteren, wierp ik een blik op het huis van de buren. Ik kon nog net zien dat de moeder van Dave Wade door de zij-deur stapte. Ze droeg een spijkerbroek, een witte kabeltrui en makkelijke stappers. Er hing een draagtas over haar schouders en ze hield een schaal met aluminiumfolie er-over in haar handen. Ze liep heel voorzichtig het trapje af en keek omlaag om niet te vallen.

'... Ja, dat zei ik ook al,' zei mijn vader terwijl zij over de oprit liep en onze trap beklom, net zo voorzichtig. 'Waarom? Omdat de bestelling die ik gisteren kreeg me niet aanstond.'

Mevrouw Wade was bijna bij onze zijdeur. Ik sprong van mijn stoel om haar te begroeten, net toen zij tegen de hor-deur duwde en haar vrije hand boven haar ogen hield. Toen ze mij zag, maakte ze een sprongetje van schrik.

'Hallo,' zei ze terwijl ik de deur openduwde. 'Ik ben Anne Dobson-Wade. Ik woon hiernaast. Ik wou je verwelkomen in de straat en daarom had ik wat brownies gemaakt.'

'O,' zei ik. Ze gaf de schaal aan mij en ik nam hem aan. 'Dank u wel.'

Ze zijn zonder noten, gluten en suiker, maar met biologische ingrediënten,' zei ze. 'Ik wist niet of jullie ergens allergisch voor zijn.'

'Dat zijn we niet,' antwoordde ik. 'Maar, eh... bedankt dat u er rekening mee hebt gehouden.'

'Graag gedaan!' Ze lachte naar me en er waaide een krul op door de tocht achter haar. 'Zoals ik al zei, wonen wij één deur verderop. Als jullie iets nodig hebben of met vragen zitten over de buurt, laat het ons dan maar weten. Wij wonen hier al een eeuwigheid.'

Ik knikte bij wijze van reactie, net toen Dave de deur uit kwam in een spijkerbroek en een groen T-shirt om een vuilnisbak naar de stoep te slepen. Zijn moeder draaide zich om en zei iets tegen hem, maar hij hoorde het niet door het geluid van de wielen die over de stoep schraapten en liep gewoon door. Toen begon mijn vader te schreeuwen.

'Het kan me niks schelen of je hun al honderd jaar spullen levert! Probeer me geen zand in de ogen te strooien, ik weet als geen ander wat een slechte bestelling is.' Hij was even stil om de ander, die nog sneller sprak, de kans te geven iets te zeggen. 'Luister, ik wil er geen woord meer over horen. Begrepen?'

Mevrouw Dobson-Wade keek naar mijn vader, duidelijk geschrokken van zijn toon. 'Het is een zakelijk gesprek,' legde ik uit, terwijl achter haar Dave weer over de oprit liep. Toen hij me met zijn moeder zag praten, ging hij langzamer lopen, tot hij bleef staan.

'Wie ik ben?' zei mijn vader, terwijl Dave Wade en ik – geen onbekenden van elkaar – elkaar alleen maar over de smalle, knokige schouders van zijn moeder heen aanstaarden 'Ik ben de nieuwe baas van de Luna Blu. En jij bent mijn voormalige toeleverancier. Goedendag.'

Hij hing op. Hij was kwaad en gooide met een klap de

telefoon op tafel, waar ik van schrok. Pas toen keek hij op en zag hij mij en Daves moeder bij de deur staan.

'Dit is mevrouw Dobson-Wade,' zei ik met kalme stem om aan te geven dat wij niet allebei stapelgek waren. 'Ze heeft brownies voor ons gemaakt.'

'O.' Hij wreef in zijn handen en kwam naar ons toe. 'Dat is... Dank u wel.'

'Graag gedaan!' Er viel even een ongemakkelijke stilte voor zij zei: 'Ik zei net tegen uw dochter dat wij hier al twintig jaar wonen, dus als u informatie nodig hebt over de buurt of scholen, dan horen wij dat graag.'

'Dat zal ik onthouden,' zei mijn vader. 'Maar ik heb begrepen dat zij hier al behoorlijk goed is ingeburgerd.'

'Zit jij op Jackson?' vroeg mevrouw Dobson-Wade aan mij. Ik knikte. 'Dat is een heel goede openbare school. Maar er zijn ook andere opties, als je je erin wilt verdiepen. Bijvoorbeeld uitzonderlijk goede privéscholen.'

'U meent het,' antwoordde mijn vader.

'Onze zoon zat er tot vorig jaar op, op Kiffney-Brown. Hij wou naar een andere school, maar daar waren wij niet blij mee.' Ze zuchtte en schudde haar hoofd. 'U weet hoe dat gaat met pubers. Het is moeilijk als ze vinden dat ze het allemaal beter weten.'

Ik voelde dat mijn vader naar me keek, maar deze keer bleef ik recht voor me uit kijken. Ik wilde hier niet bij betrokken worden. 'Nou,' zei hij uiteindelijk. 'Ik denk... dat dat soms wel waar is.'

Mevrouw Dobson-Wade lachte, alsof hij meer had gezegd dan in werkelijkheid het geval was. 'Hoorde ik u zeggen dat u de nieuwe baas bent van de Luna Blu?'

'Ik ben meer de tijdelijke baas,' zei mijn vader.

'O, wij zijn dol op de Luna Blu,' zei ze tegen hem. 'De broodjes zijn er heerlijk!'

Mijn vader lachte. 'Tja,' zei hij, 'de volgende keer dat u komt, moet u naar mij vragen. Dan zorg ik ervoor dat er goed voor u wordt gezorgd. Ik heet Gus.'

'Anne,' zei ze. Ze wierp een blik achterom en ze zag Dave, die daar nog steeds naar mij stond te kijken en niet dichterbij was gekomen. 'Mijn man, Brian, komt ook zo tevoorschijn, en dat is mijn zoon, David. David, dit zijn Gus en...'

Iedereen keek naar mij. 'Mclean,' zei ik.

Dave hief zijn hand op om vriendelijk te zwaaien, maar bleef nog steeds op afstand staan. Ik moest denken aan wat Heather en Riley me hadden verteld: geniale jongen, smoothiemaker, schuilkelderbewoner. Maar ik vond dat hij op dit moment geen spat leek op deze beschrijvingen van anderen, en dat kwam me akelig bekend voor.

De zijdeur sloeg weer met een klap open en daar kwam meneer Wade eindelijk naar buiten. Hij was lang en mager als een riet, en hij had een baard. Hij had een grote schoudertas bij zich, die hij omhing toen hij van de trap liep. In zijn andere hand hield hij een fietshelm vast die bedekt was met reflecterende stickers.

'Brian!' riep mevrouw Wade. 'Kom even gedag zeggen tegen de nieuwe buren.'

Meneer Wade kwam vrolijk aangelopen, met een lach op zijn gezicht, om zich bij het onderonsje op de veranda te voegen. Toen ze naast elkaar stonden, leken Anne en hij wel een bij elkaar passend, morsig academisch stel, met hun dikke brillenglazen, hij met zijn helm en zij met haar draagtas van biologisch katoen over haar schouder. 'Aangenaam kennis te maken,' zei hij terwijl hij eerst mijn hand en toen die van mijn vader schudde. 'Welkom hier.'

'Dank je wel,' zei mijn vader.

'Gus is de tijdelijke baas van de Luna Blu,' informeerde Anne hem.

'O, we zijn dol op de Luna Blu!' zei Brian. 'Die broodjes! Die zijn een heerlijke maaltijd op een koude avond.'

Ik beet op mijn lip en zorgde ervoor dat ik mijn vader niet aankeek toen we daar allemaal lachend bij elkaar stonden. Ondertussen wierp Dave achter hem mij een moeilijk te peilen blik toe, bijna verontschuldigend, voor hij weer naar zijn huis terugliep en naar binnen ging. Het geluid van de deur die achter hem dichtsloeg fungeerde als een signaal om de bijeenkomst te beëindigen. We namen dan ook afscheid.

'Ik moet er snel vandoor naar het laboratorium,' zei Daves moeder, die een stap achteruit deed. Brian glimlachte en volgde haar voorbeeld terwijl hij zijn helm opzette. 'Laat het me alsjeblieft weten als jullie hulp nodig hebben.'

'Dat zullen we doen,' zei mijn vader. 'En nogmaals dank voor de brownies.'

Zij zwaaiden, wij zwaaiden. Toen stonden we zwijgend te kijken hoe ze van de veranda terug naar de oprit liepen. Onder de basket hielden ze stil en boog Brian zich naar voren, zodat Anne hem een kus op zijn wang kon geven. Daarna ging ze naar haar auto en hij naar zijn fiets, die aan hun veranda vast stond. Hij liep ermee over de oprit en zij reed achteruit de weg op. Hij sloeg links af, zij rechts.

'Nou,' zei mijn vader na een tijdje, 'zij zijn wel dol op die broodjes, zeg.'

'Dat kan je wel stellen.' Ik tilde de aluminiumfolie op van de schaal die Anne me net had gegeven en ik rook aarzelend aan de brownies. 'Kunnen brownies echt gemaakt worden zonder suiker, noten en gluten, en toch lekker zijn?'

'Zullen we het uitproberen?' zei hij, en hij haalde de folie er helemaal af. Hij pakte er een en stak hem in één keer in zijn mond om te proeven. Nadat hij, naar het scheen, een eeuwigheid had gekauwd en de hap had doorgeslikt zei hij: 'Nee.'

Dat dacht ik al. Ik zette de schaal neer. 'Gaat alles wel goed met die leverancier? Dat klonk nogal heftig.'

'Die vent is een idioot,' gromde mijn vader, die zijn ont-bijtbord in de gootsteen zette. 'Om niet te zeggen een dief. Misschien kan ik nu eindelijk aan goede groenten komen. Hé, het schiet me ineens te binnen dat ik over tien minuten bij de groenteveiling moet zijn. Jij redt je wel hier?'

'Jazeker,' zei ik.

Toen hij zijn mobieltje pakte en de keuken uit ging, keek ik weer naar Daves huis. Zijn ouders leken me best aardig en niet echt van die goelagtypes zoals Heather ze had be-schreven. Maar aan de andere kant was niemand helemaal normaal, zoals Riley al had gezegd, en kon je aan de buiten-kant niet zien wat zich echt allemaal afspeelde. Eén ding was wel duidelijk: ik kon nu niet meer onder Mclean uit komen. Ik was haar, ik was hier en het zag ernaar uit dat we nog wel een tijdje zouden blijven. Er zat niets anders op dan me erbij neer te leggen en er het beste van te maken.

4

'Hallo?'

'Met mij,' zei mijn moeder. 'Niet ophangen.'

Ik wist wel dat het geen goed idee was om op te nemen zonder eerst naar de nummerherkenning te kijken. Normaal gesproken was ik nogal alert op dat soort dingen, maar in het gedrang op de gang voor het mentoruur begon was ik niet zo behoedzaam geweest.

'Mam, ik kan nu niet praten,' zei ik, terwijl iemand met een grote rugzak van achteren tegen me op botste.

'Dat zeg je altijd, wanneer ik je ook bel,' antwoordde ze. 'Je hebt vast wel twee minuutjes voor me.'

'Ik ben op school,' zei ik. 'Mijn volgende les begint over vijf minuten.'

'Geef mij er dan vier.' Ik rolde geïrriteerd met mijn ogen, alsof ze dat zou kunnen zien, en ze vervolgde: 'Alsjeblieft, Mclean. Ik mis je.'

En daar had je het al. Een piepkleine steek, als een kriebel in je keel vlak voor de tranen kwamen. Ik vond het verbijsterend hoe zij altijd mijn zwakke plek wist te vinden, een plek die ik zelf niet eens zou kunnen aanwijzen. Het was alsof ze die zelf in mij had geplaatst, zoals wetenschappers in sciencefictionfilms altijd wel ergens bij een robot een geheime knop inbouwen om hem te kunnen uitschakelen als hij op hol slaat en zich tegen hen keert. Want je kon maar nooit weten...

'Mam,' zei ik terwijl ik me uit de hoofdgang wurmde en

een kleine gang insloeg waarvan ik dacht dat daar mijn kluisje was. 'Ik heb het al gezegd: ik heb nog wat tijd nodig.'

'Dat was twee weken geleden!' protesteerde ze. 'Hoe lang ben je van plan om boos op me te blijven?'

'Ik ben helemaal niets van plan. Ik wil alleen...' Ik zuchtte, omdat ik er zo moe van werd om uit te leggen waarom ik een beetje meer afstand van haar wilde nemen. Dat bleef steeds maar een punt van discussie. Zij probeerde me naar zich toe te trekken en ik verzette me daartegen. Ondanks de honderden kilometers afstand tussen ons had ik nog steeds het gevoel dat ze me onder de duim hield. 'Ik heb een rustpauze nodig.'

'Van mij,' zei ze verduidelijkend.

'Van alles. Ik zit weer op een nieuwe plek, op een nieuwe school...'

'Maar dat komt doordat je dat zelf wilt,' bracht ze me in herinnering. 'Als het aan mij lag, zou je nog steeds hier zijn en had je kunnen genieten van je eindexamenjaar met de vrienden die je al je hele leven kent.'

'Ja,' zei ik, 'maar het ligt niet aan jou.'

Ze ademde luid uit en het geluid klonk in mijn oor als een brekende golf. Dit was het punt, de kern van de zaak, dat wat altijd weer terugkwam, ook al draaiden we nog zo lang om elkaar heen. Mijn moeder wilde mijn leven beheersen en ik stond dat niet toe. Daar werd ze gek van en daarom maakte ze mij gek. En zo ging dat maar door.

Het deed me denken aan toen ik klein was en mijn opa en oma een kat hadden die Louis Armstrong heette. Mijn ouders hadden het te druk met het restaurant om zich met huisdieren te bemoeien en daardoor was ik gek op alle dieren die ik maar tegenkwam. Maar Louis was oud en vals, en had absoluut geen interesse in kinderen. Hij dook altijd meteen onder de bank als hij me binnen hoorde komen.

Dan ging ik op het tapijt onder de bijzettafel zitten en probeerde ik hem tevoorschijn te lokken. Ik riep zijn naam en bood hem hapjes aan, maar kreeg er alleen schrammen op mijn arm voor terug.

Na een tijdje gaf ik het op en ging ik televisiekijken op het oude toestel van mijn grootouders met maar drie kanalen. Op een dag gebeurde er iets heel raars. Ik zat te kijken naar een of andere vage oude film, terwijl de volwassenen in de andere kamer met elkaar aan het praten waren, en ineens voelde ik iets langs mijn been strijken. Ik keek omlaag en schrok toen ik Louis Armstrong zag, die plotseling niet meer ongrijpbaar was en langs me liep en een beetje met zijn staart naar me zwaaide. Het was natuurlijk niet de adoratie waar ik naar snakte, maar het was iets. En dat zou ik nooit gekregen hebben als ik hem niet met rust had gelaten. Dit was het begin geweest van iets wat de maanden erna bijna op affectie was gaan lijken.

Ik had geprobeerd om dat aan mijn moeder uit te leggen, ook aan de hand van dit verhaal met de kat. Maar ze begreep het gewoon niet, of ze wilde het niet begrijpen. Vergeet katten en banken. Ik was haar dochter en ik was van haar. Ik werd geacht mee te werken.

Deze laatste impasse, die nog maar een paar weken duurde, had een heel bekende aanleiding gehad. Ze had een dag of twee voor we Westcott verlieten gebeld, terwijl ik druk aan het inpakken was. Ik was zo stom geweest om haar dat te vertellen en toen sloeg ze op tilt.

'Al weer?' vroeg ze. 'Waar is je vader mee bezig? Hoe kan hij nou denken dat dit goed voor jou is?'

'Mam, het is een adviesklus,' zei ik haar voor de tigste keer. 'Het werk komt niet naar jou, jij gaat naar het werk.'

'Hij gaat naar het werk,' antwoordde ze. 'Jij zou hier moeten zijn om tot en met je eindexamen naar dezelfde school te gaan. Het is belachelijk dat wij iets anders toelaten.'

'Het is mijn eigen keus,' zei ik, om het nog maar weer eens te herhalen, zodat het wel een mantra leek.

'Je bent een tiener,' zei ze tegen mij. 'Het spijt me, Mclean, maar jij bent per definitie nog niet in staat om de juiste keuzes te maken!'

'Maar als ik bij jou zou blijven, zou dat dan wel de juiste keus zijn?' zei ik, waarbij ik probeerde mijn stem zo rustig mogelijk te laten klinken.

'Ja!' Toen ze doorkreeg dat ze erin was getuind, slaakte ze een geïrriteerde diepe zucht. 'Schatje, iedereen kan je vertellen dat wonen in een stabiele, ondersteunende omgeving met twee verantwoordelijke ouders onmetelijk veel beter is dan...'

'Mam,' zei ik. Ze praatte echter door en daarom zei ik nog een keer, maar nu harder: 'Mam!'

Eindelijk viel ze stil. Toen zei ze: 'Ik begrijp gewoon niet waarom je me op deze manier pijn wilt doen.'

Het gaat niet om jou, dacht ik, maar toen was ze al in tranen en had ik de kracht niet meer om door te gaan.

Als we het daarbij hadden gelaten, was het waarschijnlijk wel overgewaaid. Maar in plaats daarvan was ze weer naar haar advocaat gegaan, die op zijn beurt mijn vader had gebeld en allerlei subtiele dreigementen had geuit over 'papierwerk' en 'de huidige afspraken opnieuw onder de loep nemen in het licht van de recente gebeurtenissen'. Uiteindelijk was er niets veranderd, maar door dat hele gedoe had ik besloten om haar buiten te sluiten tot ik me kalm genoeg voelde om met haar te praten. En dat was niet het geval – nog niet.

Deze hele kwestie, onze kwestie, was de afgelopen maanden nog verder verergerd door mijn aanmeldingen bij universiteiten. Toen ik net in de vijfde klas zat, had ze me in Petree via de koerier een pakket boeken gestuurd met hoofdstuktitels als 'Hoe schrijf je een superessay?', 'De wauwfactor: Hoe bereik je de belangrijkste mensen aan de universiteit?' en 'Speel je kaarten uit: Presenteer jezelf zo gunstig mogelijk'. Pas toen ik haar belde om haar te bedanken – in die tijd verliep onze relatie best aardig – begreep ik waarom ze ineens zo geïnteresseerd was in mijn vervolgopleiding.

'Tja, ik dacht dat je ze wel goed zou kunnen gebruiken,' zei ze. Ik hoorde dat een van de tweeling met de hoorn aan het spelen was. 'De vroege aanmelding voor de Defriese komt er al snel aan.'

'De vroege aanmelding?' vroeg ik.

'Ik heb het een en ander gelezen en ik denk dat het echt de weg is die je moet nemen,' vervolgde ze. 'Op die manier is jouw aanmelding als eerste bij hen binnen, ook al zit je misschien niet bij de eerste groep die wordt aangenomen.'

'Eh...' zei ik terwijl ik een van die boeken langzaam dichtsloeg, 'ik heb eigenlijk nog niet besloten waar ik me wil aanmelden.'

'O, ik snap dat je nog geen knopen hebt doorgehakt. Maar natuurlijk staat Defriese wel op je lijst.' Ze legde een van de tweeling op haar andere arm en het gehuil klonk verder weg. 'Je zou zelfs thuis kunnen wonen en niet eens op kamers hoeven gaan.'

Ik verstijfde, daar in de keuken in Petree, kijkend naar de koelkast. 'Mam,' zei ik langzaam, 'ik geloof niet dat ik daar zin in heb.'

'Hoe weet je dat nou?' vroeg ze met stijgende stem. 'Je zit nog maar in de vijfde klas.'

'Waarom stuur je me deze boeken dan?'

'Omdat ik je wou helpen!' sputterde ze tegen. 'En ik snap

niet waarom je niet terug wilt komen om bij mij en Peter en de kinderen te wonen.'

'Ik ga mijn besluit waar ik wil studeren niet baseren op wat jij wilt, mam,' zei ik langzaam.

'Natuurlijk niet!' zei ze. Nu was ze echt aan het huilen. 'Wanneer kan het jou wat schelen wat ik wil?'

Uiteindelijk had ik de boeken onder mijn bed gelegd en geprobeerd het hele voorval te vergeten. Maar toen het moment aanbrak dat ik echt over een opleiding moest nadenken, haalde ik ze toch maar weer tevoorschijn en nam ik de tips door, die best wel nuttig waren. Ik heb me zelfs aangemeld bij Defriese, maar niet via de vroege inschrijving en alleen als zoenoffer. Ik was niet van plan om erheen te gaan, tenzij ik nergens anders zou worden aangenomen. Het was een laatste strohalm.

'Mam,' zei ik nu, terwijl ik de rij kluisjes afzocht op zoek naar nummer 1899. 'Ik moet nu echt naar mijn eerste les.'

'Er zijn nog geen twee minuten om.'

Ik zei niets. Wat kun je daarop zeggen?

'Ik bedoel,' zei ze snel op een andere toon, 'dat ik de kans nog niet heb gehad om het met je over het strand te hebben. Dat is de enige reden dat ik bel. Ik heb groot nieuws!'

'Wat dan?'

Ze zuchtte. Voor de zoveelste keer klonk ik blijkbaar weer veel te mat. Ze negeerde mijn gebrek aan enthousiasme en begon: 'Nou, we hebben net te horen gekregen dat het huis na de verbouwing alle inspecties heeft doorstaan. De interieurontwerper en de schilders zijn op dit moment aan het werk. En je weet wat dat betekent.'

Ik wachtte.

'Nu kan je eindelijk met ons meegaan!' Dat was dus de boodschap. 'Ik bedoel, ik weet hoe dol je bent op het strand, en we hebben zulke goede herinneringen aan al die keren dat we er samen heen gingen. Ik geloof het gewoon niet dat Peter en ik dit huis al twee jaar hebben en dat jij het nog nooit hebt gezien! We willen er volgend weekend een kijkje nemen en er dan zo vaak mogelijk heen. Ik heb op je school-rooster gekeken en het viel me op dat...'

'Mam,' zei ik om haar te onderbreken, 'ik moet nu echt naar de les.'

Stilte. Toen: 'Goed. Maar beloof je me dat je me straks belt? Ik wil het er echt met je over hebben.'

Nee, dacht ik. Hardop zei ik: 'Ik zal mijn best doen. Nu moet ik gaan.'

'Ik hou van je!' zei ze snel, om deze drie woorden nog over te brengen. 'Het zal geweldig zijn, net als...'

Klik.

Ik stak mijn arm omhoog en pakte de greep van mijn kluisje iets te hard vast en trok eraan. Het vloog open en ik zag een roze waas dat me bijna midden in mijn gezicht had geraakt. Toen pakte ik het deurtje vast en zag dat er een spiegel aan de binnenkant zat. Hij was felrood en versierd met roze veren. Onderaan stond het woord 'sexy' geschreven. Ik staarde sprakeloos naar mijn eigen gezicht, toen Riley ineens achter me opdook.

'Ben je je kluisje nu al aan het versieren?' vroeg ze met haar blik op de veren gericht.

'Dit is niet van mij,' zei ik tegen haar, en na het gesprek met mijn moeder had ik de fut niet om het verder uit te leggen.

'Ja, vast!' Ze lachte me vriendelijk toe toen ik mijn tas openmaakte en een paar leerboeken op de lege planken legde. 'Hé, ik wou je wat vragen.'

Ik moest toegeven dat ik verbaasd was. We hadden elkaar maar twee keer gezien en die tweede keer alleen maar doordat Heather zich ermee had bemoeid of door haar gebaar van liefdadigheid, of hoe je het ook wilde noemen. Ik deed het kluisje dicht, de veren schoten weer langs, en begon naar mijn mentorklas te lopen. 'Oké.'

Riley streek een pluk haar achter haar oor en kwam achter me aan. En weer viel me haar tatoeage op, die eenvoudige cirkel. De gangen stonden nog steeds vol met mensen en het gonsde er van het lawaai. Alle energie van een dag die nog niet echt begonnen was.

'Het gaat over Dave,' zei Riley toen we opzij gingen voor twee meisjes met een gitaartas op hun rug. 'Zat hij vanochtend in de bus?'

'De bus?'

'Naar school,' zei ze. 'Jullie nemen toch dezelfde bus?'

'Ik ga gewoon met de stadsbus,' zei ik.

'O, oké.'

Dit leek het einde van ons gesprek te zijn: vraag gesteld, vraag beantwoord. Maar ze bleef maar met me oplopen, ook al was mijn Spaanse les in een lokaal in een doodlopend stuk van de gang. 'Ik heb hem wel gezien. Zijn moeder kwam brownies bij ons langs brengen.'

'Lieve hemel.' Ze trok haar wenkbrauwen op. 'Laat me raden: geen noten, geen gluten, geen suiker, geen smaak.'

'Zo ongeveer,' antwoordde ik. 'Hoe weet jij dat?'

Ze haalde haar schouders op. 'Uit ervaring. Daves huis is niet de plek waar je op zoek wilt gaan naar iets lekkers. Tenzij je vurig verlangt naar tarwekiemen en een vegetarische hamburger.'

'Vegetarische hamburger?'

'Een groenteburger,' legde ze uit.

Ik trok mijn wenkbrauwen op.

'Ja, het smaakt net zo erg als het klinkt.'

'Arme Dave,' zei ik.

'Ik denk dat hij het daarom zo leuk vindt om in de Frazier

Bakery te werken,' zei ze tegen mij, terwijl een jongen met een koptelefoon op van opzij tegen me aan botste. 'Daar heb je suiker en chemische kleurstoffen genoeg, en hij heeft de rest van zijn leven nog om het goed te maken.'

We waren nu bij mijn lokaal aangekomen. Achter de open deur kon ik señor Mitchell horen, die iedereen begroette in zijn vrolijke Spaans. 'Zijn ouders leken me eigenlijk best aardig. Dat verbaasde me een beetje.'

'Hoezo?' vroeg ze.

'Ik weet het niet.' Ik hing mijn tas over mijn andere schouder. 'Ik had van Heather en jou begrepen dat ze superstreng zijn.'

'O, dat,' zei ze knikkend. 'Nou, Dave is nogal veranderd sinds hij hier op school is gekomen. Ik vind dat heel goed, omdat hij nu eindelijk een beetje normaal is. Maar zijn ouders vinden het maar niks. Ik denk dat ze het fijner vonden toen hij precies op hen leek en zij het allemaal voor het zeggen hadden.'

'Ja. Dat ken ik.' Ik dacht aan mijn moeder, aan haar gesmeek en die wanhopige toon van haar laatste woorden voor ik ophing. Hou op met proberen, wilde ik haar zeggen en haar uitleggen. Hou op met forceren; dan kom ik je misschien tegemoet. Misschien. 'Maar je kan er niets aan doen als je verandert, denk ik. Dat gebeurt gewoon.'

'Klopt.' Ze lachte. 'Hé, ik zie je straks weer, goed?'

Ik knikte en zij draaide zich om, stak haar handen in haar jaszakken en liep weer de gang door. Ik moest ineens denken aan hoe ze een paar dagen eerder op dat bankje had gezeten en gespannen had geprobeerd mee te luisteren toen Dave bij zijn ouders en de rector stond. Ik kon me niet eens meer voorstellen hoe het zou zijn om zoveel te investeren in een vriendschap, of zelfs maar een beetje. Het was al moeilijk genoeg om voor mezelf te zorgen.

De bel ging en señor Mitchell draaide zich om en zag mij staan. 'Hola, Mclean!' zei hij, waarna hij me wenkte binnen te komen alsof we elkaar niet pas gisteren voor het eerst hadden ontmoet. Het was vreemd dat het voor een vreemde zo makkelijk was om zo vertrouwd met iemand anders om te gaan. Helemaal als de mensen die je het best zouden moeten kennen je vaak helemaal niet goed kenden.

Mijn telefoon, die in mijn dichtgeritste jaszak zat, ging tijdens de Spaanse les twee keer over. Toen ik op weg naar mijn tweede les door mijn scherm scrolde, zag ik twee keer dezelfde naam: PETER HAMILTON. Ik stopte de telefoon weer terug, dieper deze keer, en zag voor me hoe mijn moeder op de klok zat te kijken en zich afvroeg wat ik onder 'later' verstond. Minuten, uren? Misschien had ze wel gebeld om het me te vragen. Dat zou me niks verbazen.

Ik geloofde het gewoon niet dat ze weer over het strand was begonnen. Vanaf het moment dat Peter dat huis voor haar had gekocht als trouwcadeau – want een huis is echt een standaardcadeau, nietwaar? – zat ze me al te pushen om langs te komen. Maar tot nu toe was het altijd te ingewikkeld geweest, omdat ik zo ver weg zat dat ik minstens één vlucht, en mogelijk twee, had moeten nemen, en dat was een afdoende excuus geweest om de uitnodigingen af te slaan. Maar nu zat ik niet alleen slechts vier uur van Colby af, de plaats waar het huis stond, maar ook nog eens precies op de route ernaartoe. Had ik even geluk!

Ik had niets tegen het strand. Er was zelfs een tijd dat ik niks leukers kon bedenken dan aan het strand te zijn. Omdat mijn vader eigenlijk altijd in het restaurant was, gingen we nauwelijks met ons gezin op vakantie. Het leek altijd wel of het onheil het kon ruiken als mijn vader zich buiten de stadsgrens bevond, om dan toe te slaan. Maar mijn moeder was opgegroeid aan de kust, in South Carolina, en ze deed niets liever dan spontaan in de auto springen en net zo lang naar het oosten rijden tot ze de zee zag. Het maakte niet uit of het de heetste dag in juli of midden in februari was. Vaak als ik uit school kwam of op een zaterdagochtend wakker werd, had ze die blik in haar ogen.

'Zin in een ritje?' vroeg ze dan, al wist ze dat ik daar nooit nee tegen zei. De auto was dan al ingeladen met onze kussens, een koelbox, warme kleren in de winter en strandstoelen in de zomer. We wilden nooit geld uitgeven aan mooie hotels, zelfs niet in het naseizoen, en daarom hadden we het Poseidon gevonden. Dat was een bouwvallig motel uit de jaren zestig in North Reddemane, een klein stadje iets voorbij Colby. Het zwembad zat vol scheuren, de kamers roken net genoeg naar schimmel om het te laten opvallen. En alles, van de vastgeplakte bel op de balie tot de spreien, had miljoenen bezoekers en betere dagen gekend. Maar het uitzicht was er fantastisch, de hordeur van elke kamer kwam praktisch uit op het strand en het was op loopafstand van twee winkels in het dorp die toevallig alles verkochten wat we nodig hadden. Toen we daar eenmaal hadden gelogeerd, wilden we nergens anders meer naartoe.

We brachten de dagen door met wandelingen over het strand of met zonnebaden, en gingen eten bij de Shrimpboats, waar ze, als het enige restaurant in North Reddemane, ontbijt, lunch en avondeten serveerden. Naast de Shrimpboats had je Gert's Surfshop, een houten schuur en een tankstation waar ze aas, goedkope souvenirs en de basislevensmiddelen verkochten. Maar mijn moeder en ik waren vooral dol op de zelfgemaakte polsbandjes, versierd met schelpen en raar gevormde kralen, waar op de achterkant GS geschreven stond. We hadden geen idee wie ze maakte en wisten alleen dat ze altijd bij de kassa uitgestald lagen en dat het leek alsof wij de enigen waren die ze kochten, wat we elke reis ook deden. Mijn moeder noemde ze gerts en er was een tijd dat ik er wel een stuk of twee, drie droeg in verschillende stadia van slijtage.

Zo herinnerde ik me mijn moeder het liefst: met haar haren in een slordige staart en een goedkope zonnebril op haar hoofd, ruikend naar zonnebrandolie en zout. Overdag las ze flutromans (haar stiekeme pleziertje) en 's avonds zat ze buiten bij me op een gammele stoel voor onze kamer en wees ze me de sterren aan. We aten gefrituurde garnalen, keken naar slechte televisieprogramma's en maakten lange wandelingen, of het nou bitterkoud of een ideale zomerdag was. Aan het einde van het weekend reden we terug naar huis en troffen we het daar min of meer aan zoals we het hadden achtergelaten, omdat mijn vader er alleen maar had geslapen, gedoucht en af en toe een hapje had gegeten. Ik kan me niet herinneren dat hij ooit met ons mee was geweest naar het Poseidon, en dat gaf niets. Het was iets van mijn moeder en mij.

Maar nu zou het strand anders zijn, net als alles anders was sinds de scheiding. En om eerlijk te zijn vormden die spontane, sjofele weekenden de beste herinneringen aan mijn moeder voordat alles uit elkaar spatte. Je kon alles verdelen in een strikt gescheiden 'voor' en 'na': mijn ouderlijk huis, mijn naam en zelfs hoe ik eruitzag. Ik wilde niet dat al mijn herinneren verbouwd en opgeknapt zouden worden, zoals haar elegante nieuwe strandhuis. Ik hield van mijn herinneringen zoals ze waren en wilde ze zo laten.

Maar mijn moeder had daar duidelijk heel andere ideeën over: tegen de middag had ik al vier berichten ontvangen. Ik kocht een goedkope en kleffe tosti, ging naar de gang en nam een hapje voor ik ze afluisterde.

'Schatje, met mij. Ik vroeg me af wanneer je pauze hebt. Ik wil je zo graag spreken over het huis! Bel me terug.'

Piep.

'Mclean, met mij. Ik ga zo met de kinderen boodschappen doen, dus probeer me op mijn mobieltje te bellen. Als ik niet opneem, betekent dat alleen dat ik geen bereik heb, dus laat een boodschap achter en dan bel ik je meteen terug. Ik kan niet wachten om iets af te spreken! Ik hou van je!'

Piep.

'Mclean? Eh... hallo. Dit is Opal, van het restaurant. Ik zit hier met je vader... Hij heeft een ongelukje gehad.' Daarna viel ze stil, op het slechtste moment. Ik hoorde een intercom en wat gezoem. 'Hij is in orde, maar we zitten in het ziekenhuis en hij zegt dat zijn verzekeringspasje thuis ligt en dat jij weet waar. Kan je me terugbellen op dit nummer, als je dit hebt gehoord?'

Piep.

'Hallo, liefje, met mij weer. Ik ben terug van boodschappen doen en zag dat je nog niet had gebeld, dus als je dat gaat doen, bel me dan thuis...'

Ik stond te frummelen met mijn telefoon en drukte één, twee keer op de knop om het scherm leeg te maken en een kiestoon te krijgen. Mijn hart was ineens op hol geslagen door de woorden die door mijn hoofd schoten: ongeluk, ziekenhuis. En daarachteraan, iets slechter te horen: in orde. In orde. In orde.

Het leek uren te duren voor mijn telefoon het nummer had gedraaid. Elke piep leek een eeuwigheid te duren, terwijl ik keek naar het volle schoolplein voor me, maar eigenlijk niets zag. Toen werd er opgenomen.

'Hallo?'

'Opal,' zei ik, 'met Mclean. Ik heb net je bericht gehoord.

Hoe gaat het met mijn vader? Wat is er gebeurd? Wanneer is hij...'

'Ho, ho, ho,' zei ze. 'Haal even adem. Mclean? Alles is in orde. Hij maakt het goed. Ik zal hem geven.'

Nu hoorde ik zelf dat ik heel snel ademde, bijna hijgde. Dat oergeluid echode de volgende paar seconden door de telefoon en toen hoorde ik ineens, als in een droom, mijn vader.

'Ik had al tegen haar gezegd dat ze je niet moest bellen,' zei hij. Hij klonk verveeld, alsof hij in de rij stond bij het postkantoor. 'Ik wist wel dat je helemaal op tilt zou slaan.'

'Ik sla niet op tilt,' zei ik tegen hem, al wisten we allebei dat het wel zo was. Ik haalde diep adem, zoals me was gezegd, en zei toen: 'Wat is er gebeurd?'

'Het mes schoot gewoon een beetje uit.'

'Echt?' Ik was verbaasd.

'Niet mijn mes,' zei hij, enigszins beledigd. 'Het was het mes van een van de keukenhulpen. Ik was hem aan het leren hoe je moet fileren, en toen liep het uit de hand.'

Mijn hartslag was eindelijk weer een beetje genormaliseerd toen ik zei: 'Hoe erg is het uit de hand gelopen?'

'Ik heb een paar hechtingen,' antwoordde hij. 'En ik heb een injectie gekregen.'

'Het verbaast me dat je überhaupt naar het ziekenhuis bent gegaan,' zei ik, want dat was de waarheid. De handen van mijn vader zaten onder de littekens van verschillende ongelukjes en brandwonden. Maar meestal wachtte hij tot hij klaar was met werken om het te behandelen, tenzij hij een slagader zou raken, als hij er überhaupt al wat aan deed.

'Dit was ook niet mijn idee,' gromde hij. 'Neem dat maar van me aan.'

'Je moet naar het ziekenhuis gaan als je je hand hebt

opengesneden!' hoorde ik Opal op de achtergrond zeggen. 'Dat is bedrijfsbeleid. Om niet te zeggen logisch.'

'Hoe dan ook,' zei mijn vader, die haar negeerde, 'het resultaat is dat ik mijn pasje nodig heb. Ik denk dat het thuis ligt.'

'Dat klopt,' zei ik, 'ik ga het wel halen.'

'Maar jij zit op school. Ik stuur Leo wel.'

Ik zag Leo, groot en net een vechtersbaas, al in de doos graven waarin ik al onze belangrijke papieren bewaarde. 'Nee,' zei ik. 'Het is beter als ik ga. Ik ben er zo.'

'Wacht,' zei hij toen ik net wilde ophangen. 'Hoe kom je dan hier?'

Daar had ik nog niet over nagedacht. Dat wilde ik hem net vertellen, toen ik op het schoolplein naar een bankje bij de ingang van de gymzaal keek. Daar zat een meisje op met een groene gebloemde tas naast haar, in een groene regenjas met bijpassende oorwarmers, een suikervrije cola met een rietje te drinken.

'Ik geloof dat ik een oplossing heb,' zei ik tegen hem terwijl ik mijn tas van de grond pakte. 'Ik zie je zo.'

'Op een keer,' zei Deb toen ze haar kleine, schone autootje de rijbaan op stuurde om rechts af te slaan, 'kreeg mijn moeder een volle mok met heet water over haar buik. Je weet wel, zoals je in een koffieshop krijgt als je thee bestelt. Superheet dus. We moesten met haar naar de spoedeisende hulp.'

Ik knikte en dwong mezelf om te glimlachen.

'Maar ze had eigenlijk niets!' voegde ze er snel aan toe, met haar blik op mij gericht. 'Helemaal niets. Niet eens een litteken, hoewel we allebei dachten dat ze er wel een aan over zou houden.'

'Wauw,' zei ik.

'Ja toch?' Ze schudde haar hoofd en ging wat harder rijden toen we borden zagen die het ziekenhuis aangaven. 'De moderne geneeskunde is een wonder.'

Ik tuurde voor me uit en zag op een bord in grote rode letters SPOEDEISENDE HULP met een pijl eronder staan. Ondanks de geruststelling van mijn vader was ik vreemd genoeg toch nerveus en zat er sinds ik het telefoongesprek had beëindigd een knoop in mijn maag. Misschien had Deb dit aangevoeld en was dat de reden dat ze onafgebroken aan het woord was sinds ik haar had aangesproken en om een lift had gevraagd. Ik kreeg nauwelijks de tijd om de situatie uit te leggen voor zij met een heleboel verhalen kwam om te onderstrepen dat Dingen Nu Eenmaal Gebeuren, Maar Dat Mensen Uiteindelijk Beter Werden.

'Het is maar een snee,' zei ik voor de tiende keer. Ik wist niet zeker of ik haar of mezelf daarmee wilde geruststellen. 'Dat overkomt hem wel vaker. Het hoort bij zijn werk.'

'Wat fantastisch dat jouw vader kok is!' zei ze, en ze veranderde van rijbaan om af te slaan. 'Dat lijkt me heel spannend. Ik hoor dat de Luna Blu geweldig is.'

'Ben jij er nog nooit geweest?'

Ze schudde haar hoofd. 'Wij gaan niet zo vaak uit eten.'

'O.' Ik wist niet goed wat ik daarop moest zeggen. 'Nou, dan moet je maar een keer met me meegaan. Als dank voor de lift.'

'Meen je dat?' Ze leek zo verrast dat ik een kleine steek van medelijden voelde, al begreep ik niet goed waar die vandaan kwam. 'God, dat zou echt geweldig zijn. Maar dat hoef je echt niet te doen. Ik ben al blij dat ik kon helpen.'

Toen we op de weg naar de ingang van het ziekenhuis zaten, zag ik een paar artsen in operatiekleding. Links zat een man in een rolstoel met een zuurstofmasker op in de zon. Dat hielp allemaal niet echt om mijn zenuwen in be-

dwang te houden en daarom probeerde ik mezelf af te leiden door te zeggen: 'Ja, maar dat ken je toch allemaal wel
zo onderhand? Als je de leerlingenambassadeur bent, komt
iedereen je voortdurend lastigvallen om hulp.'

Deb boog zich wat dieper over het stuur om naar de par-
keermogelijkheden te kijken. Ze was heel nauwgezet en
ze gedroeg zich heel verantwoordelijk, met haar keurige
groene haarband en haar schone auto met een kladblokje
op het dashboard met een pen ernaast. Ze leek ouder dan
ze was, ouder dan ze zou moeten zijn. 'Niet echt,' zei ze, en
ze draaide een parkeerplaats op.

'O, nee?'

Ze schudde haar hoofd. 'Jij bent eigenlijk de eerste die
me om iets heeft gevraagd.'

'Echt waar?' Ik wilde niet zo verbaasd klinken als het
eruit kwam en ik zag meteen aan haar reactie – ze werd
rood en slikte nerveus – dat het haar zelfvertrouwen geen
goed deed. Snel voegde ik eraan toe: 'Daar ben ik blij om,
bedoel ik. Dat maakt me bijzonder, denk ik.'

Deb zette de motor af en draaide zich naar me toe. Ze
keek duidelijk dankbaar en blij. Hoe zou het zijn als je zo
oprecht en kwetsbaar was, als iedereen precies aan je gezicht kon zien wat je allemaal dacht? Ik kon me er niets bij
voorstellen. 'Nou, dat is fijn om te horen. Zo had ik het nog
niet bekeken!'

Ineens hoorden we achter ons een sirene loeien en er
kwam dan ook een ambulance op de ingang van de spoedeisende hulp af gestoven. Alles is goed met hem, zei ik
tegen mezelf, maar toch maakte mijn hart een sprongetje
van schrik.

'Kom mee,' zei Deb, en ze duwde haar portier open en
pakte haar tas van de achterbank. 'Je voelt je vast beter als
je hem hebt gezien.'

Toen we over het parkeerterrein liepen, stak ze haar hand in haar tas, waarna ze er een pakje kauwgom uit haalde, waarvan ze mij er een aanbood. Ik schudde mijn hoofd en ze stopte het pakje terug, zonder er zelf eentje te nemen. Ik vroeg me af of ze zelf ooit kauwgom nam of dat ze die gewoon uit beleefdheid bij zich had. Ik kon het antwoord wel raden.

Toen we even tevoren langs mijn huis waren gegaan, vond ik het geen verrassing dat ze beleefd en complimenteus was geweest. 'Wat een leuk huis,' zei ze toen ze in onze karig gemeubileerde huiskamer stond. 'Die quilt is prachtig.'

Ik keek naar de bank. Over de leuning lag een van mijn moeders quilts, uit de tijd dat ze net met die hobby was begonnen. Om eerlijk te zijn was ze er heel goed in en kon ze de meest ingewikkelde patronen maken. In ons oude huis hadden we er tientallen gehad, zowel als decoratie als voor de warmte als het koud was. Toen we verhuisden had ik de meeste bij de rest van onze spullen in dozen gedaan, die nu in de opslag stonden. Maar bij het afscheid op de oprit van Peters huis had ze me een nieuwe gegeven.

'Ik heb er onophoudelijk aan gewerkt, zei ze terwijl ze hem in mijn handen drukte. Haar ogen waren rood: ze had de hele ochtend gehuild.

Ik nam hem aan en keek naar de keurig gestikte vierkantjes. De stofjes waren roze en geel en blauw, en van verschillend materiaal: spijkerstof, ribfluweel en katoen. 'Hij is echt heel mooi.'

'Het is stof van babykleertjes,' zei ze tegen mij. 'Dan heb je iets als aandenken aan mij.'

Ik had de quilt meegenomen en haar bedankt. Toen had ik hem in een doos gedaan die in de boedelbak stond, waar hij in bleef zitten tot ik tijdens de zomervakantie weer wat spullen mee naar haar huis had genomen en hem daar in mijn kast had gelegd. Ik wist dat ik hem bij me had moeten houden, maar net als met zoveel dingen van mijn moeder voelde het als een zware last, waardoor ik me verstikt voelde.

'Dank je,' had ik bij mij thuis tegen Deb gezegd. 'We zijn net verhuisd en daarom staat alles nog een beetje door elkaar.'

'Ik zou hier dolgraag willen wonen,' zei ze. 'Dit is een geweldige buurt.'

'O ja?' vroeg ik terwijl ik in de doos met de belangrijke papieren keek, zoekend naar mijn vaders pasje.

'Jazeker. Dit is het historische gedeelte.' Ze liep naar de deur en bekeek het lijstwerk. 'Mijn moeder en ik hebben een paar weken geleden naar een huis gekeken dat in deze straat te koop stond.'

'Echt waar? Willen jullie verhuizen?'

'O, nee,' zei ze. Ze was even stil. Toen zei ze: 'We gaan gewoon... soms naar openhuisdagen, en dan doen we net of we een huis willen kopen. Dan kijken we waar we alles zouden neerzetten en wat we met de tuin zouden doen...' Ze dwaalde af en keek gegeneerd. 'Ik snap dat dat gek klinkt.'

'Nee hoor.' Ik had het pasje gevonden in een postzegelboek en liet het in mijn zak glijden. 'Ik doe dat soort dingen ook weleens.'

'Meen je dat? Wat dan?'

Nu had ik mezelf in de hoek gewerkt. Ik slikte en zei: 'Je weet wel. Als ik naar een nieuwe school ga dan verander ik mezelf een klein beetje. Dan doe ik net alsof ik iemand anders ben dan in de stad waar ik daarvoor woonde.'

Ze keek me alleen maar aan en ik vroeg me af waarom ik zo eerlijk tegen haar was. Alsof zij leed aan een waarheidsvirus dat heel besmettelijk was. 'Jeetje,' zei ze uiteindelijk. 'Dat lijkt me best wel moeilijk.'

'Moeilijk?' vroeg ik terwijl ik naar de deur liep en hem voor haar openhield.

Ze liep naar buiten en hing haar tas om haar schouder toen ik de deur op slot deed. 'Ik bedoel dat je elke keer moet veranderen. Alsof je steeds weer opnieuw begint. Ik zou... Ik weet het niet...'

Ik wierp een blik op het huis van Dave Wade en dacht aan Riley, die naar hem had gevraagd. Er stonden geen auto's op de oprit en er was geen enkel teken van leven. Waar hij ook was, hij was in elk geval niet thuis.

'... het missen om degene te zijn die ik ervoor was,' maakte Deb haar gedachten af. 'Of zoiets.'

Ik zei niets meer; ik wist niet hoe ik daarop moest reageren. In plaats daarvan volgde ik haar naar de auto en gingen we naar het ziekenhuis. Nu liepen we door de draaideur naar de spoedeisende hulp en keek ik haar van opzij aan. Ik bewonderde haar zelfvertrouwen, ook al wist ik hoe anderen over haar dachten. Misschien was het voor sommige mensen makkelijker om te veranderen dan voor anderen. Ik kende haar nauwelijks, maar ik kon me haar nu al niet anders voorstellen dan als de Deb die ze was.

Binnen sloeg onmiddellijk de ziekenhuisgeur, een mengeling van ontsmettingsmiddel en ongemakkelijkheid, ons in het gezicht. Ik gaf mijn vaders naam op aan een kleine, dikke man die achter een glazen loket zat en een paar dingen op zijn computer intypte voor hij me een briefje toeschoof met daarop A1196. Door die vier cijfers moest ik denken aan die ochtend, toen ik naar mijn kluisje had gezocht en al mijn aandacht nog was uitgegaan naar de vraag hoe ik van mijn moeder af kon komen aan de telefoon.

'Ik geloof dat we deze kant op moeten,' zei Deb met een stem die kalmer klonk dan ik me voelde. Ze leidde ons door een gang en sloeg rechts af. Op de een of andere manier leek ze gewoon te weten wanneer ik er behoefte aan had dat zij de leiding zou nemen, alsof mijn angst bijna tastbaar was.

We zagen geen kamers, maar hokjes met een gordijn ervoor. Sommige waren open, andere dicht. Toen we erlangs liepen, probeerde ik niet te kijken, maar toch ving ik het een en ander op: een man die in zijn hemd op een bed lag en een hand voor zijn ogen hield, een vrouw in een ziekenhuishemd die lag te slapen met haar mond open.

'A1196,' zei Deb. 'A1196... Hier! We zijn er.'

Het gordijn was dicht en we bleven heel even staan, terwijl ik me afvroeg hoe je moest aankloppen of hoe je kon weten of je bij de juiste plek was aanbeland. Maar toen hoorde ik iets.

'Ik meen het. Je moet die broodjes uit je hoofd zetten. Die zijn verleden tijd.'

Er klonk een luide zucht. 'Oké, ik begrijp dat de augurken aanslaan, maar dat betekent nog niet dat...'

Ik schoof voorzichtig het gordijn een beetje opzij, en daar zaten ze: mijn vader op het bed met zijn hand in het verband en Opal met een geërriteerde blik in een stoel ernaast, met haar benen over elkaar geslagen.

'Daar is ze dan,' zei mijn vader. Hij lachte naar me en dat was zo ongeveer wel het bemoedigendste wat ik... tja, ooit van mijn leven had gezien. 'Hoe gaat het?'

'Vergeet mij,' antwoordde ik terwijl ik naar hem toe liep. 'Hoe gaat het met jou?'

'Heel goed,' zei hij ontspannen, en hij klopte naast zich op het bed. Ik ging zitten en toen hij zijn goede arm om me heen sloeg, kreeg ik een brok in mijn keel. Dat was echt belachelijk, omdat het duidelijk goed met hem ging. 'Het is maar een vleeswond.'

Ik lachte, slikte en keek naar Opal. Die zat me met zo'n

lief gezicht aan te kijken dat ik mijn blik moest afwenden. 'Dit is Deb,' zei ik, knikkend naar de deuropening, waar ze stond met haar tas over haar schouder. 'Zij heeft me... Ze is mijn vriendin.'

Toen ze dat hoorde, lachte Deb blij. Vervolgens deed ze een stap naar voren en stak ze haar hand uit. 'Hallo,' zei ze. 'Leuk u te ontmoeten. Wat vervelend van uw ongeluk. Mclean was erg bezorgd!'

Mijn vader trok zijn wenkbrauwen op en keek me aan, en ik voelde dat ik rood werd.

'Dat kwam waarschijnlijk doordat ik haar heb gebeld,' zei Opal. 'Ik sta er niet echt om bekend dat ik me goed kan beheersen bij een noodgeval.'

'Dit was niet echt een noodgeval,' zei mijn vader, en hij kneep even in mijn schouder. Ik leunde wat meer tegen hem aan en nam zijn geur in me op: aftershave, wasmiddel en een vleugje rook van de grill. 'Als het aan mij had gelegen, had ik het gewoon verbonden en was ik doorgegaan met snijden.'

'O, nee,' zei Deb met afschuw. 'Je moet naar een dokter gaan als je jezelf hebt gesneden. Ik bedoel, denk eens aan de infecties die je kan oplopen.'

'Zie je nou wel?' zei Opal, wijzend naar Deb. 'Infectiegevaar.'

'Klop, klop,' klonk een stem achter het gordijn. Even later stapte er een gezette roodharige zuster in een overjas met hartjes erop naar binnen. Ze keek naar mijn vader en vervolgens naar de map in haar hand. 'Nou, meneer Sweet, dan heb ik alleen nog uw pasje nodig en een paar handtekeningen, en dan bent u van ons af.'

'Geweldig,' zei mijn vader, die de map van haar aannam.

'O, nee, zeg dat niet! U kwetst me!' zei de verpleegster breed lachend en met veel te harde stem. Opal trok haar wenkbrauwen op, maar mij verbaasde het allemaal niets. Ik was lang geleden al gewend geraakt aan het effect dat mijn vader op vrouwen heeft. Misschien was het zijn iets te lange haar of de manier waarop hij zich kleedde of gedroeg, maar overal waar we kwamen leek het wel alsof de vrouwen naar hem toe werden getrokken als naar een magneet. En hoe minder hij daarop reageerde, hoe meer zij hun best deden. Dat was heel gek.

Ik gaf het verzekeringspasje aan de verpleegster en hield de map vast terwijl mijn vader met zijn goede hand de dop van de pen schroefde en naar de papieren keek. Toen hij ze tekende, wierp ik een blik op de verpleegster, die mij stralend aankeek. 'Wat zorg jij toch lief voor je vader. Is je moeder er niet?'

Het was haar duidelijk opgevallen dat hij geen ring droeg, maar ze wilde het blijkbaar zeker weten. Die truc had ik ook al eerder meegemaakt bij serveersters en hotelmedewerkers, zelfs bij een van mijn leraressen. Erg doorzichtig.

'Mag ik iets vragen?' zei Opal ineens, voor ik een antwoord kon bedenken. 'Kunt u ervoor zorgen dat de rekening naar ons bedrijf wordt gestuurd, of moet ik daar iemand anders voor spreken?'

De verpleegster keek alsof ze haar nu pas opmerkte, terwijl Opal in haar verschoten spijkerbroek, rode cowboylaarzen en feloranje trui niet makkelijk over het hoofd te zien was. 'Ik kan u doorverwijzen naar de desbetreffende afdeling,' zei ze koeltjes.

'Dank u wel,' antwoordde Opal op eenzelfde beleefde toon.

Deb, die net buiten het gordijn stond, keek naar Opal, toen naar de verpleegster en vervolgens weer terug naar Opal. Maar mijn vader had zoals altijd niks in de gaten en hij gaf de papieren terug en sprong van het bed. 'Goed,' zei hij, 'we gaan het pand verlaten.'

'Meneer Sweet!' zei de verpleegster. 'We moeten nog een paar formulieren invullen. U moet...'

'Ik moet vooral terug naar de keuken, voor de hele tent in elkaar stort. Zoals Opal al zei kunt u de rekening naar EAT INC sturen. Die informatie hebt u toch?' zei mijn vader terwijl hij zijn jas pakte, die over zijn kussen lag.

Opal knikte en haalde een kaartje uit de tas die bij haar voeten stond. 'Dat klopt.'

'Perfect. Geef het maar door en laten we gaan.' Opal gaf het kaartje aan de verpleegster, die het niet erg enthousiast van haar aanpakte. Mijn vader had nog steeds niets door terwijl hij zich in zijn jas wurmde en toen naar mij keek. 'Jij moet toch weer naar school?'

Ik keek op mijn horloge. 'Tegen de tijd dat ik daar ben, gaat de laatste bel al bijna.'

Hij zuchtte, omdat hij daar niet blij mee was. 'Ga dan maar naar huis. We zetten je onderweg naar het restaurant wel af.'

'Ik kan haar wel brengen,' bood Deb aan. Toen mijn vader naar haar keek, lachte ze alsof ze daar zijn toestemming voor nodig had. 'Het is geen probleem, hoor.'

'Geweldig. Laten we gaan,' zei hij, en hij schoof het gordijn opzij. Hij liep al door de gang voor we het doorhadden.

Iedereen keek naar mij, maar ik haalde alleen maar mijn schouders op. Dit was mijn vader in de rol van dictator, een karaktertrek die naar boven kwam als hij het druk had en als we aan het verhuizen waren. Hij was niet altijd zo bazig, maar onder bepaalde omstandigheden gedroeg hij zich als een generaal in de strijd, of hij nou gewillige troepen had of niet.

De verpleegster scheurde een paar formulieren af, gaf

er een aan Opal, die het aannam en achter mijn vader aan ging. De andere papieren gaf ze, samen met mijn vaders verzekeringspas, aan mij, waar ze een eeuwigheid over leek te doen.

'Als je vader nog problemen krijgt met die wond,' zei ze toen ze alles uiteindelijk losliet, 'dan kan hij mij bellen. Mijn directe nummer staat op de papieren. Ik heet Sandy.'

'Goed,' zei ik, terwijl ik achter mijn rug voelde dat Deb geschokt was. En toen ik me omdraaide zag ik dat ze er inderdaad met open mond bij stond. 'Bedankt.'

Ik liep naar de gang en zij kwam, nog steeds in shock, achter me aan gerend. 'O, mijn god!' siste ze toen we weer langs de man in zijn hemd liepen, die nu overeind zat met een dokter over zich heen gebogen. 'Dat was zo ongepast!'

'Zulke dingen gebeuren,' antwoordde ik, en ik zag dat mijn vader en Opal al voor de uitgang stonden. 'Mclean?' riep hij ongeduldig. 'Schiet eens op!'

Deb ging meteen sneller lopen en volgde het bevel op als een gehoorzame soldaat. Toen ik achteropraakte, keek ik naar de formulieren met Sandy's krullende handschrift erop. Ze had haar naam en telefoonnummer met een rode pen opgeschreven. Het leek wel of ik een proefwerk had teruggekregen. Ik vouwde alles op en stak het diep in mijn zak, terwijl ik ook naar buiten liep om het ziekenhuis achter me te laten.

5

Het geluid kwam me vreemd genoeg heel bekend voor, maar toch kon ik het in het begin niet thuisbrengen.

Bonk. Bonk. Bonk. Bém.

Ik deed mijn ogen open en keek naar de helling in het plafond en volgde die tot de rand van het lijstwerk bij het raam. Daarachter waren alleen helder glas, een stuk lucht en het bouwvallige dak van het huis waarvan David de kelder had ingenomen. Maar het gebouw was zo groot dat ik niet eens wist of het wel een woonhuis was. Ik dacht vanwege de dichtgetimmerde ramen en al het onkruid dat er groeide meer dat het een kantoor moest zijn dat al lang niet meer in gebruik was. Ik had een keer toen ik naar de bushalte liep een omgevallen bord met TE KOOP erop zien liggen dat er al net zo oud uitzag. Maar nu, vanuit deze rare hoek, viel me nog iets anders op: er waren een paar letters op het dak geschilderd, die eerst rood waren geweest en nu tot roze waren verbleekt. Ik kon ze niet allemaal lezen, maar de eerste zou een B kunnen zijn.

Bonk. Bonk. Suis.

Ik ging overeind zitten en keek uit het raam naast me. Mijn vaders auto was al weg. Het was pas negen uur 's ochtends na een verbijsterende vrijdagavonddrukte waarop hij zo'n beetje alleen met één hand had moeten werken, maar de groenteveiling was op zaterdagochtend en hij wilde er altijd vroeg zijn om de beste producten eruit te vissen.

Bonk. Bonk. Gelach. En vervolgens een klap.

Ik voelde het huis licht trillen en toen was alles weer stil. Ik bleef nog een tijdje zitten wachten op ik weet niet wat, voordat ik uiteindelijk mijn voeten op de grond zette en mijn spijkerbroek van de stoel pakte waar ik hem de avond ervoor overheen had gegooid. Buiten was het weer rustig en mijn voetstappen waren het enige wat je kon horen terwijl ik door de gang liep.

Toen ik de keuken in stapte, dacht ik in eerste instantie dat ik nog sliep en lag te dromen, omdat ik een basketbal op me af zag komen. Erachter stond de deur naar de veranda open en de koude wind waaide naar binnen, terwijl ik alleen maar keek naar de bal, die steeds dichterbij kwam en steeds langzamer ging rollen. Wat gek, dacht ik. Ik wist zeker dat ik wakker was en dat ik had gezien dat mijn vaders auto al weg was, maar...

'Oeps. Het spijt me.'

Ik maakte een sprongetje van schrik, keek op en zag een jongen vlak achter de deur op de veranda staan. Hij was ongeveer van mijn leeftijd en op zijn hoofd staken korte, strakke dreads alle kanten op. Hij droeg een spijkerbroek en een rood T-shirt met lange mouwen. Zijn gezicht kwam me bekend voor, maar ik was nog niet wakker genoeg om te bedenken hoe dat kwam.

Ik keek naar de bal en toen weer naar hem. 'Hoe...'

'Mijn vriend gooit een beetje te enthousiast,' zei hij terwijl hij naar binnen stapte en de bal voor mijn voeten oppakte. Toen hij naar me opkeek, lachte hij verontschuldigend, en ineens zag ik een beeld van hem op een televisiescherm met papieren in zijn hand. Dat was het: hij las de ochtendberichten voor op school. 'Dat zou helemaal niet erg zijn als hij niet zo slecht kon richten.'

'O,' zei ik. 'Aha. Ik, eh... wist gewoon niet wat er aan de hand was.'

'Het zal niet meer gebeuren,' verzekerde hij me. Toen draaide hij zich om, tilde de bal met beide handen boven zijn hoofd en gooide hem in de richting van de oprit. 'Komt-ie!'

Ik hoorde een bonk, gevolgd door een aantal stuiters die steeds zachter werden. Even later zei iemand: 'Wat was dat voor worp?'

'*Dude*, jij probeerde hem niet eens te vangen.'

'Omdat hij niet eens mijn kant op kwam,' antwoordde zijn vriend. 'Richtte je op de straat?'

De jongen wierp me een blik toe en lachte alsof ik bij een grap betrokken was. 'Nogmaals sorry,' zei hij, en toen rende hij over het terras en verdween hij uit het zicht.

Ik stond het allemaal nog steeds te verwerken in mijn half wakkere staat, toen ik in mijn achterzak mijn telefoon voelde trillen. Daar zat hij dus, dacht ik toen ik me herinnerde dat ik voordat ik naar bed ging mijn hele kamer had afgezocht naar mijn telefoon. Ik haalde hem tevoorschijn en keek naar het scherm. Zodra ik het nummer van mijn moeder zag, besefte ik dat ik haar gisteren in alle consternatie niet meer had teruggebeld. Oeps.

Ik haalde diep adem en nam op. 'Hallo, mam,' zei ik, 'ik...'

'Mclean!' Slecht teken: ze gilde nu al. 'Ik ben doodongerust geweest! Jij zou me vierentwintig uur geleden hebben teruggebeld. Je had het beloofd! Ik begrijp dat we op dit moment wat problemen hebben...'

'Mam...' zei ik.

'... maar die zullen nooit opgelost worden als je me niet genoeg respecteert om...'

'Mam!' herhaalde ik. 'Het spijt me.'

Deze twee woorden brachten haar met piepende remmen tot stilstand. Ik zag in gedachten alle woorden die op haar tong lagen en zich als auto's op de snelweg op elkaar botsten. *Bots. Bots. Bots.*

'Nou,' zei ze uiteindelijk. 'Oké, ik ben nog steeds overstuur. Maar fijn dat je dat zegt.'

Ik keek naar buiten, met de telefoon aan mijn oor, en kon nog net de jongen zien, die nu achter de bal aan zat en weer op de basket schoot. Hij ging in een boog omhoog en stuiterde tegen een boom, waarna hij weer op de oprit stuiterde, waar Dave Wade, gekleed in een spijkerbroek en een losgeritst blauw regenjack, hem opving. Hij schudde zijn hoofd toen zijn vriend iets zei en probeerde de bal vervolgens te dunken. Ik keek naar zijn gezicht en niet naar de basket toen de bal tegen de ring ketste. Hij leek niet verrast.

'Maar ik moet je zeggen,' zei mijn moeder nu, na de nog steeds voelbare stilte die tussen ons in hing, 'dat het me heel erg heeft gekwetst dat je me niet hebt teruggebeld. Ik geloof niet dat je beseft, Mclean, hoe moeilijk het is om altijd contact met jou te zoeken en om telkens weer te worden afgewezen.'

Daves vriend sprong op voor een lay-up en struikelde, waardoor de bal in de achtertuin terechtkwam. 'Het was niet mijn bedoeling om je niet terug te bellen,' zei ik tegen mijn moeder, terwijl ik keek hoe de jongen achter de bal aan ging. 'Maar papa is gewond geraakt en ik moest van school naar het ziekenhuis gaan.'

'Wat?!' hijgde ze. 'O mijn god! Wat is er gebeurd? Gaat het met hem? Gaat het met jou?'

Ik zuchtte en hield de telefoon een stukje van mijn oor af. 'Het gaat goed met hem,' zei ik tegen haar. 'Hij moest alleen gehecht worden.'

'Maar waarom moest jij dan naar het ziekenhuis?'

'Hij wist niet waar zijn verzekeringspasje was,' antwoordde ik. 'Dus...'

Maar voor ik die gedachte kon afmaken, hoorde ik haar

uitblazen met een lang, sissend geluid, alsof er een band leegliep, en ik zag ineens voor me dat er in onze eventuele wapenstilstand ook geen lucht meer zat.

'Moest jij van school weg omdat je vader zijn pasje niet bij zich had?' Ik wist wel beter dan hierop antwoord te geven, omdat het niet echt een vraag was. 'Echt! Jij bent niet zijn moeder, maar zijn dochter. Hij zou voor jóuw papieren moeten zorgen en niet andersom.'

'Alles is in orde gekomen, oké?' antwoordde ik.

Ze snufte en toen was het even een tel stil voor ze zei: 'Ik had me er gisteren zo op verheugd om met jou naar het strand te gaan. Zodra ik hoorde dat het huis af was, kon ik alleen nog maar aan jou denken.'

'Mam...' zei ik.

'Maar zelfs dat moet weer gecompliceerd zijn,' ging ze verder. 'Ik bedoel, je wou er niets over horen en het was nou net iets waar je zo van hield. Ik word er vreselijk verdrietig van dat jij geen normaal leven...'

'Mam!'

'... leidt en je vader jou van de ene plek naar de andere sleept en jij voor hem moet zorgen. Ik zal echt nooit begrijpen waarom jij niet...'

Ik hoorde weer een klap achter me en draaide me om, terwijl de deur weer openging en de basketbal opnieuw naar binnen vloog. Hij kwam op het keukenzeil terecht en stuiterde vlak voor mijn neus. Ik ving hem op, met de telefoon tussen mijn oor en mijn schouder geklemd, en ineens was ik furieus. Mijn moeder was nog steeds aan het woord – god, wat kon zij praten – en ik liep stampvoetend naar de open deur en ging op de veranda staan.

'Sorry!' riep Daves vriend naar me toen hij me zag. 'Dat was mijn...'

Maar ik luisterde niet, omdat ik in plaats daarvan alle

boosheid en frustratie van de afgelopen paar minuten en dagen in mijn worp van de bal legde toen ik die zo hard mogelijk bovenhands naar de basket gooide. Hij suisde door de lucht, kwam tegen het backboard aan en vloog met volle vaart door de basket, waarna hij naar beneden kwam en Dave precies op zijn voorhoofd raakte. En voor iedereen het wist, lag hij op de grond.

'O, shit,' zei ik toen hij in elkaar zakte. 'Mam, ik moet ophangen.'

Ik gooide mijn telefoon op een tuinstoel en rende van de trap naar de oprit. Daar lag Dave volkomen verbijsterd op de grond, terwijl zijn vriend een paar meter van me af met wijd opengesperde ogen naar mij stond te staren. De bal was de straat op gerold en bij een vuilnisbak tot stilstand gekomen.

'Niet normaal!' zei zijn vriend. 'Wat was dat voor een schot?'

'Gaat het met je?' vroeg ik aan Dave, en ik ging naast hem op mijn knieën zitten. 'Het spijt me, ik was alleen zo..'

Dave knipperde met zijn ogen en keek naar de lucht. 'Wauw,' zei hij langzaam, en toen zocht zijn blik de mijne. 'Jij bent stukken beter in dit spelletje dan wij.'

Ik wist niet precies hoe ik daarop moest reageren. Ik deed mijn mond open om me op z'n minst te verontschuldigen, maar er kwam niets uit. In plaats daarvan bleven we elkaar maar aanstaren, en ik dacht aan een paar avonden geleden, toen we op die harde houten trap zaten en we naar de hemel keken. Vreemde ontmoetingen, boven en onder de grond, als krankzinnige botsingen, uiteenvallend en tot elkaar aangetrokken.

'*Dude*, dat was onvoorstelbaar,' zei zijn vriend, die me daarmee uit mijn gemijmer haalde. 'Je ging om als een gigantische eik in het bos!'

Ik hurkte neer, terwijl Dave zich langzaam op zijn ellebogen opduwde. Toen schudde hij krachtig zijn hoofd, zoals
tekenfiguren doen als ze proberen bij te komen. Het zou
misschien grappig zijn geweest als ik hier niet verantwoordelijk voor was geweest. 'Het was echt niet mijn bedoeling
om...' kreeg ik er uiteindelijk uit.

'Geeft niks.' Hij schudde zijn hoofd nog een keer en ging
toen staan. 'Er is geen blijvende schade.'

'Dat is een opluchting,' zei zijn vriend, die de bal was
gaan halen en er nu weer stuiterend mee terugkwam. 'Ik
weet dat hij niet echt een plaatje is om naar te kijken, maar
zijn hersens zijn een nationale trots.'

Dave keek hem met een uitgestreken gezicht aan. Tegen
mij zei hij: 'Het gaat wel weer.'

'En ik ben Ellis,' zei zijn vriend, die zijn hand uitstak. Ik
schudde hem langzaam. 'Nu we aan elkaar zijn voorgesteld,
moet je me echt eens leren hoe je dat doet. Ik meen het.'

'Nee,' zei ik scherper dan ik het bedoelde. Ze keken allebei verrast. 'Ik bedoel, ik weet helemaal niet hoe je dat
doet.'

'Daves hersens denken daar anders over,' antwoordde
Ellis, die de bal in mijn handen duwde. 'Toe nou, alsjeblieft?'

Ik voelde dat ik rood werd. Ik wilde het niet. Ik kon me
sowieso al niet voorstellen dat ik de bal had gegooid en al
helemaal niet dat hij erin was gegaan. Het was te danken
aan de lessen van mijn vader, die hij me had gegeven vanaf
het moment dat ik kon lopen, in parken en in onze achtertuin, dat ik toch zo'n geweldige worp kon maken terwijl ik
al jaren geen basketbal meer had aangeraakt.

Hoewel mijn vader het grootste deel van zijn leven met
hart en ziel van basketbal had gehouden, was hij niet de
beste speler geweest. Hij was aan de kleine kant en had

een toelaatbare jumpshot en een redelijke lay-up. Maar hij was snel en bevlogen, wat hem uiteindelijk toch speeltijd had opgeleverd, al was het niet veel geweest. Maar bij zijn teamgenoten en vrienden stond hij meer bekend om de verschillende zelfbedachte shots die hij ontwikkelde en perfectioneerde tijdens de trainingen en wedstrijdjes in de buurt. Het waren er wel een handjevol: de Slip 'n' Slide (een soort achterwaartse draaibeweging), de Ascot (een schijnbeweging gevolgd door een rush op de basket) en de Cole Slaw (die moet je zien om hem te begrijpen). Maar van al die shots was de Boemerang het beroemdst. Dat was meer een aanslag dan een shot en vereiste een bovenhandse worp, getrainde gerichtheid en meer dan een klein beetje geluk. Ik had duidelijk twee van de drie gehad.

Toen ik daar zo stond met de twee jongens die me verwachtingsvol aankeken, hoorde ik ineens het geratel van mijn vaders auto. Ik keek op en zag hem vaart minderen en de oprit op rijden. Pas toen hij dichterbij kwam en ik zijn verbaasde gezicht zag, besefte ik dat ik de basketbal nog steeds vasthield. Hij parkeerde, keek ernaar, keek toen naar mij en zette vervolgens de motor af.

'Hoor eens,' zei ik tegen Ellis. 'Ik... Ik kan het niet doen. Het spijt me.'

Hij keek me vragend aan, omdat ik wist dat deze verontschuldiging veel te zwaar klonk gezien de omstandigheden. Aan de andere kant was hij ook niet echt voor hem bedoeld. Of voor Dave, die hem wel had verdiend na de klap die hij had opgelopen. De woorden waren eigenlijk bedoeld voor mijn vader, wiens ogen ik op me gericht voelde toen ik de bal overgooide en weer naar binnen liep. Game over.

'Oké, probeer deze eens. Vier letters, met een a erin. De aanwijzing is "land in Micronesië".'

Ik hoorde dat er iets werd gesneden en toen dat er een kraan liep. 'Guam.'

Stilte. 'Hé, dat past!'

'O ja?'

Ik keek door de deur van de keuken in de Luna Blu terwijl Tracey, Opals slechtste serveerster, op de snijtafel ging zitten en haar ene been over het andere sloeg. Tegenover haar, aan een identieke tafel, was een magere blonde jongen die een schort droeg tomaten aan het snijden, en er lag een grote rode berg tomaten voor hem.

'Goed,' zei ze nu terwijl ze naar de gevouwen krant in haar handen tuurde. 'En deze dan? Personage van Shakespeare dat via een keizersnee is geboren?'

De jongen bleef snijden en hij gebruikte zijn mes om nog een bergje bij de grotere berg te schuiven. 'Nou...'

'Wacht!' Tracey haalde de pen achter haar oor vandaan en klikte erop. 'Deze weet ik! Dat is Caesar. Ik zal hem...' Ze fronste. 'Maar dat past niet.'

De jongen maakte het mes schoon en droogde het af met een theedoek. 'Probeer McDuff eens.'

Ze tuurde weer even gespannen naar de puzzel. 'Godallemachtig. Je hebt weer gelijk! Jij bent echt veel te slim om als assistent-kok in de keuken te staan. Welke opleiding heb jij ook alweer gedaan?'

'Ik ben gestopt,' antwoordde de jongen. Toen keek hij op en zag mij staan. 'Hé. Kan ik je helpen?'

'Je kan je maar beter netjes gedragen,' zei Tracey tegen hem, al viel het me op dat zij niet van de tafel sprong of haar krant weglegde. 'Dat is de dochter van de baas.'

De jongen veegde zijn handen af en liep naar me toe. 'Hallo. Jij bent toch Mclean? Ik ben Jason.'

'Maar wij noemen hem de professor,' riep Tracey, die haar puzzel dichtsloeg. 'Want hij weet alles.'

'Was dat maar waar,' zei Jason. Tegen mij voegde hij eraan toe: 'Ben je op zoek naar je vader?'

Ik knikte. 'Ik heb hier met hem afgesproken, maar hij is niet op zijn kantoor of ergens anders in het restaurant.'

'Ik denk dat hij boven zit,' antwoordde hij terwijl hij naar het plafond wees. 'Hij is bezig met Opals... eh... gemeenschapsproject.'

Tracey snoof. Ze was klein, maar gebouwd als een werkpaard. Ze had brede schouders en gespierde armen, en ze droeg dezelfde leren moonboots die ze de eerste dag dat ik haar zag aan had gehad, maar deze keer met een spijkerjurk erboven. 'Haar bende van jeugdcriminelen, bedoelt hij.'

'Nou, nou,' zei Jason, die weer terugliep en zijn mes pakte. 'We moeten niet te snel oordelen.'

'Ik wel, hoor,' antwoordde Tracey. 'Heb je ze daarnet buiten bij elkaar zien staan? Allemaal rokend en mokkend en met wel honderd piercings, bij elkaar opgeteld. God! De puberangst was bijna tastbaar.'

Toen ik dat hoorde, verklaarde dat wel waarom ik bij binnenkomst een groepje mensen, voornamelijk jongeren van mijn leeftijd, voor de deur van de Luna Blu had gezien. Het was maandagmiddag, voor openingstijd, maar zij waren hier duidelijk niet om te komen eten. Je kon al zien dat het om een verplichting ging, iets geforceerds en niet iets uit vrije wil. En Tracey had gelijk: er had een grote rookwolk boven hen gehangen.

'Probeer er nog maar een,' zei Jason nu, die knikte naar Traceys krant.

Ze sloeg de puzzel open en liet haar vinger over de bladzijde glijden. 'Oké, wat dacht je van... een woord van acht letters voor brandstof, en de laatste letter is een e. Ik dacht aan benzine, maar dan kom ik een letter tekort.'

'Kerosine,' zei Jason, die weer verderging met de tomaten.

'Godallemachtig, die klopt ook weer!' Tracey schudde haar hoofd, onder de indruk. 'Jij verdoet hier je tijd. Je zou les moeten geven of iets dergelijks.'

Jason haalde zijn schouders op en zei niets. Ik maakte van de gelegenheid gebruik om hen te bedanken en vervolgens de keuken uit naar de gang te lopen. In het restaurant stond een meisje met geelblond haar de bar schoon te maken, terwijl een paar andere mensen van de bediening bij een tafel bij het raam met elkaar stonden te kletsen en ondertussen bestek poetsten.

Ik ging naar de zaal aan de zijkant en toen naar de trap waarnaar Opal me had meegenomen op de dag dat haar dozen waren gearriveerd. Ik liep hem net op, toen ik mijn vaders stem hoorde. Ik wierp een blik omhoog en zag hem halverwege met Opal staan praten.

'... voor het idee om de gemeenschap te helpen, maar dit is belachelijk. We kunnen geen afkickcentrum boven het restaurant erbij runnen,' zei hij.

'Dat weet ik,' zei Opal. Ze klonk moe. 'Dat is precies wat ik ook tegen Lindsay heb gezegd toen ik vanochtend bij haar op kantoor was.'

'Lindsay?'

'Lindsay Baker,' zei Opal. 'Het gemeenteraadslid dat de leiding heeft over het hele project. Maar ze hield vol dat hun kantoor wordt opgeknapt en dat het buurthuis helemaal is volgeboekt. Er is nergens plek om een lopend project als dit onder te brengen.'

'Wil je beweren dat er in de hele stad niet één ruimte te vinden is om dit te doen behalve die ruimte van ons?' vroeg mijn vader.

'Dat klopt,' antwoordde Opal ongemakkelijk. 'Dat is wat ze zei.'

Mijn vader zuchtte. Boven hen, op zolder, hoorde ik gestamp, voetstappen en stemmen. 'En waarom had jij je ook alweer vrijwillig aangeboden?'

'Voor parkeerplaatsen! Ik heb het voor parkeerplaatsen gedaan,' zei Opal tegen hem. 'Maar toen ik daar vandaag over begon, kwam ze ineens met een blockbeweging. Ze had het over verantwoordelijkheid voor de gemeenschap en burgerplichten, en ik...'

'Wacht even,' zei mijn vader. 'Wat zei je nou net?'

Ik had het ook gehoord. Het was niet iets wat we konden negeren.

Opal knipperde met haar ogen. 'Verantwoordelijkheid voor de gemeenschap?'

'Daarvoor.'

Ze dacht even na. Boven hen, in het grote vertrek, hoorde ik nog meer gestamp. 'O, dat ze met een blockbeweging kwam,' zei ze uiteindelijk. 'O, sorry. Dat is een basketbalterm. Het betekent dat je...'

'Ik weet wat het betekent,' zei mijn vader. 'Ik ben alleen verbaasd om zoiets uit jouw mond te horen.'

'Hoezo?'

Nu stond mijn vader even met zijn mond vol tanden. 'Nou,' zei hij uiteindelijk, 'ik wist niet dat jij zo... eh... bekend was met die sport.'

'God, mijn vader was een enorme fan van het DB-team,' zei ze tegen hem. Hij heeft daar gestudeerd, net als al mijn broers. Het kwam erop neer dat ik er ook heen moest, voor de familie-eer.'

'Je meent het.'

Opal knikte. 'Maar hij is niet blij met de nieuwe trainer. Ik volg het niet zo heel erg, maar blijkbaar was er een of ander schandaal. Iets met zijn privéleven, of...'

'Hoe dan ook...' zei mijn vader om haar te onderbreken.

Ik voelde dat ik een kleur kreeg. 'Zullen we teruggaan naar de crisissituatie die nu voor ons ligt? Wat zijn de opties?'

'Nou...' zei Opal langzaam, 'we kunnen alleen maar hopen dat het gemeenteraadslid medelijden met ons krijgt en een andere ruimte voor ons vindt. Dat zou kunnen gebeuren. Maar... niet vandaag.'

'Juist,' zei mijn vader. 'Vandaag is de kamer vol criminelen ons pakkie-an.'

'Het zijn geen criminelen,' zei Opal. 'Ze moeten gewoon een taakstraf doen.'

'Komt dat niet op hetzelfde neer?'

'Nou, niet...'

Boven hun hoofd klonk een luide klap, gevolgd door gelach. Opal keek naar boven. 'Ik denk dat ik er beter even naartoe kan gaan. Ik word geacht de leiding te hebben.'

Mijn vader keek ook op, zuchtte en schudde zijn hoofd. 'Hoe heet die dame ook alweer?'

'Baker. Lindsey Baker.'

'Goed,' zei mijn vader, die zich omdraaide en de trap af wilde lopen. 'Ik bel haar wel even op om te kijken of ik er nog een beetje schot in kan krijgen.'

'O,' zei Opal snel, 'ik... ik denk niet dat dat een goed idee is.'

'Hoezo niet?'

Opal slikte. 'Nou,' begon ze, terwijl er nog een doffe klap van zolder te horen was. 'Ze is nogal...'

Mijn vader wachtte rustig af.

'... dominant,' maakte ze haar zin af. 'Je kan niet zomaar om haar heen. Ze heeft nogal de neiging om mensen... eh... te overdonderen.'

'Ik denk dat ik haar wel aankan,' zei mijn vader, terwijl ik van de onderste traptree af stapte om uit het zicht te zijn en in de eetzaal op hem te wachten. 'Handel jij die criminelen maar af.'

'Het zijn geen criminelen,' riep Opal uit. 'Het zijn...'

Mijn vader deed de deur dicht, duidelijk niet geïnteresseerd in alternatieve definities. Toen hij mij in de gaten kreeg, lachte hij vermoeid. 'Hé, hallo,' zei hij, 'hoe was jouw dag?'

'Saai,' zei ik toen we in de richting van de bar liepen. 'En de jouwe?'

'De gebruikelijke chaos. Heb je honger?'

Ik dacht aan de kleffe tosti die ik uren geleden tussen de middag had gekocht. 'Ja.'

'Mooi. Loop maar met me mee naar de keuken, dan maak ik wel iets voor je.'

We sloegen de hoek om en ik wilde net antwoord geven, toen we ineens oog in oog stonden met een lange jongen in een legerjasje, met een honkbalpet met de klep naar achteren op zijn hoofd. Hij had een grote, zwarte tatoeage van een adelaar in zijn nek. Hij keek van mijn vader naar mij en zei: 'Hé, waar is dat taakstrafgedoe? Ik moet mijn formulier laten aftekenen.'

Mijn vader zuchtte en knikte in de richting van de trap achter ons. 'Daar naar boven. Doe de deur maar achter je dicht.'

De jongen gromde en liep toen achter ons langs met zijn handen diep in zijn zakken gestoken. Aan de tafel bij het raam waren de serveersters met elkaar aan het kwetteren. Mijn vader wierp hun een blik toe en toen waren ze al snel stil. Op dat moment ging zijn telefoon. Hij haalde hem uit zijn zak, keek op het scherm en fronste.

'Chuckles,' zei hij tegen mij terwijl hij hem openklapte. 'Hallo? Ja, dat heb ik gedaan. Er is net een reparateur voor de vriezer langs geweest. Tja... Wil je het slechte of het goede nieuws eerst?'

Zo te horen zou dit nog wel een tijdje duren en daarom liep ik terug naar de eetzaal. De deur naar de trap stond open, ondanks de instructies die de jongen met de tatoeage had gekregen. Toen ik hem dicht wilde doen, hoorde ik Opal praten en liep ik op haar stem af.

'Dit is eigenlijk een kans voor jullie, als inwoners van deze stad, om het centrum op een unieke manier te leren kennen. Elke straat, elke hoek, elk huis. Alsof je je eigen leefwereld helemaal in kaart brengt. Dus dat is echt cool, toch?'

Niemand gaf antwoord, er werd alleen wat gekucht en geschuifeld. Eenmaal op de overloop zag ik Opal staan voor een groep van ongeveer twintig tieners, of bijna-tieners, die er allemaal zo enthousiast uitzagen alsof ze een wortelkanaalbehandeling in het vooruitzicht hadden. Opal zelf, gekleed in een zwarte jurk met cowboylaarzen eronder, had een rood hoofd en was duidelijk zenuwachtig.

'En het leuke is,' ging ze een beetje te snel pratend verder, 'dat we echt vorderingen kunnen maken als we er met zoveel mensen een paar uur per week in steken. Als ik de gebruiksaanwijzing goed heb gelezen, tenminste.' Ze zwaaide met een stapeltje papieren. 'Het is vrij voor de hand liggend, zo te zien. Als we de ondergrond eenmaal in elkaar hebben gelegd, hoeven we alleen nog maar de stukjes volgens de nummering te plaatsen.'

Je kon een speld horen vallen.

'Dus, eh...' zei ze, 'ik ben echt blij dat er zoveel mensen zijn komen opdagen. Ik weet dat sommigen van jullie niet echt een keus hadden, maar ik denk dat als jullie je best doen, het best leuk kan worden en dat je iets goeds doet voor de gemeenschap.'

Weer geen reactie. Ik zag dat Opal haar schouders liet hangen terwijl ze zuchtte. Toen zei ze: 'Nou, ik geloof dat dit het wel was voor vandaag. Laten we afspreken dat we woensdag om vier uur weer bij elkaar komen. Als ik nog formulieren moet aftekenen...'

Ineens kwam iedereen in de kamer weer tot leven en in beweging. Binnen een paar seconden werd Opal overvallen door uitgestoken handen en formulieren.

'Oké, oké,' zei ze, 'een voor een, graag. Jullie komen allemaal aan de beurt.'

Ik liep langs de meute de ruimte in, die aan kant was gemaakt en schoongeveegd en waar de dozen langs de muren opgestapeld waren. Op een paar forse exemplaren stonden grote zwarte nummers, op de rest zag ik letters, maar alles lag wanordelijk door elkaar. Het leek wel op een onopgeloste kruiswoordpuzzel en daarom moest ik aan Traceys puzzel denken, met al die woorden die wel en niet pasten.

We waren nu drie weken hier. In twee jaar tijd was ik niet zo lang achter elkaar Mclean geweest, of had ik mezelf niet zo genoemd, en ik was er nog steeds niet helemaal aan gewend. Zelfs toen ik even hiervoor Jason mijn naam hoorde zeggen, was ik een beetje geschokt. Het had wel iets te betekenen als mijn eigen naam me gekker in de oren klonk dan de namen die ik de afgelopen jaren voor mezelf had gekozen. Om eerlijk te zijn wist ik nog steeds niet precies wie die Mclean hier was. Ik zat maar te wachten tot ze zich zou laten zien en net zo makkelijk op haar plaats zou vallen als Eliza, Lizbet en Beth van vroeger, maar dat was tot dusverre nog niet gebeurd. In plaats daarvan voelde ik me ongevormd, als een half gebakken cake die wel stevige randen had maar in het midden nog papperig was.

Dat kwam deels doordat ik in de laatste drie steden al snel een personage had bedacht: een opgewekt, populair meisje, een in het zwart gestoken dramaqueen en een lid van de leerlingenraad. Het was heel makkelijk om deze rollen allemaal te spelen, omdat ik ze van tevoren kon bedenken en de vrienden en activiteiten kon uitkiezen die het best pasten bij degene die ik had verkozen te zijn. Maar op Jackson was het allemaal niet zo glashelder. Ik had Mcleans vrienden niet zelf uitgekozen. Op de een of andere manier kozen ze mij telkens uit.

Die dag was ik tussen de middag naar het schoolplein gegaan en was ik van plan om een plekje bij de muur uit te zoeken. Ik wilde nog naar mijn aantekeningen voor geschiedenis kijken omdat het gerucht ging dat we een onverwachte overhoring zouden krijgen, en ik had een grote hekel aan onverwachte dingen. Ik zat net lekker te lezen, toen er een schaduw over mijn schrift viel. Een schaduw met kauwgombellen.

'Heb je even?' vroeg Heather toen ik naar haar opkeek. Ze droeg haar nepbontjas en een spijkerbroek, en ze had een grote rode wollen muts over haar blonde haar getrokken. Voor ik antwoord kon geven, zei ze: 'Mooi. Kom maar even mee.'

Ze draaide zich om, duidelijk in de veronderstelling dat ik op haar bevel in zou gaan, en ze liep naar de picknicktafel die de lunchplek van haar en Riley was, zo wist ik intussen. Ik keek hoe ze wegliep – ikzelf had me niet bewogen – en zag Riley inderdaad aan de tafel zitten, die slokjes cola nam en met één hand aan een haarlok draaide. Dave Wade zat tegenover haar. Het was de eerste keer dat ik hem weer zag na die keer dat ik hem met de basketbal had geraakt, en dat zou wel verklaren waarom ik me ineens heel verlegen voelde.

'Hallo?' zei Heather, ongeveer drie meter van me af. Ze klonk ongeduldig, alsof ik ergens mee ingestemd had. 'Kom je nog?'

Ik keek haar alleen maar aan, omdat ik niet wist hoe ik

hierop moest reageren. Uiteindelijk zei ik: 'Ik heb vanmiddag een onverwachte so.'

'Kom nou,' zei ze weer, en voor ik haar kon tegenhouden, was ze teruggelopen, had ze mijn hand gepakt en trok ze me op de grond. Ik kreeg nauwelijks de kans om mijn tas te pakken voor ik naar de tafel werd meegesleept, waar ze me op de bank naast Dave Wade duwde, met mijn schrift nog open. Toen hij opkeek, zag ik in een flits weer voor me hoe hij op de grond had gelegen, en ik werd nog roder.

'Jij kent Mclean toch?' vroeg Heather, die tegenover mij naast Riley ging zitten.

'We hebben kennisgemaakt,' zei hij met zijn blik op mij gericht. Toen ik ging verzitten en mijn schrift probeerde dicht te klappen in mijn schoot, besefte ik dat dit eigenlijk de meest afgezaagde ontmoeting was die we hadden gehad: geen geheimen, politieachtervolgingen of vliegende basketballen. Tot nu toe, dan.

'Zij is zo vriendelijk geweest om zich aan te bieden als scheidsrechter,' zei Heather tegen hem.

'O god,' zei Riley, die met een hand over haar gezicht wreef. Toen zag ik pas dat haar ogen een beetje rood waren. Ze had gehuild. 'Net toen ik dacht dat het allemaal niet nog erger kon.'

'Wij zijn hier onder vrienden,' zei Heather tegen haar. 'En bovendien heb je tot nu toe alleen maar tegenstrijdig advies gekregen. Mijn advies, dat, zoals je wel weet, het enige is waar je naar zou moeten luisteren. En dan nog dat van hem.' Ze stak een vinger uit naar Dave, die zijn wenkbrauwen optrok. 'En daar moet je je juist niets van aantrekken.'

'Geloof jij,' zei Dave tegen mij, 'dat zij nu echt probeert om onbevooroordeeld te zijn?'

'Oké, dit is er aan de hand,' zei Heather, die hem negeerde. 'Riley heeft verkering met een jongen en nu is ze erachter gekomen dat hij haar heeft bedrogen. Hij zegt dat het hem spijt. Moet ze naar zijn verhaal luisteren of hem een schop onder zijn kont geven?'

Ik keek naar Riley, die zich nu leek te concentreren op een vlek op de tafel. 'Eh...' zei ik, 'tja...'

'Ik heb gezegd dat ze hem een schop onder zijn kont moet geven. Letterlijk en figuurlijk,' legde Heather uit. 'Maar Eihoofd hier zegt tegen haar dat ze alles van hem moet laten afhangen.'

'Hoho,' zei Dave, die zijn hand opstak. 'Ik heb gezegd dat ze naar zijn beweegredenen moet vragen en daarna moet beslissen wat ze zal doen.'

'Hij heeft haar bedrogen,' zei Heather droog. Rileys gezicht vertrok en ze wreef harder over de vlek. 'Met welke redenen kan je dat nou goedpraten?'

'Mensen maken nu eenmaal fouten,' verklaarde Dave.

'Hoor eens,' zei Riley, zwaaiend met haar hand, 'ik waardeer deze openbare vergadering over mijn probleem. Maar ik kan het wel in mijn eentje af, oké?'

'Dat zei je de vorige keer ook,' zei Heather.

Nu keek Dave verbaasd op. 'De vorige keer? Heeft hij dit dan al eerder gedaan?'

Riley keek hem aan. 'Tja. Inderdaad. Het is een paar maanden geleden ook al gebeurd.'

'Dat had je me niet verteld,' zei hij.

'Jij had het' – Riley keek mij aan – 'druk in die tijd.'

'O,' zei Dave.

'Hij is gearresteerd,' legde Heather aan mij uit. Nu vertrok Daves gezicht. 'Wat nou? Het was maar één biertje. Ik ben daar al in de onderbouw mee betrapt. Wat afgezaagd.'

'Heather...' Rileys stem klonk een beetje scherp. 'Weet je nog dat je zei dat ik het je moest vertellen als je te ver gaat in een gesprek?'

'Ja.'

In plaats van erop door te gaan hield Riley haar uitgestreken gezicht strak naar haar gericht. Ik kon de temperatuur bijna een paar graden voelen dalen, zo koud was die
blik. 'Ook goed,' zei Heather uiteindelijk, en ze pakte haar
mobieltje op. 'Doe wat je niet laten kunt. Jij bent er de
dupe van.'

We zaten een paar tellen zonder een woord te zeggen bij
elkaar en ik keek verlangend naar de plek op de muur waar
ik lekker in mijn eentje had gezeten en me alleen had hoeven bekommeren om zoiets kleins en eenvoudigs als de
westerse beschaving. Ik zat net te bedenken hoe ik weer
terug kon gaan, toen Dave zei: 'Mclean, hoe is je entree verlopen?'

'Mijn entree?' herhaalde ik.

'Hier op school,' zei hij, en hij gebaarde met zijn hand
naar het schoolplein. Toen hij dit deed, zag ik voor het eerst
de tatoeage op zijn pols. Het was een zwarte cirkel, op dezelfde plek en in dezelfde vorm als die van Riley. Interessant. 'Ons mooie educatieve systeem.'

'Eh...' zei ik, 'best goed, denk ik.'

'Fijn om te horen,' zei hij.

'Het heeft haar natuurlijk wel geholpen,' zei Heather, die
haar muts verder over haar oren trok, 'dat ze met de juiste
mensen omgaat.'

'Wie mogen dat dan wel zijn?' vroeg Dave.

Ze trok een gekke bek naar hem. 'Er zijn echt mensen die
er een moord voor zouden doen om met mij om te gaan.'

'O, juist, ja. Hoe gaat het met Rob tegenwoordig?' vroeg hij.

'Hij is verleden tijd, ook al gaat jou dat niets aan.' Tegen
Riley en mij zei ze: 'Hij mag zeggen wat hij wil, maar hij
kent de waarheid. Riley en ik zijn het beste wat deze jongen ooit is overkomen.'

'Als je een paar woorden uit die zin weglaat, ben ik het met je eens,' zei Dave. Heather rolde met haar ogen, maar Riley keek op en lachte verdrietig naar hem.

'Mijn god,' zei Heather, 'wat zou ik graag willen dat jullie tweeën verkering hadden, er als stelletje niets van bakken en dat het dan uit jullie systeem zou zijn.'

'Nou,' zei Dave, 'het is fijn om te weten dat we jouw zegen hebben.'

Op dat moment voelde ik dat er links van me iemand liep. Ik keek op en zag nog net dat Deb langs me liep, met haar tas stevig tegen haar zij geklemd. Toen onze blikken elkaar kruisten, lichtte haar gezicht op van herkenning, maar toen ze zag dat ik niet alleen was, beet ze op haar lip en liep ze door.

Ik weet niet wat me bezielde toen ik het volgende in gang zette. Het was een opwelling of een instinct, en gezien de omstandigheden het beste of het slechtste wat ik kon doen. Hoe dan ook, voor ik het wist was het al gebeurd.

'Hé,' riep ik. 'Deb!'

Ik kreeg onder tafel een schop tegen mijn schenen van Heather, maar ik negeerde haar. Voor Deb daarentegen was het blijkbaar zo vreemd om aangeroepen te worden op school, dat ze zichtbaar een sprongetje maakte van schrik toen ze haar naam hoorde. Ze draaide zich om en keek me verbaasd met open mond aan. Ze droeg een spijkerbroek, een roze gebreid vest en een donkerblauwe jas. De strik in haar haar paste bij haar lipgloss, die weer bij haar doorgestikte tas paste.

'Ja?' zei ze vragend.

'Eh...' zei ik toen ik besefte dat ik haar eigenlijk alleen had willen groeten. 'Hoe gaat het?'

Deb keek me aan en blikte toen naar de rest van het groepje aan tafel, alsof ze wilde nagaan of dit een grap was

of niet. 'Goed,' zei ze langzaam. En daarna, op iets vriende-
lijkere toon, voegde ze eraan toe: 'En met jou?'

'Wil je bij ons komen zitten?' vroeg ik aan haar. Ik voelde
dat Riley en Heather allebei naar me keken, maar hield
mijn blik gericht op Deb, die zo verbaasd keek – bijna geschokt – dat je zou denken dat ik had gevraagd of ik een
nier van haar mocht lenen. 'Ik bedoel,' ging ik verder, terwijl Dave me nu ook aan zat te kijken, 'er is nog plek. Als
je wilt.'

Deb, die ook niet gek was, keek naar Heather, die mij
weer met een ongelovige blik aanstaarde. Met een nier
lenen had dit niets meer te maken; aan haar gezicht te zien
zou je denken dat ik had gezegd dat ik er een wilde opeten.
'Nou,' zei ze langzaam, en ze trok haar tas nog iets dichter
tegen zich aan. 'Ik...'

'Ze heeft gelijk,' zei Dave, die ineens een eind van mij af
schoof om ruimte tussen ons in te maken, 'hoe meer zie-
len, hoe meer vreugd. Ga zitten.'

Riley kneep haar ogen half dicht en pakte haar cola weer
op. In de tussentijd keek Deb me aan, en ik probeerde
zowel bemoediging als vertrouwen uit te stralen. En op de
een of andere manier werkte dat, want ze kwam heel voorzichtig dichterbij en ging naast me op de bank zitten. Ze
parkeerde haar tas op schoot en vouwde haar handen er-
bovenop samen.

Deze keer moest ik echt wel iets zeggen. Ik had Deb in
deze situatie gebracht en het minste wat ik kon doen, was
ervoor zorgen dat ze zich welkom voelde. Maar ik kon
ineens helemaal niets bedenken, en dat werd alleen maar
erger toen ik wanhopig naar een openingszin zocht. Ik
wilde net iets over het weer zeggen (het weer!) toen zij beleefd haar keel schraapte.

'Wat een mooie tatoeage,' zei ze tegen Dave, knikkend

naar de cirkel op zijn pols. 'Heeft die nog een speciale betekenis?'

Ik wist dat ik niet de enige was die zich verbaasde over het onderwerp dat ze had gekozen: Heather en Riley zaten haar ook aan te staren. Maar Deb had al haar aandacht op Dave gericht, terwijl hij omlaag keek naar zijn pols en zei: 'Ja, eigenlijk wel. Het is... eh... voor iemand met wie ik ooit heel close was.'

Toen ze dit hoorde, deed Riley haar ogen dicht en ik dacht weer aan de identieke cirkel op haar pols. Je nam niet zomaar een tatoeage met iemand anders.

'En jij?' vroeg Heather ineens aan Deb. 'Heb jij tatoeages?'

'Nee.'

'Echt niet?' zei Heather vragend met opgetrokken wenkbrauwen. 'Dat verbaast me.'

'Heather!' zei ik.

'Ik zou er eigenlijk dolgraag een willen hebben,' ging Deb verder, terwijl ze mij aankeek. 'Maar ik heb nog niets gevonden waar ik echt warm voor loop.' Tegen Dave, die haar aandachtig opnam, zei ze: 'Het lijkt me belangrijk dat die echt iets voor je betekent als hij voor altijd bij je blijft.'

Heather sperde haar ogen wijder open en ik had zin om haar tegen haar schenen te schoppen, maar hield me in. Dave zei: 'Daar heb je helemaal gelijk in.'

Deb glimlachte, alsof hij haar een compliment had gemaakt. 'De jouwe ziet er wel een beetje uit alsof hij van een stam is, met die zwarte dikke lijnen.'

'Weet jij iets van stammentatoeages?' vroeg Dave aan haar.

'Een beetje,' antwoordde Deb. 'Maar zelf vind ik de Japanse ontwerpen mooier. De vis en de Japanse chins. Die kunst is zo keizerlijk en klassiek.'

'Zit je me te dollen?' kwam Heather ongelovig tussenbeide. 'Hoe komt het dat jij zoveel van tatoeages weet?'

'Mijn moeder had een vriendin die een tatooshop had,' zei Deb, die haar toon niet opmerkte of gewoon negeerde. 'Ik ging daar na school vaak naartoe tot ze klaar was met haar werk.'

'Jij hing rond in een tatooshop,' zei Heather met vlakke stem.

'Het is al een tijd geleden.' Deb streek met haar handen over haar tas. 'Het was wel heel interessant. Ik heb er veel geleerd.'

Dave, die dus aan de andere kant naast Deb zat, ving ineens mijn blik en ik was verrast toen ik zag dat hij naar me lachte, alsof alleen wij samen de grap begrepen. Maar nog onverwachter was dat ik merkte dat ik naar hem teruglachte.

'Maar Deb,' zei ik. 'Hypothetische vraag: je hebt een vriend en die bedriegt je. Geef je hem nog een kans of maak je het uit?'

Heather rolde met haar ogen, maar Riley keek ons aan.

'Nou...' zei Deb na een tijdje. 'Eerlijk gezegd heb ik meer details nodig voor ik er iets over kan zeggen.'

'Zoals?' vroeg Dave aan haar.

Ze dacht even na. 'Hoe lang het al aan is, bijvoorbeeld. Ik bedoel, als het net aan is, dan is het geen goed teken. Dan kan je er beter mee stoppen.'

'Goed punt,' zei Riley rustig. Heather keek haar met opgetrokken wenkbrauwen aan.

'Daarbij,' ging Deb verder, 'moet ik rekening houden met de omstandigheden. Was het eenmalig met iemand die hij niet kende, of was het iemand om wie hij echt geeft? Dat eerste zou je kunnen uitleggen als een misstap... maar als er echte gevoelens in het spel zijn, is het heel wat ingewikkelder.'

'Dat is waar,' zei ik.

'Uiteindelijk hangt het helemaal af van hun gedrag. Ik bedoel, heeft hij het opgebiecht of ben ik er op een andere manier achter gekomen? Heeft hij echt spijt of is hij gewoon kwaad omdat hij is betrapt?' Ze zuchtte. 'Maar ik stel mezelf altijd de vraag: als ik kijk naar alles wat ik met iemand heb gehad, met alle goede en slechte ervaringen, ben ik dan niet beter af zonder die persoon? Als het antwoord daarop ja is... Tja, dan is dat het antwoord.'

We keken haar allemaal aan. Niemand zei iets, en toen ging de bel. 'Nou,' zei Riley, en ze knipperde een paar keer met haar ogen. 'Dat was heel... informatief. Dank je.'

'Graag gedaan,' zei Deb, vriendelijk als altijd.

Riley en Heather gingen allebei staan en pakten hun tassen en afval, en Deb en ik deden hetzelfde. Alleen Dave bleef zitten waar hij zat, en hij nam de tijd om de dop op zijn flesje water te schroeven. Toen hij uiteindelijk opstond, keek hij naar mij.

'Jij hebt nog geen antwoord gegeven,' zei hij terwijl Deb haar tas openritste en iets zocht.

'Wat voor antwoord?'

'Op de vraag. Blijven of gaan? Jij hebt geen antwoord gegeven.'

Ik keek naar Riley, die haar rugzak omdeed en lachte om iets wat Heather had gezegd. 'Ik ben niet zo goed in advies geven,' zei ik.

'Ach, kom op,' zei hij. 'Ontloop de vraag nou niet. En dit is een hypothetisch geval.'

Iedereen liep nu naar de hoofdingang, Heather en Riley voorop, Dave en ik daarna en Deb in de achterhoede. Ik haalde mijn schouders op en zei toen: 'Ik hou niet van complicaties. Als iets niet werkt... moet je het achter je laten en verdergaan.'

Dave knikte langzaam terwijl hij hierover nadacht. Ik

dacht even dat hij er nog op door wilde gaan of het wilde tegenspreken, maar in plaats daarvan wendde hij zich tot Deb. 'Het was leuk om je te leren kennen.'

'Vond ik ook!' zei Deb. 'Bedankt voor de uitnodiging.'

'Die kwam eigenlijk van mij,' zei ik.

Dave lachte en wierp een blik naar mij, en ik voelde weer dat ik lachte. 'Tot ziens, Mclean.'

Ik knikte en hij draaide zich om en ging naast Riley lopen, met zijn handen in zijn zakken gestoken.

Om ons heen was iedereen onderweg naar de verschillende gebouwen, terwijl Deb en ik er maar gewoon stonden met z'n tweeën. Uiteindelijk zei ze: 'Hij is erg aardig.'

'Hij is heel apart.'

Ze dacht even na en ritste haar tas weer dicht. Toen zei ze: 'Dat is iedereen.'

Iedereen is apart, dacht ik nu ik op zolder in de Luna Blu stond en naar al die dozen keek. Op de een of andere manier waren haar woorden me bijgebleven, eenvoudig en toch ook weer niet. Het leek ook wel een puzzel: twee vage woorden en het derde heel duidelijk erachteraan.

Toen ik iets beter keek, zag ik dat een van de dozen open was en dat er wat verpakkingsmateriaal op de grond ervoor lag. In de doos zaten stapels geplastificeerde vellen met onderdelen van huizen en gebouwen. Er waren vellen met deuren en ramen, en andere die leken op stenen en houten gevels. Voor- en achterkanten van huisjes, blokachtige winkels en grotere gebouwen met rijen ramen die op kantoren en scholen leken. Er zaten tientallen vellen in de doos, allemaal met de onderdelen van gebouwen erop. Heel veel onderdelen.

'Ik weet wat je denkt,' hoorde ik Opal achter me zeggen. Toen ik me omdraaide, zag ik dat ze het laatste formulier aftekende voor een zwaargebouwde jongen die tegen de muur geleund stond. Toen ze klaar was, nam hij het zonder te bedanken van haar aan en liep de trap af.

'Wat dan?' vroeg ik aan haar.

Ze stak haar pen achter haar oor en kwam toen naast me staan. 'Dit is een ongelofelijke berg werk, een onmogelijke klus, die hoogstwaarschijnlijk nog in geen miljoen jaar af komt.'

Ik zei niets, omdat ik vond dat ze wel gelijk had.

'Maar misschien,' ging ze verder terwijl ze een van die vellen met stenen gevels van huizen erop pakte, 'denk ik dat alleen maar.'

'Je hebt wel veel hulp,' zei ik tegen haar.

Ze keek me uitdrukkingsloos aan. 'Ik heb veel mensen. Dat is niet hetzelfde als veel hulp.'

Ik bleef even naar haar kijken terwijl ze het vel in haar hand stond te bestuderen. Van beneden kwamen geluiden uit het restaurant, dat bijna werd geopend: stoelen werden opzijgeschoven, zodat eronder geveegd kon worden, er klonk gelach en geklets van het personeel, ik hoorde rinkelende glazen die achter de bar werden teruggezet. Het kwam me allemaal net zo bekend voor als een liedje dat ik al mijn hele leven had gehoord, door verschillende mensen gecoverd, maar steeds hetzelfde deuntje.

'Ik bedoel,' ging ze verder, 'kun jij je voorstellen hoe moeilijk het zal worden om al die kleine huisjes in elkaar te zetten, om nog maar te zwijgen van alle bomen, lantaarnpalen en brandkranen?'

'Nou...'

'Er zitten honderden van die dingen in. Die bestaan allemaal uit honderden onderdelen. En dat moet dan in juni klaar zijn? Hoe gaat dat ooit gebeuren?'

Ik wist niet of het een retorische vraag was, maar ze zei verder niets meer en daarom merkte ik op: 'Het is precies zoals je net zelf hebt gezegd: je begint met de ondergrond en dan werk je van daaruit verder. Dat is de grondslag van de bouwkunde.'

'De grondslag van de bouwkunde,' herhaalde ze. Toen keek ze me aan. 'Klonk het uit mijn mond echt zo eenvoudig?'

'Jazeker.'

'Dan ben ik een betere leugenaar dan ik dacht.'

'Hé, Opal!' riep een stem onder aan de trap. 'Ben jij daar?'

'Dat hangt ervan af,' antwoordde ze over haar schouder. 'Wat wil je?'

'Het kopieerapparaat heeft weer kuren en we konden maar twee prints maken.'

Ze zuchtte en keek naar het plafond. 'Heb je de truc met de paperclip geprobeerd?'

Stilte. Toen: 'De wat?'

'Heb je een paperclip onder de inktcartridge gestopt...' Ze zweeg ineens, omdat ze had besloten dat het te ingewikkeld was om het op deze manier uit te leggen. 'Ik kom er zo aan.'

'Oké,' klonk de reactie. 'O, en Gus wil ook met je praten. 'O, en de man van het linnengoed is hier en die zegt dat hij geen cheque wil, maar cash...'

'Ik kom eraan,' zei ze, luider deze keer.

'Begrepen,' zei de stem. 'Over en uit.'

Opal begon haar slapen te masseren, en de pen achter haar oor bewoog op en neer mee. 'De grondslag van de bouwkunde,' zei ze. 'Ik hoop dat je gelijk hebt.'

'Ik ook,' zei ik, 'want het zijn wel heel veel dozen.'

'Dat hoef je mij niet te vertellen.' Ze glimlachte, rechtte haar schouders en liep naar de trap. Doe jij het licht uit als je weggaat?'

'Doe ik.'

Ik hoorde haar naar beneden lopen, tot het geluid van haar voetstappen verdwenen was. Toen draaide ik me om en wilde achter haar aan gaan. Maar op de tafel bij de muur zag ik ineens het instructieboek liggen dat ze in haar hand had gehouden toen ze haar speech hield. Ik pakte het op en was onder de indruk van het gewicht ervan. In plaats van een paar aan elkaar geniete blaadjes, zoals ik had gedacht, was het een flink en dik soort boek. Ik bladerde de eerste acht bladzijden door, de inhoudsopgave, de inleiding en contactgegevens van het bedrijf, waarna de echte instructie begon. STAP EEN stond er bovenaan. Eronder zag ik een stuk of vier alinea's in een klein lettertype, compleet met genummerde schema's erbij. Ho, dacht ik, en ik bladerde verder en zag nog meer van hetzelfde. Toen ik me ineens herinnerde wat ik tegen Opal had gezegd, bladerde ik weer terug naar STAP EEN. ZOEK DE VIER HOEKEN (A,B,C,D) VAN DE ONDERGROND, stond er, en: LEG NEER OP VLAK STUK ZOALS AANGEGEVEN OP DE AFBEELDING.

Beneden ging een telefoon en riep iemand dat hij citroenen nodig had. Ik liep naar de doos met de letter A erop, trok hem open en vond de linkerbovenhoek waar ONDERGROND A op stond. Ik nam hem mee naar de andere kant van het vertrek en legde hem neer zoals op de afbeelding. Dit was het allereerste begin, zoals een knipperende cursor in een leeg document op je beeldscherm. Het begin van het begin. Maar dat was tenminste al af.

Ik had vroeg op de avond met mijn vader aan de bar gegeten, al werd ons samenzijn onderbroken door twee telefoontjes en een crisissituatie in de keuken. Daarna verliet ik de Luna Blu door de steeg en ging ik naar huis. Het was al bijna donker toen ik onze straat insloeg en hem overstak naar ons huis, het enige huis dat niet was verlicht. Ik graaide in mijn tas naar mijn sleutels, toen ik achter me een auto tot stilstand hoorde komen. Ik wierp er een vluchtige blik op, en op de twee mensen die erin zaten, waarna ik verder zocht. Toen ik mijn sleutels even later eindelijk gevonden had, keek ik om en besefte ik dat het Dave en Riley waren.

Zij zat achter het stuur en hij zat naast haar, en door het licht op de veranda van zijn huis kon ik hun gezichten vaag onderscheiden. Riley zat achterovergeleund met haar blik omhooggericht, terwijl Dave iets zei en met een hand gebaarde. Na een tijdje knikte ze.

Binnen in huis was het koud en daarom zette ik de verwarming hoger. Ik liet mijn tas op de bank glijden, ging naar de keuken en deed onderweg het licht aan. Ik pakte een glas water, schopte mijn schoenen uit en ging op de bank zitten met mijn laptop. Hij was net opgestart en de iconen verschenen naast elkaar onder aan het scherm, toen ik het hoorde: dat vrolijke pinggeluid van HiThere! waarmee een gesprek werd aangekondigd. Mijn moeder had het blijkbaar gehad met doodzwijgen.

Een paar dagen eerder, toen ik haar eindelijk had teruggebeld nadat ik weer de verbinding had verbroken, deze keer omdat ik Dave met de Boemerang had uitgeschakeld, had ze niet opgenomen. Peter wel.

'Je moeder kan op dit moment niet aan de telefoon komen,' zei hij. Hij klonk stijfjes en beschermend. 'Ze is overstuur en heeft een beetje ruimte nodig.'

Toen ik dit hoorde was mijn eerste reactie om in lachen uit te barsten. Nu had zij ruimte nodig? En dat moest ik natuurlijk onmiddellijk respecteren, ook al was ze nooit bereid geweest om hetzelfde te doen voor mij. Dat wilde ik tegen Peter zeggen, om mijn kant van het verhaal uit te leggen, maar ik wist dat dat geen zin had. Dus zei ik: 'Oké, ik begrijp het.'

Er gingen twee dagen voorbij, toen drie, en mijn voice-mail bleef leeg. Alleen mijn vaders mobieltje en de Luna Blu stonden op mijn lijst van binnenkomende telefoontjes. Geen HiThere!-bel, geen vrolijke goedemorgen/goeden-avond-berichten, niet eens een e-mail. Zo lang hadden we nog nooit geen contact met elkaar gehad, maar het was zeker de eerste keer dat dit aan haar lag en niet aan mij. En om eerlijk te zijn was het nogal vreemd. Ik had de hele tijd gedacht dat ik niets liever wilde dan dat mijn moeder me met rust liet. En ineens deed zij dat.

Maar nu wilde ze blijkbaar wel praten. Of ruziemaken. Of wat dan ook. Dus ik klikte op de bel, mijn scherm ging open en ik zag... Peter. Zeggen dat ik verbaasd was, zou nog zacht uitgedrukt zijn.

'Mclean?' Hij zat vast in zijn kantoor, want het Defriese-logo hing aan de muur, met daaronder een houten wand-meubel, omringd door ingelijste foto's van heel lange mensen, naast wie hij heel erg klein leek. 'Kan je me goed zien?'

'Eh...' zei ik, en ik werd ineens heel zenuwachtig. Want al had hij grote invloed op mijn leven gehad, ik kende mijn stiefvader eigenlijk helemaal niet zo goed. We waren be-paald geen goede vrienden van elkaar. 'Ja. Hallo.'

'Hallo.' Hij schraapte zijn keel en boog zich een beetje naar voren. 'Het spijt me als ik je nu overval. Ik heb je nummer niet, maar ik vond deze informatie op je moeders laptop. Ik wilde je graag ergens over spreken.'

'Goed,' zei ik.

Ik was het gewend om Peter van een afstandje te zien, aan het hoofd van een eettafel, aan het einde van een gang, op de televisie. Van dichtbij zag hij er ouder uit, en een beetje vermoeid. Er stond een blikje suikervrije frisdrank bij zijn elleboog. 'Hoor eens, ik weet dat jij en je moeder de laatste tijd niet zo goed met elkaar overweg kunnen en ik probeer me nergens mee te bemoeien, maar...'

Er was altijd een maar, of je nou familie of nepfamilie van elkaar was. Altijd.

'... ik ben echt dol op je moeder en ze houdt veel van jou. Ze is momenteel heel verdrietig en ik wil haar gelukkig maken. Ik wil je vragen om een beetje hulp om dat voor elkaar te krijgen.'

Ik slikte en voelde me ongemakkelijk toen ik besefte dat hij kon zien dat ik zenuwachtig was. 'Ik weet niet wat je van me wilt.'

'Dat zal ik je vertellen.' Hij leunde een beetje achterover. 'We hebben dit weekend een wedstrijd tegen de U. Katherine neemt de tweeling mee en ik weet dat ze jou ook heel graag wil zien.'

Ik vond het altijd pijnlijk als hij haar bij haar volledige naam noemde. Tot zij met elkaar trouwden, heette ze Katie Sweet. Nu was ze Katherine Hamilton. Ze klonken als twee totaal verschillende personen – niet dat ik daar iets van kon zeggen.

'Ze wilde je er begin deze week voor uitnodigen,' zei hij nu, 'maar toen is er blijkbaar iets voorgevallen. Of zoiets.'

Ik knikte. Of zoiets. 'Ik dacht dat ze te boos was om met mij te praten.'

'Ze is gekwetst. Mclean,' antwoordde hij. 'Ik vraag je niet om hierheen te komen, maar ik hoop wel dat je ons halverwege tegemoetkomt.'

Het klonk allemaal zo redelijk zoals hij het zei dat ik wel een heel slechte beurt zou maken als ik zou weigeren. 'Weet ze dat jij nu belt?' vroeg ik.

'Dit is mijn idee,' antwoordde hij. 'Dat betekent dat als jij ermee instemt, ik met de eer ga strijken.'

Het duurde even voor ik besefte dat hij een grapje maakte.

Hè? Dus Peter Hamilton had gevoel voor humor! Wie had dat gedacht? 'Maar ze wil me misschien niet eens zien. Het klonk alsof ze heel boos was.'

'Ze wil je echt wel zien,' verzekerde hij me. 'Meld je zaterdag gewoon bij de kassa. Ik handel de details wel af. Goed?'

'Goed.'

'Dank je, Mclean. Ik sta bij je in het krijt.'

Dat was nog zacht uitgedrukt. Maar dat slikte ik in en ik knikte alleen maar toen hij zei dat hij me dit weekend zou zien. We reikten allebei tegelijkertijd naar voren om het gesprek te beëindigen en toen we dat van elkaar zagen, hielden we allebei even op, omdat we geen van beiden de eerste wilden zijn. Na een ongemakkelijk moment nam ik uiteindelijk het initiatief en klikte ik op de knop om het gesprek te beëindigen. En van het ene op het andere moment was hij weer van mijn scherm verdwenen. Tot ziens.

Een halfuur later dacht ik eraan dat de vuilnis de volgende dag opgehaald zou worden en daarom trok ik mijn jas aan en liep ik naar buiten om de bak naar de stoep te rollen. Ik had me net omgedraaid om over de oprit weer naar huis te lopen, toen ik Rileys auto nog steeds iets verderop geparkeerd zag staan. De koplampen waren uit en ik zag dat ze achter het stuur met een zakdoek over haar gezicht wreef. Ik kwam dichterbij en even later keek ze op en zag ze me.

'Ik ben je niet aan het stalken, dat beloof ik,' zei ze door het open raampje. Toen keek ze naar haar zakdoek en ze vouwde hem voorzichtig op. 'Ik had alleen nog geen zin... om naar huis te gaan.'

'Ik ken dat gevoel,' zei ik. 'Gaat het wel met je?'

Ze knikte. 'Het is het gebruikelijke rotzakdrama. Het is zo gênant. Ik ben echt niet zo'n watje met alle andere dingen in mijn leven, ik meen het...' Ze zweeg en schraapte haar keel. 'Het gaat.'

Op de hoofdweg, voorbij het stopbord, reed een bus met ronkende motor langs. Ik draaide me om en wilde naar huis lopen, omdat ik vond dat we elkaar niet goed genoeg kenden om meer te doen dan ik al had gedaan.

'Hij vindt je echt leuk,' riep ze me ineens na.

Ik bleef staan en keek achterom. 'Wat?'

'Dave. Hij vindt je leuk. Hij wil het tegenover mij niet toegeven, maar het is wel waar.'

'Hij kent me niet eens,' zei ik.

'Bedoel je dat hij je niet aardig zou vinden als hij je beter zou kennen?' Ze trok haar wenkbrauwen op. 'Geef eens eerlijk antwoord. We hebben het hier wel over mijn beste vriend, en hij is echt een heel aardige jongen.'

'Ik bedoel er helemaal niets mee,' zei ik tegen haar. Ze keek me nog steeds aan en daarom zei ik: 'Ik weet zeker dat ik niet zijn type ben.'

'Ga me niet vertellen dat jij ook een rotzak bent.'

'Nee, niet echt. Ik ben meer...' Ik maakte mijn zin niet af, omdat ik ineens om de een of andere rare reden aan Peters gezicht moest denken op mijn computerscherm. 'Een meisje dat op dit moment helemaal nergens naar op zoek is. Zelfs niet naar een heel aardige jongen.'

Ze legde haar handen op het stuur en strekte haar armen, en terwijl ze dat deed zag ik de tatoeage van de cirkel weer op haar pols, net als die van Dave. Daar moest wel een goed verhaal achter zitten – niet dat ik er op dit moment naar zou vragen. 'Ik snap het. En ik ben in elk geval blij dat je zo eerlijk bent.'

Ik knikte en stak mijn handen in mijn zakken. 'Slaap lekker, Riley.'

'Slaap lekker,' antwoordde ze. 'En, Mclean?'

'Ja?'

'Bedankt.'

Ik wist niet precies waar ze me voor bedankte: voor dat ik had gevraagd hoe het met haar ging, voor wat ik had gezegd, of misschien juist wel voor wat ik niet had gezegd. Ik koos ervoor om het niet te vragen. In plaats daarvan liep ik naar onze oprit en liet ik haar achter, zodat ze kon vertrekken als zij eraan toe was, zonder publiek erbij. Als je jezelf of je hart niet kan redden, is het tenminste nog iets als je je gezicht kunt redden.

6

Op de wedstrijddag van Defriese zouden mijn vader en ik eigenlijk met z'n tweetjes ontbijten. Het was de afgelopen week zo druk geweest met school en het restaurant dat we elkaar nauwelijks hadden gezien en we alleen vluchtige gesprekken voerden, omdat een van beiden net thuiskwam of wegging. We krabbelden berichten op briefjes, die we op de keukentafel legden. Dit was gebruikelijk in de eerste maand dat we in een nieuwe stad woonden. Een restaurant was voor mijn vader vergelijkbaar met een veeleisende vriendin die al zijn aandacht opeist en ik was eraan gewend geraakt om zijn afwezigheid rustig uit te zitten tot alles in een rustiger vaarwater was gekomen. Toch keek ik uit naar langere persoonlijke gesprekken. Dus toen mijn telefoon ging, een uur voor we elkaar zouden zien, zonk de moed me in de schoenen.

DHIL, luidde zijn bericht. SORRY.

DHIL was onze eigen code die stond voor: de hel is losgebroken. Dat had mijn vader vaak aan de telefoon tegen mijn moeder gezegd als hij belde vanuit hun restaurant, de Mariposa Grill, om te zeggen dat hij niet thuis zou komen eten of niet mee kon naar de bioscoop, waar hij eigenlijk over tien minuten met ons had afgesproken, of naar de talloze rapportbesprekingen of voorstellingen op school. Kortom, het was zijn standaardreden om om de meest uiteenlopende zaken niet bij ons te zijn. Mijn vader geloofde dat paniek besmettelijk was, helemaal in een restaurant. Het enige wat ervoor nodig was dat één iemand op tilt sloeg: een serveerster die de hoeveelheid bestellingen niet aankan, een voorgerecht dat al te laat is en aanbrandt, of zo'n lange wachtlijst dat het restaurant na de officiële sluitingstijd nog open moest blijven. Dan was er meteen sprake van een domino-effect. Het was geen optie om mijn moeder te bellen en te zeggen dat alles in het honderd liep, ook al was dat het geval. Maar deze vier simpele lettertjes – DHIL – brachten de boodschap over zonder de hysterische details.

Deze afkorting werd lange tijd geleden niet alleen gebruikt voor situaties in het restaurant, maar ook voor zaken in ons dagelijks leven. DHIL, schoot het door mijn hoofd op de avond dat ik de keuken van ons oude huis in liep, waar ik allebei mijn ouders aantrof met een somber gezicht. Het waren de letters die ik op een kladblok krabbelde op het kantoor van de verschillende advocaten terwijl de strijd over mijn voogdij over mijn hoofd werd uitgevochten. En waar ik altijd aan dacht in de stilte die viel tussen het moment dat ik iets tegen mijn moeder had gezegd waarvan ik wist dat ze het niet leuk zou vinden en het moment dat zij zou ontploffen.

Het was al drie dagen geleden dat ik op HiThere! met Peter had gechat, maar ik had mijn vader nog steeds niet verteld dat ik dat weekend naar mijn moeder zou gaan. Het was op zoveel manieren gek en ongemakkelijk dat ik had besloten om het uit mijn hoofd te zetten, tot ik echt geen andere keus meer had dan het onder ogen te zien. Dat was niet makkelijk, omdat overal om me heen de stad zich opmaakte voor de wedstrijd. Ik was vergeten hoe het was om in een stad te wonen die is aangestoken met het basketbalvirus. Zo'n beetje iedereen die ik zag droeg een U-trui of T-shirt en de lokale radiostations deden verslag van elk detail van de voorbereiding, tot voorspellingen over de uitslag alsof het om landelijk nieuws ging. En op veranda's en aan menige autoantenne wapperde de lichtblauwe u-vlag. De enige plek in de stad waar er niet over de wedstrijd werd gesproken was bij ons thuis, waar mijn vader en ik om het onderwerp heen liepen als om een landmijn. Tot het moment dat mijn mobieltje voor de tweede keer piepte.

LATE LUNCH? had mijn vader geschreven. NIET HIER, DAT BELOOF IK.

Ik beet op mijn lip en had mijn vinger al in de aanslag om te antwoorden. Maar wat ik te zeggen had lag veel te gevoelig om via een sms'je te laten weten. Dus nadat ik had gedoucht en ontbeten, liep ik naar de Luna Blu om het zelf tegen hem te zeggen.

Ik was net van de stoep gestapt om de weg over te steken, toen ik een deur dicht hoorde slaan. Toen ik omkeek, zag ik Dave Wade, in een spijkerbroek en een flanellen overhemd, die zijn sleutels in zijn zak liet glijden terwijl hij een paar meter achter me door de straat liep. Ik dacht aan wat Riley had gezegd: dat hij me wel leuk vond, en ik was me ineens sterk van mezelf bewust. Vandaag was alles al ingewikkeld genoeg en het was nog niet eens middag. Ik knikte naar hem en liep door.

Maar toen ik de straat overstak, deed hij hetzelfde. En toen ik afsloeg naar de steeg van de Luna Blu, deed hij dat ook. Ik ging langzamer lopen toen ik dichter bij de ingang van de keuken kwam en wachtte tot hij me voorbij zou gaan en op de straat zou afslaan. Dat deed hij niet. Hij stond zelfs binnen een paar tellen pal achter me, omdat hij zijn pas ook had vertraagd.

Uiteindelijk draaide ik me om. 'Achtervolg jij me soms?'

Hij trok zijn wenkbrauwen op. 'Wat?'

'Je liep de hele weg zo'n twee meter achter me aan.'

'Klopt,' gaf hij toe, 'maar ik achtervolg je niet.'

Ik keek hem alleen maar aan. 'Hoe zou je het dan willen noemen?'

'Toeval,' beweerde hij. 'We lopen gewoon toevallig dezelfde kant op.'

'Waar ga jij naartoe?'

'Hier,' zei hij, en hij wees naar de keukendeur.

'Dat meen je niet.'

'O nee?'

Ineens zwaaide de deur open en daar stond Opal. Ze droeg een spijkerbroek, zwarte glimmende schoenen en een witte trui en ze hield een kop koffie in haar hand. 'Zeg alsjeblieft dat je hier bent voor het gemeenschapsproject.'

'Jep,' antwoordde hij. Toen wierp hij me een blik toe die je nog het best zelfvoldaan kon noemen. 'Dat klopt.'

'Godzijdank.' Opal duwde de deur wat verder open en hij stapte naar binnen. Toen zei ze tegen mij: 'Jij hebt de vorige keer al die mensen hier gezien. Het was een hele meute! Maar net nu vandaag – over twintig minuten – de krant en die verdomde Lindsay Baker komen, is er geen mens!'

Ze hield de deur nog steeds open en daarom stapte ik achter Dave aan, die stond te wachten op instructies. Opal liet de deur met een klap dichtvallen en liep al pratend snel langs hem door de gang naar het restaurant.

'Plus dat de koeling er vannacht op een gegeven moment mee is opgehouden, dus we kunnen de helft van het vlees en de vis weggooien. Op de wedstrijddag van Defriese! De reparateur kan pas vanmiddag komen en hij rekent het dubbele tarief. De leveranciers kunnen geen van allen nog iets leveren, omdat iedereen extra veel heeft ingeslagen voor de wedstrijd.'

Dat verklaarde tenminste wel het bericht van mijn vader. En ja hoor, toen we langs de hoofddeur naar de keuken liepen, zag ik hem in de koeling staan, waar hij met een schroevendraaier in iets stond te porren. Jason, de hulpkok, stond achter hem met een gereedschapskist, als een verpleegster die tijdens een operatie de instrumenten aangeeft. Dit was niet het moment om hem te storen – je moet nooit iemand lastigvallen die oude keukenapparatuur probeert te repareren – en daarom liep ik door het restaurant achter Opal en Dave aan naar de trap naar zolder.

'Het laatste waar ik me zorgen over maakte was dat ik niet genoeg delinquenten zou hebben voor dat stomme fotomoment,' zei Opal terwijl ze de trap op ging. Ze bleef ineens staan en draaide zich om om naar Dave te kijken. 'O. Het spijt me. Het was niet mijn bedoeling om jou een delinquent te noemen!'

'Geeft niks,' zei hij tegen haar. 'Zo gaat dat nou eenmaal als je een taakstraf hebt gekregen.'

Ze lachte opgelucht en draaide zich weer om. 'Maar even serieus, de opkomst was woensdag zo goed en nu is er helemaal niemand. Ik snap het niet.'

'Heb je hun formulieren getekend?' vroeg Dave aan haar.

Opal dacht na. 'Ja, dat heb ik gedaan.'

'O.'

Ze keek hem aan. 'Hoezo dan?'

'Nou,' begon hij, 'ik heb ergens gehoord dat als een paar mensen een handtekening hebben gekregen, het heel makkelijk is om die na te maken. De rechtbank heeft het meestal veel te druk om handtekeningen met elkaar te vergelijken.'

Opals gezicht drukte afschuw uit. 'Maar dat mag helemaal niet!'

Dave haalde zijn schouders op. 'Het zijn tenslotte delinquenten.'

'Wacht even.' Ze keek hem met half dichtgeknepen ogen aan. 'Betekent dat dat jij ook maar voor één dagje en een handtekening komt?'

'Nee,' zei hij. Toen keek hij opzij naar mij, alsof ik voor hem in wilde staan, voordat hij zei: 'Ik ben geen echte misdadiger. Ik heb alleen iets stoms gedaan.'

'Wie niet?' zuchtte Opal.

'Opal?' riep iemand onder aan de trap. 'Er staat een journalist bij de deur die naar jou vraagt.'

'O, shit!' zei ze, en ze keek in paniek de zolder rond. Achter haar zag ik dat de dozen allemaal geopend waren en dat iemand de rest van de ondergrond had afgemaakt rondom het stukje dat ik had gelegd. Alles leek klaar te staan om te beginnen, behalve dan dat er maar één delinquent was. Of min of meer een delinquent. 'Ze is vroeg. Wat moet ik doen? Het zou eruit moeten zien alsof ik een heel team heb!'

'Is twee geen team?' vroeg Dave.

'Ik hoor hier niet bij,' zei ik. 'Ik kwam alleen maar mijn vader opzoeken.'

'O, maar... Mclean?' vroeg Opal met een wanhopige stem, 'je kan toch wel doen alsof? Een paar minuutjes maar. Ik zal het met je goedmaken.'

'Doen alsof ik een delinquent ben?' vroeg ik voor de duidelijkheid.

'Je kan het best,' liet Dave me weten. 'Gewoon niet lachen en probeer eruit te zien alsof je overweegt om iets te stelen.'

Ik moest nu echt mijn best doen om niet te lachen. 'Is het zo makkelijk?'

'Ik hoop het,' zei Opal, 'want ik sta op het punt om iedereen in te schakelen die ik te pakken kan krijgen. Kunnen jullie alsjeblieft wat spullen uit de dozen pakken en... eh... doen alsof het project een beetje opschiet?'

'Natuurlijk,' zei Dave.

'Je bent een schat,' zei ze terwijl ze haar koffiemok met een klap neerzette op een tafeltje dat vlakbij stond. Toen stoof ze de trap af en riep: 'Iedereen onder de dertig moet zich onmiddellijk naar de zolder begeven. Geen vragen! Gewoon doen! Nu!'

Dave keek haar na en blikte vervolgens naar mij. 'Maar wat moet er hier eigenlijk gebeuren?'

'Dit is een maquette,' vertelde ik terwijl ik naar doos A liep en de flappen helemaal openklapte, 'van de stad. Opal is door het gemeentebestuur gestrikt om de organisatie van het in elkaar zetten op zich te nemen.

'En zij is Opal,' zei hij, knikkend naar de trap waar we in de verte nog steeds haar stem konden horen, die alle hens aan dek probeerde te krijgen.

'Jep.'

Hij liep naar de ondergrond van de maquette, boog voorover en pakte het instructieboek dat ernaast lag en sloeg het open. 'Moet je dit zien,' zei hij, naar een bladzijde wijzend. 'Onze huizen staan er ook gewoon op.'

'Echt waar?' zei ik, en ik pakte een paar geplastificeerde vellen uit de doos.

'In jouw tuin,' zei hij terwijl hij de bladzijde omsloeg, 'moeten we op de oprit iemand neerleggen die door een basketbal is geraakt.'

'Alleen als we een huilend meisje in een auto voor jouw voordeur zetten,' luidde mijn antwoord.

Hij keek me aan. 'O, juist. Riley zei al dat ze je gisteravond had gezien.'

'Ik had medelijden met haar,' zei ik, en ik trok nog meer stapels tevoorschijn. 'Met dat vreemdgaan en zo. Ze lijkt me een heel aardig meisje.'

'Dat is ze ook.' Hij sloeg nog een bladzijde om. 'Ze heeft alleen een heel beroerde smaak qua mannen.'

'Jullie lijken dik bevriend,' zei ik.

Hij knikte. 'Er was een tijd dat ze letterlijk mijn enige vriend was. Met uitzondering van Gerv de Perv.'

Ik trok mijn wenkbrauwen op terwijl er beneden een deur dichtsloeg. 'Gerv de wat?'

'Gewoon een jongen met wie ik op mijn oude school optrok.' Toen hij opkeek en zag dat ik hem nog steeds aankeek, voegde hij eraan toe: 'Ik zei toch al dat ik vreemd was? Net als mijn vrienden.'

'Vriend.'

'Vriend,' herhaalde hij. Toen zuchtte hij. 'Als je veertien bent en vooral vakken volgt aan de universiteit heb je niet veel met je klasgenoten gemeen. Behalve met die ene andere vreemde, superslimme jongen.'

'Dat was Gerv,' zei ik ter verduidelijking.

'Gervais,' corrigeerde hij me. 'Ja. Riley had zijn bijnaam verzonnen omdat hij altijd naar haar borsten zat te kijken.'

'Chic.'

'Ik ga alleen om met het neusje van de zalm,' zei hij vrolijk.

Ik ging zitten en scheurde een van de met plastic ingepakte vellen open. 'Dus Riley en jij... zijn nooit een stelletje geweest?'

'Nee,' zei hij, en hij pakte zijn eigen stapeltje en liet zich een paar meter van me af op de grond zakken. 'Ik voldoe blijkbaar niet aan haar lage normen.'

'Maar jullie hebben wel dezelfde tatoeage,' zei ik. 'Dat lijkt me toch wel iets heel belangrijks.'

Hij draaide zijn pols om en liet zo de cirkel met de dikke rand zien. 'Ja, klopt. Maar het is niet een stelletjesding. Meer een vriendending. Of jeugdding. Of..' zei hij terwijl hij een plastic bundeltje openrukte in zijn schoot, 'een wrattending.'

'Wat zei je nou?'

'Lang verhaal,' zei hij terwijl hij de stukjes op de grond schudde. 'Oké, waar moeten we beginnen, denk je?'

'Geen idee,' zei ik, en ik spreidde om me heen ook al mijn stukjes uit op de grond. Ik had overwogen om zonder de instructies een poging te wagen, maar op het moment dat ik er goed naar keek, wist ik dat dat niet ging gebeuren. Er waren zoveel flapjes en stukjes, allemaal gelabeld, dat het wel op een genummerde en geletterde lappendeken leek. 'Dit ziet er vrij onmogelijk uit.'

'Nah,' zei hij. Terwijl ik toekeek, verzamelde hij vier platte onderdelen van zijn eigen stapel, klikte ze aan elkaar en voegde er nog een paar gebogen stukken aan toe. Uiteindelijk pakte hij een dikker, korter stuk en duwde dat met zijn handpalm onderop. Een-twee-drie, en hij had een huis gemaakt. Net zo makkelijk.

'Oké, dat was indrukwekkend,' zei ik.

'Een van de voordelen als je delinquent bent,' antwoordde hij. 'Die hebben een goed ruimtelijk inzicht.'

'Echt waar?'

'Nee,' zei hij. Ik merkte dat ik een kleur kreeg en ik voelde me behoorlijk stom. Maar hij pakte het huisje weer op, keek naar de onderkant en nam het mee naar de ondergrond. 'Toen ik klein was hield ik erg van maquettes bouwen.'

'Net als treintjes?' vroeg ik, en ik raapte naast me een stukje op. Er stond een A en een 7 op en ik had geen idee wat ik ermee moest. Geen enkel idee.

'Modeltreintjes?' vroeg hij. 'Wil je me soms beledigen?'

Ik keek hem aan en vroeg me af of hij dat meende. 'Wat is er mis met modeltreinen?'

'Niet veel,' zei hij terwijl hij bij de rand van de ondergrond neerhurkte. 'Ik hield me vooral bezig met oorlogsmaquettes. Slagvelden, tanks, soldaten. Vliegdekschepen. Dat soort dingen.'

'O,' zei ik. 'Nou, dat is wel heel wat anders.'

Hij keek me met een uitdrukkingsloos gezicht aan, plaatste

toen het huisje op de ondergrond en drukte het stevig aan. Nadat we een klik hadden gehoord, ging hij staan en deed hij een stap terug.

'Zo,' zei hij na een paar tellen. Ik hoorde iemand, of zelfs meerdere mensen, te oordelen naar het chaotische gestamp, de trap op lopen en onze richting uit komen. 'Wat vind je ervan?'

Ik ging naast hem staan. Samen keken we omlaag naar het huisje, het enige ding op die enorme, vlakke ondergrond. Als de enige mens die op de maan woonde. Het kon eenzaam of vredig zijn; het was maar net hoe je ertegenaan keek.

'Het is een begin.'

Twintig minuten later zag de maquette er al behoorlijk goed uit, nadat Dave en ik en het handjevol nepdelinquenten dat zich bij ons had gevoegd eraan hadden gewerkt. Na een poosje algehele chaos en geklaag hadden we een systeem bedacht. Dave en de hulpkok Jason, die elkaar bleken te kennen van een schoolkamp van het jaar ervoor, zochten de stukjes bij elkaar en de rest zette ze op de juiste plek. Tot dusverre was het ons gelukt om ongeveer tien verschillende gebouwen in de linkerbovenhoek van de ondergrond te leggen: een stuk of wat huizen, gebouwen en een brandweerkazerne.

'Weet je, ik geloof dat ik in die buurt heb gewoond,' zei Tracey tegen mij toen we een hoog, vierkant gebouw vastmaakten op de plek die op de tekening stond aangegeven. 'Dit is toch een groentewinkel?'

Ik keek omlaag naar het gebouw terwijl ik het aanduwde en wachtte op de klik, omdat ik nu wist dat het betekende dat het goed vastzat. 'Ik weet het niet. Er staat niet bij wat het is.'

'Dat staat nergens bij,' riep Leo, de kok, naast een van de dozen, waar hij, voor zover ik kon zien, niets anders had gedaan dan spelen met de noppenfolie, terwijl de rest aan het werk was. 'En dat vind ik best belachelijk, als je het mij vraagt. Hoe kan het een maquette zijn als je niet kunt zien waar je bent?'

'Leo,' zei Jason, die hem aankeek terwijl hij een dak op een huisje klikte, 'wat diepzinnig van je.'

'Hou toch op,' snauwde Tracey, die ging staan en de zolder overstak. Toen ik haar volgde, voegde ze eraan toe: 'Jason is ervan overtuigd dat Leo een genie is dat zich voordoet als een idioot.'

'Als een idiot savant?' vroeg Dave, die zich erop concentreerde een kantoorgebouw in elkaar te zetten.

'Dát gedeelte van die idioot heb je goed,' antwoordde Tracey. Ze zuchtte en keek toen over Jasons schouder hoe hij iets in elkaar zette. 'Waar moet dat komen? Naast dat ding dat we er net op hebben gezet?'

Hij keek naar de instructie die opengeslagen naast hem op de grond lag. 'Jep, ik geloof het wel.'

'Ik wist het!' Ze klapte in haar handen. 'Ik heb daar echt gewoond. Want dat is mijn oude bank, en die groenteboer er pal naast is de winkel waar ik na die ene keer niet meer mocht komen.'

'Ben jij geweigerd in een groentewinkel?' vroeg ik.

'O, ik ben overal geweigerd,' antwoordde ze eenvoudig, en ze gebaarde met haar handen.

'Ze bedoelt te zeggen,' legde Leo ons uit, 'dat ze in de stad bekendstond als iemand die nepcheques uitschreef.'

'Ze waren niet nep,' zei Tracey, die het gebouw van Jason aanpakte toen hij het aanreikte. 'Ik had gewoon geen geld.'

'Volgens mij komt dat op hetzelfde neer,' zei Jason, niet onvriendelijk.

Tracey boog zich over de maquette. 'Dus als ik daar win-kelde, en dat mijn bank was, dan was mijn appartement...' Ze liet haar vinger over het midden van een klein stukje weg glijden, tot aan de rand. '... blijkbaar niet-bestaand. Ik viel denk ik buiten de kaart.'

'Dat is dan *terra pericolosa*,' zei Leo, die de noppenfolie weer liet knappen.

We keken hem allemaal aan. Tracey zei: 'Jezus, Leo, ben je high of zo? Want je weet dat Gus heeft gezegd dat als hij je nog een keer betrapt met...'

'Wat nou?' vroeg Leo. 'Nee, ik ben niet high. Waarom denk je dat?'

'Je praat Italiaans tegen ons,' legde ze hem uit.

'Ik zei: terra pericolosa,' zei hij. Toen hij merkte dat we hem nog steeds aanstaarden, voegde hij eraan toe: 'Dat is een uitdrukking van vroeger uit de cartografie voor gebie-den die niet op een kaart werden aangegeven omdat ze ge-vaarlijk zouden zijn.'

Jason schudde lachend zijn hoofd en duwde een dak op een miniatuurgebouw. 'Zie je wel,' zei hij, 'dat is toch mega-diepzinnig?'

'Willen jullie ophouden met die onzin?' vroeg Tracey. 'Hij is geen genie! Hij gebruikt elke dag hooguit de helft van zijn hersencellen.'

'Hij gebrúíkt die helft tenminste nog,' zei Dave tegen haar.

'Zegt de eeuwige optimist,' zei ik terwijl ik achter hem langs liep. Hij keek me aan en grijnsde, en weer voelde ik een gekke drang om terug te lachen, terwijl ik toch niet iemand was die veel lachte. De laatste tijd al helemaal niet.

'Hallo, hallo!' hoorde ik Opal iets te vrolijk roepen toen ze de trap op kwam. 'Is iedereen klaar voor de paparazzi?'

Tracey rolde met haar ogen en zei nauwelijks hoorbaar: 'Ze gaat altijd zo raar doen als ze zenuwachtig is.'

Jason maande haar tot stilte, wat ze negeerde, en hij gooide het huisje dat hij in zijn handen had naar haar toe. Toen Tracey en ik ons over de maquette bogen, verscheen Opal met een vrouw in een spijkerbroek en op klompen in haar kielzog. Een man met een bos krullen en een camera om zijn nek, die er heel slaperig uitzag, sloot de rij.

'Nou, hier zien jullie dus een groepje van onze plaatselijke delinquenten dat hard aan het werk is,' zei Opal. 'We staan nog maar aan het prille begin van het project, maar je kan al een goede indruk krijgen van hoe het resultaat eruit komt te zien. Het is een voorstelling van het stadscentrum...'

De journaliste had een blocnote tevoorschijn gehaald en maakte nu aantekeningen, terwijl de fotograaf langs de maquette liep en het kapje van zijn lens haalde. Hij ging op zijn hurken naast Dave zitten, die net een dak op een huisje zette, waar hij een paar foto's van nam.

'Ik zou dolgraag met een paar van de jongeren spreken,' zei de journaliste, die een verse bladzijde voor zich had. 'Waarom ze hier zijn, wat ze interessant vinden aan dit project...'

'O, maar natuurlijk,' zei Opal. 'Ja! Even zien...' We keken allemaal naar haar toen ze omzichtig de zolder afzocht, alsof er sprake was van een keuze, waarna ze haar blik op Dave liet rusten. 'Misschien... eh...'

'Dave,' fluisterde ik haar toe.

'Dave,' ging ze verder, 'zou je misschien wel iets kunnen vertellen.'

'De journaliste knikte en ging dichter bij hem staan, met haar pen in de aanslag. 'Nou, Dave,' zei ze, 'hoe ben jij hierbij betrokken geraakt?'

Lieve hemel, dacht ik. Maar Dave speelde het spelletje mee en zei: 'Ik was op zoek naar geschikt vrijwilligerswerk. En dit is een plek waar ik me nuttig dacht te kunnen maken voor de gemeenschap.'

'Echt waar?' merkte de journaliste op.

'Echt waar?' vroeg Tracey aan mij.

'Taakstraf,' zei ik met gedempte stem.

Ze knikte begrijpend. 'Ik weet er alles van.'

'Hoe dan ook,' zei Opal, met nog steeds een te hoge, opgewonden stem, 'we zijn allemaal heel enthousiast over deze kans om onze stad te tonen zoals nooit tevoren.'

'Klein en van plastic?' merkte Tracey op.

'En,' vervolgde Opal terwijl ze Tracey een boze blik toewierp, dat we een interactieve, blijvende voorstelling maken, waar de komende generaties van kunnen genieten.'

De camera klikte terwijl de fotograaf om ons heen liep. Hij maakte foto's van Tracey en mij, toen van Jason en weer van Dave.

'Hallo? Is daar iemand?'

Ik zag dat Opal, die bij de trap stond, rilde toen ze dit hoorde. Haar wangen werden rood toen ze zich omdraaide en over haar schouder riep: 'Hallo, Lindsay. We zijn boven.'

We hoorden voetstappen, van schoenen met hakken, dichterbij komen en uiteindelijk verscheen er een vrouw. Ze was lang en dun, en had een poppengezicht. Haar blonde haar viel in een perfecte lijn op haar schouders en ze droeg een zwart mantelpakje met hoge hakken. Ze lachte naar ons en haar tanden waren ontzettend recht en wit. Vervolgens schreed ze door de ruimte alsof ze meedeed aan een missverkiezing. Ze straalde zoveel zelfverzekerdheid uit dat je het bijna kon ruiken.

'Let goed op,' fluisterde Tracey toen ik naar adem hapte. 'Opals Nemesis.'

'Wat?' vroeg ik.

'Sinds de middelbare school,' antwoordde ze. 'Vroeger wedijverden ze altijd met elkaar.'

'Maureen,' zei het raadslid, terwijl ze haar hand uitstak

naar de journaliste, die een beetje in elkaar kromp voor ze hem schudde. 'Wat leuk om je weer te zien! Ik vertelde de burgemeester net over jouw stuk over de opties van het afvalverwerkingscentrum. Erg prikkelend, hoewel ik me afvroeg waar jij je cijfers vandaan hebt gehaald.'

'O,' zei de journaliste nerveus. 'Nou, eh... bedankt.'

'En jij ook bedankt dat je bent langsgekomen!' haakte Opal hierop in. 'Ik denk dat het heel goed is voor onze vrijwilligers om te zien dat de hele gemeenschap echt betrokken is bij dit project, tot en met onze vertegenwoordigers aan toe.'

'Maar natuurlijk! Ik vond het geweldig dat ik ben gevraagd. Hoe gaat het met je, Opal?' Het raadslid gaf haar een klopje op haar rug, wat Opal beantwoordde met eenzelfde soort gebaar. 'Het restaurant ziet er geweldig uit. Ik hoorde dat je het de laatste tijd zelfs druk hebt!'

Opal lachte geforceerd met op elkaar geperste lippen. 'Dat klopt. Bedankt.'

Het raadslid draaide zich om en nam ons allemaal met half samengeknepen ogen op, terwijl wij aan de maquette werkten. Aan de linkerkant hoorde ik dat Leo de noppenfolie weer liet knappen. Het was het enige geluid, tot ze zei: 'Dus, eh... dit is jouw hele groep?'

'O, nee,' zei Opal snel. 'We hebben wat... eh... problemen met het rooster gehad vandaag. Maar we wilden toch gewoon beginnen.'

'Geweldig!' Het raadslid wandelde langzaam om de hele maquette heen en haar hakken klikklakten. De fotograaf nam een paar foto's van haar en wendde zich toen weer tot Dave, die de enige was die nog steeds aan het werk was. 'Nou, het is moeilijk om er zo aan de buitenkant iets van te zeggen, natuurlijk. Maar ik denk dat jullie wel een goede start hebben gemaakt.'

Opals gezicht vertrok en toen zei ze: 'Dat klopt! We denken dat het wel sneller zal gaan als we eenmaal alle mensen erop zetten.'

'En wanneer denk je dat het af is?' vroeg de journaliste, die nog een bladzijde van haar blocnote omdraaide.

'In mei,' zei het raadslid tegen haar.

'Wát zeg je?' vroeg Opal. 'Mei? Ik... Ik dacht dat het honderdjarig jubileum in juni was.'

'Dat is het ook, maar de festiviteiten beginnen op 6 mei en dan zetten we als aftrap de maquette op het hoofdpostkantoor,' antwoordde het raadslid. Ze keek naar Opal. 'O mijn god! Dat heb ik je toch wel gezegd? Ik weet bijna zeker van wel.'

We keken allemaal naar Opal, die moeizaam slikte. 'Eh...' zei ze, eigenlijk...'

'Waar is iedereen in godsnaam?' donderde mijn vaders stem onder aan de trap. Nu was het mijn beurt om in een reflex mijn gezicht te vertrekken. 'Gaan we niet binnen een uur open voor de lunch op deze wedstrijddag?'

'Gus!' gilde Opal min of meer. Naast me sloot Tracey haar ogen. 'We zijn hier allemaal boven met het raadslid om haar de maquette te laten zien.'

'De wat?'

'De maquette,' herhaalde ze. Toen schraapte ze haar keel en zei ze met een rood hoofd tegen het raadslid: 'Dat is Gus. Hij is...'

De rest van haar woorden werd overstemd door het geluid van mijn vaders gestamp op de trap. Fie-fi-fo-fum, dacht ik toen hij met een rood hoofd en een geïrriteerde uitdrukking op zijn gezicht op de overloop verscheen. 'Leo!' zei hij. 'Heb ik je een kwartier geleden al niet gezegd dat ik de groenten zo snel mogelijk klaar wilde hebben? We gaan bijna open en nog niet de helft van het werk is af. En wie zou de eetzaal dekken?'

'Ikke,' zei Tracey vrolijk. Mijn vader wierp een blik op haar en zij keek weer snel naar de maquette.

'Ik dacht dat deze jongeren vrijwilligers zijn?' zei het raadslid tegen Opal.

'Gus,' zei Opal met gehaaste stem, 'dit is mevrouw Baker, het gemeenteraadslid. Weet je nog dat ik heb verteld dat zij ons gaat helpen met parkeerplaatsen?'

Mijn vader keek naar het raadslid en toen weer naar ons. 'Jason, ga jij naar beneden en maak de groenten af. Leo, ik wil dat de pannen op het vuur staan en alles klaarstaat voor de bediening. Nu. En Tracey, als die eetzaal niet binnen een kwartier tot in de puntjes is gedekt, krijg je meer dan genoeg tijd om je als vrijwilliger aan te melden, dat verzeker ik je.'

'Hé,' protesteerde Tracey. 'Waarom ben ik de enige die wordt bedreigd met ontslag?'

'Ga!' blafte mijn vader, en ze ging. Ze gooide het huisje dat ze in haar handen hield opzij en liep sneller de trap af dan ik haar ooit had zien bewegen. Leo en Jason volgden haar, in hetzelfde tempo, zodat alleen Dave en ik nog overbleven. Ik pakte het huisje op en liep naar de maquette, terwijl hij zich er met gebogen hoofd op concentreerde nog een gebouw in elkaar te zetten.

Opal wierp een hulpeloze blik op het raadslid. 'Het is vandaag wedstrijddag,' zei ze in een poging om het uit te leggen. 'Onze koeling is kapotgegaan en...'

Het raadslid negeerde haar en toverde een brede lach op haar gezicht terwijl ze op mijn vader af liep. 'Ik ben Lindsay Baker,' zei ze, en ze stak haar hand uit. 'En u bent Gus Sweet?'

'Ja, dat ben ik,' zei mijn vader terwijl hij afgeleid haar hand schudde.

'Ik geloof dat u gisteren een boodschap voor me hebt

achtergelaten,' zei ze. 'Iets over dat er hier geen plaats is voor het project?'

'Nou, eigenlijk was de boodschap dat het ontzettend hinderlijk is en dat ik wil dat het verdwijnt,' antwoordde hij. Toen keek hij naar mij en vroeg: 'Wat doe jij hier?'

'Ik wou iets met je bespreken,' zei ik. 'Maar jij was de koeling aan het repareren en daarom wou ik je niet storen.'

'Slimme meid.' Hij zuchtte en streek toen met zijn hand door zijn haar. 'Ik moet terug naar beneden. Kom jij ook over vijf minuutjes?'

Ik knikte. Toen hij zich omdraaide en naar de trap liep, zei het raadslid: 'Meneer Sweet?'

Mijn vader bleef stilstaan en keek om. 'Ja?'

Ze stond nog steeds naar hem te lachen en leek helemaal niet door te hebben dat hij totaal niet in haar geïnteresseerd was. Het was duidelijk dat zij het soort vrouw was dat het gewend was om niet alleen alle aandacht van mannen, maar ook van vrouwen en kinderen en zelfs van dieren te krijgen. Ik kende dat type. Ik was opgevoed door een vrouw die uit zo'n soort familie kwam. 'Ik zou dolgraag nog wat meer met u over de maquette praten. Op een tijdstip dat beter gelegen komt, uiteraard. Misschien kunnen we volgende week bij mij op kantoor afspreken?'

Opal keek naar haar en toen naar mijn vader. 'Dat zou geweldig zijn,' zei ze snel. 'Dat zouden we heel leuk vinden.'

Maar mijn vader gromde alleen maar en liep zonder iets te zeggen de trap af. Even later hoorden we hem weer tekeergaan. Maar mevrouw Baker trok zich er niets van aan en keek geïntrigeerd naar de plek waar hij zojuist had gestaan. Alsof iemand haar een geweldig raadsel had verteld en zij niets liever wilde dan het oplossen. O, o.

'Hoor eens, Lindsay, ik waardeer het enorm dat je bent langsgekomen,' zei Opal tegen haar. 'Als je me laat weten wanneer het jou uitkomt om met elkaar af te spreken, dan weet ik zeker dat we...'

'Lieve hemel, ik moet rennen,' zei het raadslid, op haar horloge kijkend. 'Maar ik kom over een weekje of zo terug. Tegen die tijd heb je wel wat meer vrijwilligers aan het werk gezet en zijn jullie verder opgeschoten, denk je ook niet?'

Opal slikte weer. 'Eh... Ja, natuurlijk.'

'Om eerlijk te zijn, moet het project voorlopig hier blijven,' ging ze verder, en haar hakken klikklakten weer. Ze kwam nu direct op mij af en ik kreeg de neiging om voor haar opzij te springen, wat natuurlijk krankzinnig was. Deze vrouw was lucht voor mij. 'Dit is een goede plek en je had het zelf aangeboden, als ik het me goed herinner. Misschien kan je dat aan Gus laten weten? Ik denk niet dat hij dat beseft heeft toen hij me belde.'

De journaliste liet een zenuwachtig kuchje horen, terwijl de fotograaf om de een of andere reden dit moment koos om een foto van Opal te maken. Ik zag het plaatje al voor me, met daaronder: DE LUL.

'O, ik weet zeker dat het al ergens op lijkt als ik de volgende keer terugkom,' ging het raadslid verder. Toen bleef ze vlak voor me staan en stak ze haar hand uit. 'Wij hebben geloof ik nog niet kennisgemaakt. Ik ben Lindsay Baker.'

Het zou zacht uitgedrukt zijn als ik zei dat ik verbaasd was dat ze mij aansprak. Maar ik was dan ook niet de enige; achter me keek Dave haar ook met opgetrokken wenkbrauwen aan. 'Mclean Sweet,' zei ik.

'Wil je me een plezier doen en tegen je vader zeggen dat het me een genoegen was om kennis met hem te maken?' zei ze met haar handen om mijn hand gevouwen toen ik hem eenmaal had uitgestoken.

Ik knikte en zij lachte. God, wat waren haar tanden wit.

Het was alsof ze haar eigen fluorescerende lamp of zoiets bij zich had.

'Maureen?' vroeg ze over haar schouder. De journaliste maakte een sprongetje van schrik. 'Loop maar met me mee. Ik wil met je van gedachten wisselen over het artikel. Dag, Opal! Ik zie je wel weer in het fitnesscentrum!' En ze bewoog zich alsof ze gewoon wíst dat de journaliste achter haar aan zou komen. Toen ze dat ook deed, achter mij langs snellend, haastte de fotograaf zich achter haar aan.

We keken hen na en niemand zei iets tot we de deur onder aan de trap dicht hoorden vallen. Toen ademde Opal uit, terwijl ze tegen de dichtstbijzijnde tafel aan zakte. 'O mijn god,' zei ze. 'Ligt het aan mij, of is er nog iemand die het gevoel heeft dat hij net een hartaanval heeft gekregen?'

'Ze is wel een beetje heftig,' gaf ik toe, en ik liep naar het instructieboek dat Jason had achtergelaten en raapte het op.

'Een beetje heftig? Heb je wel goed gekeken?' vroeg ze. 'Zoals ze binnenkomt en alles en iedereen platwalst? God! Zo was ze ook al op de middelbare school. En ze is zó aardig – in je gezicht, tenminste. Maar op die manier maskeert ze haar duistere, slechte ziel.'

Dave keek met grote ogen naar Opal. 'Wauw.'

'Ik weet het!' Opal verborg haar gezicht achter haar handen. 'Ze maakt me helemaal gek. Bovendien is ze heel goed in fitness. Ik weet niet eens meer hoe ik hierin verzeild ben geraakt! Het enige wat ik wou waren parkeerplaatsen.'

We keken haar alleen maar aan. Beneden was mijn vader weer aan het schreeuwen.

'Nou,' zei ik toen ze er al bijna een halve minuut als een struisvogel bij zat, 'parkeerplaatsen zíjn ook heel belangrijk.'

'Ik weet van tevoren altijd precies wat ik tegen haar wil

zeggen,' zei Opal, die haar handen liet zakken. 'Ik neem me altijd voor om professioneel en voorbereid te zijn. Maar als het dan zover is... dan is dat niet zo makkelijk meer. Begrijp je wat ik bedoel?'

Op dat moment sloeg de deur beneden weer open. 'Mclean?' riep mijn vader naar boven. 'wou jij nog iets zeggen?'

Toen ik dit hoorde, voelde ik mijn hartslag versnellen en dacht ik weer aan de reden waarom ik hier was. Ik keek naar Opal en beantwoordde zowel haar vraag als ook die van mijn vader met hetzelfde antwoord: 'Jazeker.'

Sinds de scheiding, en mijn daaropvolgende openbaring dat ik inderdaad een keus had en er een mening over mocht hebben, praatte ik alle woede op mijn moeder goed omdat zij mijn vader had geruïneerd. Ze had haar man bedrogen met iemand die hij heel erg bewonderde en die een publieke figuur was, en ze had hem verlaten voor die persoon, terwijl zijn eigen leven in elkaar stortte. Ik werd nog steeds kwaad als ik eraan dacht.

Ik kon niet voorkomen dat mensen op straat of in de Mariposa over mijn moeder en Peter Hamilton spraken; ik kon niet teruggaan in de tijd en veranderen wat zij had gedaan. Maar wat ik wel kon doen was de ochtendkrant onderscheppen en voorzichtig het sportgedeelte eruit halen en het in de papierbak gooien voor mijn vader wakker werd. Ik kon weigeren om in zijn aanwezigheid met mijn moeder aan de telefoon te praten en zou nooit de ingelijste foto's van haar en Peter en de tweeling ophangen die ze me had gegeven voor op mijn kamer thuis en mijn kamers – meervoud – die ik sindsdien heb gehad. Ik kon zo min mogelijk over het verleden – ons verleden – praten en daar waar mogelijk het hele onderwerp van mijn eerste vijftien levensjaren geheel en al uit de weg gaan. Hij blikte niet terug op het verleden en daarom deed ik mijn best om dat ook niet te doen.

Maar af en toe was dat geen optie. Zoals straks, over twee uur, als je op de televisie kan zien dat ik recht achter de trainer zat van het basketbalteam dat derde stond. Na twee jaar proberen om alles wat mogelijk pijnlijk was op afstand te houden, zou ik hem nu een handgranaat aanreiken. Het was dus niet zo gek dat ik me bijna ziek voelde toen ik tien minuten later naar een tafel bij het raam liep om mijn vader te spreken.

'Zo,' zei hij toen ik was gaan zitten. Aan de andere kant van het restaurant stond Opal aan de bar glazen te spoelen en met Tracey te kletsen, die de plant aan het afstoffen was die ik bij ons eerste bezoek al had opgemerkt, wat een eeuwigheid geleden leek. 'Wat zullen we doen voor de lunch? Ik kan misschien wel een heel uur weg. We kunnen het er eens goed van nemen.'

Ik lachte en voelde me nog slechter. Natuurlijk kon mijn vader zich op zo'n drukke wedstrijddag eigenlijk nergens anders bevinden dan hier in de keuken, en dat wisten we allebei. Maar hij voelde zich slecht omdat hij mij had afgezegd en probeerde dat goed te maken. Dat probeerden we dus allebei.

'Eh...' zei ik, met mijn blik op Opal gericht, die de bar schoonwreef, waarbij de doek in haar hand grote cirkels maakte over het oppervlak. 'Eigenlijk... heb ik plannen voor vanmiddag.'

'O,' zei hij. 'Nou, misschien kunnen we ons morgen op het ontbijt richten, of...'

'Met mam,' flapte ik er uit. Het was niet fraai, die twee woorden die over mijn lippen rolden en tussen ons in op tafel vielen. En toen zei ik, omdat ik er nu toch al tot over mijn oren in zat: 'Ze komt met Peter naar de wedstrijd en wil dat ik meega.'

'O,' zei mijn vader, en ik was verbijsterd dat dit woord, hetzelfde woordje van één lettergreep dat hij zojuist ook had gezegd, ineens zo anders kon klinken. 'Juist. Natuurlijk.'

Aan de bar stond Opal de glazen op hun plaats te zetten, en het vrolijk klinkende geluid bereikte onze oren. Iedereen was druk bezig en werkte naar een climax. Ze gingen over tien minuten open.

'Het spijt me,' zei ik. 'Ik wou eerst niet gaan. Maar sinds de verhuizing zijn de spanningen nogal opgelopen en Peter heeft me gevraagd om dit voor haar te doen. Ik vond gewoon dat ik het niet meer kon afzeggen.'

'Mclean...' zei hij.

'Ik bedoel, ik had het natuurlijk best kunnen afzeggen,' ging ik verder, 'maar ze zijn vast al onderweg hiernaartoe, en dan worden ze heel boos, en ik weet dat jij daar niet op zit te wachten en...'

'Mclean...' herhaalde hij, omdat hij niet wilde dat ik doorging, alhoewel ik geen idee had wat ik van plan was te zeggen. Vast en zeker nog iets heel stoms. 'Het is normaal dat jij je moeder wilt zien.'

'Dat weet ik, maar...'

'En daarom hoef jij je niet tegenover mij te verontschuldigen,' vervolgde hij. 'Nooit niet. Begrepen?'

'Maar ik voel me wel rot,' zei ik tegen hem.

'Waarom dan?'

Hij keek me aan, omdat hij het echt wilde weten. God, dacht ik, en ik slikte. Dit was precies het gesprek dat ik niet wilde voeren. 'Om wat ze heeft gedaan,' zei ik met beverige stem. 'Om wat ze jou heeft aangedaan. Dat was echt heel erg. En het voelt als verraad als ik net doe of dat niet zo was.'

Het was vreselijk om hierover te praten. Nog erger dan

vreselijk. Het leek wel alsof ik op punaises kauwde en er met elk woord dat ik zei nog een volle lepel bij kreeg. Jezus. Geen wonder dat ik er alles aan had gedaan om zo'n gesprek te vermijden.

Er klonk een klap uit de keuken, gevolgd door stevig gevloek. Maar mijn vader hield zijn ogen op mij gericht en was voor het eerst eens een keer niet afgeleid. 'Wat er tussen mij en je moeder is gebeurd,' zei hij langzaam, 'was precies dat: tussen haar en mij. Onze relatie met jou staat daar helemaal los van. Als jij bij je moeder bent, is dat geen belediging voor mij, of omgekeerd. Dat weet je toch wel?'

Ik knikte met mijn ogen op de tafel gericht. Natuurlijk wist ik dat; het was uiteindelijk ook mijn moeders stokpaardje. Maar in de echte wereld kon je een gezin niet zomaar doormidden snijden: moeder aan de ene kant, vader aan de andere, met het kind precies gelijk tussen hen tweeën verdeeld. Het was alsof je een stuk papier doormidden scheurde: hoe goed je het ook probeerde, de twee stukken zouden nooit meer naadloos aan elkaar passen. Door de piepkleine stukjes die verloren waren gegaan tijdens het scheuren kon niets meer volledig zijn.

'Ik vind het gewoon vreselijk dat het zo is,' zei ik zacht. Ik keek hem in de ogen. 'Ik wil je niet kwetsen.'

'Dat doe je ook niet,' zei hij. 'Je zou het niet eens kunnen. Oké?'

Ik knikte, en hij pakte mijn hand en kneep erin. Dat eenvoudige gebaar herinnerde me aan de band tussen ons, en daardoor voelde ik me beter dan door welke woorden dan ook die hij tot dusverre tegen me had gezegd.

'Gus?' Ik draaide me om en zag Jason ik de deuropening van de keuken staan. 'Die vent van de vis hangt aan de telefoon over de spoedbestelling.'

'Ik bel hem zo terug,' zei mijn vader.

'Hij zegt dat hij vandaag verder niet meer te bereiken is,' zei Jason. 'Wil je dat ik...'

'Ga maar,' zei ik, en ik klopte op zijn hand. 'Neem dat telefoontje aan, het is oké. Wij zijn oké.'

Hij hield zijn hoofd schuin en bestudeerde mijn gezicht. 'Weet je het zeker?'

'Ja,' zei ik. 'Ik moet nu toch naar huis om me klaar te maken voor de... je weet wel.'

'De wedstrijd,' sprak hij het woord voor me uit.

'Precies.'

Hij schoof zijn stoel naar achteren en stond op. 'Nou,' zei hij, 'het belooft een goede wedstrijd te worden. Ik heb zo'n gevoel dat jij op een mooie plaats zit.'

'Dat is ze geraden,' antwoordde ik. 'Als ik niet op de bank zit, ben ik weg.'

'Natuurlijk,' zei hij. 'Vanaf welke andere plek kan je de scheidsrechters op hun donder geven?'

'Vergeet de scheidsrechters,' zei ik. 'Ik ben van plan om Peter eens haarfijn te vertellen wat ik van zijn aanvallers vind.'

Hij lachte meewarig. Het was gek om na zo'n lange tijd over basketbal te praten. Alsof we een taal spraken die we allebei ooit vloeiend beheersten, terwijl we nu worstelden met de werkwoorden en de tijden.

'Veel plezier,' zei hij. 'Ik meen het.'

'Jij ook,' zei ik terug. Hij lachte weer en liep toen naar de keuken. Jason, die stond te wachten, duwde de deur open. Mijn vader ging de keuken in en pakte de telefoon aan die hij aangereikt kreeg. Ik moest weer denken aan toen ik hen even tevoren allebei bij de koeling had zien staan en ze als een team samenwerkten, als in een doorlopende ingewikkelde dans, waarin alles in dit restaurant op de een of andere manier samenkomt en gaat functioneren. Door de open deur zag ik het keukenpersoneel dat de rijdende tafels vollaadde en stond te snijden en schoonmaken als een bewegend waas rondom mijn vader, die in het middelpunt stond met de telefoon aan zijn oor. Hij was te midden van de chaos altijd de kalmte in eigen persoon, ook als de hel losbrak.

Ik was al de deur uit en op weg naar huis, toen ik besefte dat mijn jas nog boven lag. Ik keerde om, liep door de steeg en vervolgens door de keukendeur. Toen ik langs mijn vaders kantoor kwam, zag ik dat hij, nog steeds telefonerend, achter zijn bureau zat. Opal stond naast hem en was met het kopieerapparaat bezig dat in de hoek gepropt stond. Het zoemde, lichtte op en spuugde bladzijden uit, die zij er een voor een meteen uit haalde.

'Natuurlijk hoeft een personeelsbeoordeling niet per se iets slechts te zijn. Ik zeg alleen dat de situatie hier zich niet direct leent voor de standaardprocedures.'

Het kopieerapparaat begon klikkende geluiden te maken, die steeds luider werden. Opal drukte op een paar knoppen. Er gebeurde niets, behalve dat het geluid veranderde van geklik in geknars.

'O, ik ben ervan overtuigd,' ging mijn vader verder, die een blik op Opal wierp, 'dat het leerzaam zal zijn.'

Opal probeerde een andere knop, zuchtte en deed een stap naar achteren om het apparaat van een afstandje te bekijken, terwijl het geknars luider werd. Achter haar zat mijn vader haar te bekijken terwijl zij fronste, haar vuist balde en heel hard midden op het apparaat sloeg. BENG! BENG! Nu trok mijn vader zijn wenkbrauwen op. Het apparaat sputterde en begon weer te zoemen, en er gleed een kopie uit, die Opal in haar handen liet vallen. Ze lachte, tevreden met zichzelf, en ik was verrast om mijn vader ook te zien lachen. Toen draaide hij zich weer om.

Boven zat Opals team van vrijwilligers in de vorm van Dave met zijn benen over elkaar bij de maquette. Hij werkte aan een gebouw in de buurt van Traceys oude appartement. Ik keek even vanaf de overloop naar hem toen hij zich met een serieus gezicht naar voren boog omdat hij zich erop concentreerde het op de juiste plek vast te zetten. Ik dacht dat ik onopgemerkt was gebleven, totdat hij, zonder op te kijken, ineens zei: 'Ik weet dat mijn kunstzinnigheid fascinerend is, maar aarzel niet om even mee te helpen.'

'Ik wou dat dat kon,' zei ik. 'Maar ik moet naar de wedstrijd.'

'De Defriese-wedstrijd?' vroeg hij, mij aankijkend. Ik knikte. 'Meen je dat echt?'

'Jep.'

'Wacht even. Heb je soms geen zin?'

'Niet echt, nee.'

Hij staarde me openlijk aan terwijl ik naar mijn jas liep. 'Je weet dat er mensen zijn die hun ziel zouden verkopen voor een kaartje?'

'Ben jij er daar een van?'

'Ik zou het overwegen.' Hij zuchtte en schudde zijn hoofd. 'God, ik snap mensen niet die niet van basketbal houden. Het is net alsof die van een andere planeet komen.'

'Ik hou wel van basketbal,' zei ik. 'Alleen zou ik...'

'... liever aan deze maquette werken dan in levenden lijve naar waarschijnlijk de spannendste wedstrijd van het jaar gaan kijken.' Hij stak zijn hand op. 'Probeer maar niet om het uit te leggen. Je zou net zo goed Romulaans kunnen praten.'

'Wát praten?'

Hij rolde met zijn ogen. 'Laat maar zitten.'

Ik pakte mijn jas en haalde mijn mobieltje uit mijn zak.

Ik had een oproep gemist, en een bericht van mijn moeder. VERHEUG ME EROP JE TE ZIEN, stond er. Formeel en beleefd. WACHTEN BIJ DE KASSA OP JE.

Ik voelde ineens een zenuwscheut door me heen trekken toen ik besefte dat het echt ging gebeuren: ik zou mijn moeder en Peter in minder dan twee uur bij de wedstrijd zien. En ondanks mijn vaders vertrouwen dat dit goed was, voelde dat plotseling heel anders aan. En daarom raakte ik in paniek en deed ik iets wat ik nooit van mezelf had verwacht.

'Wil je... Wil je met me mee?' vroeg ik aan Dave.

'Naar de wedstrijd?' vroeg hij.

Ik knikte.

'Bedoel je dat je een extra kaartje hebt?'

'Niet helemaal,' zei ik, 'maar ik denk dat ik je er wel in krijg.'

7

Ik zag mijn moeder voordat ze mij zag. En hoewel we al laat waren en ik haar met een gespannen blik naar de menigte zag turen, nam ik even de tijd om haar te bestuderen zonder dat zij het in de gaten had. Toen ontdekte ze mijn gezicht en veranderde alles.

Mijn moeder was altijd knap geweest. Ik leek veel op haar toen ze net zo oud was als ik, met hetzelfde blonde haar, dezelfde blauwe ogen en een figuur dat lang en slank genoeg was om ook ietwat knokige ellebogen en knieën te hebben. Maar anders dan ik was mijn moeder op de middelbare school nooit van haar gekozen pad geweken en had zij alle verwachtingen die aan een populair meisje uit het Zuiden werden gesteld waargemaakt: leider van het cheerleadersteam, koningin op het bal van het eindfeest, debutante. Ze ging vanaf de vierde tot en met de eindexamenklas uit met de zoon van een Congreslid; ze droeg zijn ring aan een gouden ketting om haar nek, werkte als vrijwilliger en zong elke zondag in het kerkkoor. In haar jaarboek stond ze op de ene na de andere bladzijde: op groepsfoto's, toevallige kiekjes, clubfoto's. Ze was zo'n meisje in je klas dat je goed denkt te kennen, ook al zou zij nooit weten wie jij was.

Maar op de universiteit ging het allemaal niet zo voorspoedig. Als eerstejaars op Defriese dumpte de ware jakob haar al in de tweede week aan de telefoon omdat hij beweerde dat een relatie op afstand niet werkte. Ze was er kapot van en zat een maand lang huilend op haar kamer, die ze alleen verliet om naar de colleges en de kantine te gaan. Het was in de kantine waar ze, met rode ogen en een dienblad voor zich uit schuivend, mijn vader ontmoette, die een werkstage deed om zijn collegegeld te betalen. Zijn oog viel op haar, natuurlijk, en hij gaf haar altijd een beetje extra macaroni met kaas, of biefstuk, of wat hij die dag ook maar serveerde. Op een dag vroeg hij aan haar of het wel goed met haar ging en toen barstte ze in huilen uit. Hij gaf haar een servet, dat ze aannam en waarmee ze haar ogen afveegde. Vijf jaar later waren ze getrouwd.

Ik was dol op dit verhaal en als kind wilde ik het keer op keer horen. Ik zag mijn vader al voor me met een haarnetje op (mijn moeder zei dat het schattig stond) en hoorde de muzak die in kantines altijd op de achtergrond aanstaat. Ik kon de damp van de broccoli die tussen hen in dreef voelen. Ik was dol op elk beeld en elk detail, net zoals ik het enig vond dat mijn ouders zo verschillend waren, maar toch zo goed bij elkaar pasten. Een rijk, populair meisje komt een arbeidersjongen met studiebeurs tegen, die haar hart verovert en haar wegvoert naar de krakkemikkige charme en chaos van de restaurantwereld. Het was het mooiste liefdesverhaal aller tijden... tot er een einde aan kwam.

Met mijn vader was mijn moeder een ander mens. Ze was jarenlang opgegroeid met manicurebeurten en knalfeesten. Ze droeg altijd hakjes en verkleedde zich niet alleen voor het avondeten, maar ook voor het ontbijt en de lunch. Maar toen ik klein was, was ze Katie Sweet die spijkerbroeken en klompen droeg, haar haar in een staart had en als make-up alleen een beetje lipgloss opdeed. In het restaurant kon je haar net zo makkelijk vinden terwijl ze tot aan haar ellebogen in het chloorwater zat omdat ze de koelcel schoonmaakte als achter haar bureau in het kantoor, waar ze elke cent die binnenkwam en eruit ging bijhield. Af en toe, als ze naar liefdadigheidsbijeenkomsten of trouwerijen ging, ving ik een glimp op van degene die ik in haar jaarboeken of oude fotoalbums had gezien, met make-up, gekapte haren en diamanten, maar dan was het alsof ze een kostuum droeg en aan een verkleedpartijtje meedeed. In het echte leven droeg ze kaplaarzen, had ze vieze nagels en ploeterde ze in de tuin in de modder, waar ze een voor een de bladluizen van de tomatenplanten verwijderde.

Maar nu leek mijn moeder precies op Katherine Hamilton, de echtgenote van de beroemde trainer. Ze droeg haar lange haar los en in laagjes geknipt, en ze ging elke maand naar de kapper voor blonde highlights. Haar televisiewaardige kleding werd uitgekozen door een personal shopper bij een gerenommeerd warenhuis. Vandaag droeg ze een zwarte rok, glimmende laarzen en een leren jasje boven op een frisse witte bloes. Ze zag er beeldschoon uit, ook al leek ze totaal niet op mijn moeder, of op Katie Sweet. En toen zei ze mijn naam.

'McLean?'

Ondanks alles maakte mijn hart een sprongetje toen ik haar stem hoorde. Sommige dingen zitten heel diep en zijn onaantastbaar. Lang geleden besefte ik al dat mijn moeder me in haar greep hield en ik haar. Alle lelijke woorden ter wereld konden dat niet veranderen, ook al zou ik dat soms wel willen.

'Hallo,' zei ik toen ze met uitgestrekte armen op me af kwam en me een knuffel gaf.

'Wat fijn dat je bent gekomen,' zei ze. 'Je hebt geen idee hoeveel dat voor me betekent.'

Ik knikte, en ze hield me veel te lang en stevig vast, wat niets nieuws was, maar het voelde wat ongemakkelijker dan anders omdat we er publiek bij hadden. 'Eh... mam,' zei ik uiteindelijk over haar schouder, 'dit is Dave.'

Ze liet me los, al pakte ze meteen weer mijn hand in de hare, alsof ze bang was dat ik er anders weer vandoor zou gaan. 'O, hallo,' zei ze terwijl ze naar mij keek en toen weer naar hem. 'Leuk je te ontmoeten!'

'Insgelijks,' zei Dave. Toen wierp hij een blik op de mensen die langs ons naar de kassa stroomden en door de hoofdingang van het stadion liepen. Hij keek knikkend naar de vele mensen die tegen beter weten in nog een kaartje probeerden te bemachtigen. 'Kijk,' zei hij zachtjes tegen mij. 'Zoals ik al zei waardeer ik je uitnodiging, maar ik denk dat jij niet begrijpt...'

'Geen paniek,' zei ik. Hij had onderweg steeds geprobeerd me uit te leggen dat ik, omdat ik hier nog maar net naartoe was verhuisd, niet kon begrijpen hoe moeilijk het is om aan kaartjes voor zo'n wedstrijd te komen. Je kon ze niet zomaar kopen. Het bestond gewoon niet dat hij naar binnen kwam. Ik wist dat ik de hele situatie eenvoudig aan hem had kunnen uitleggen, maar het lukte me gewoon niet. Ik was al zo gespannen om mijn moeder te zien en als ik de hele scheiding weer in detail zou oprakelen, zou het er niet beter op worden.

'Kon je het makkelijk vinden?' vroeg mijn moeder nu aan mij, en ze kneep in mijn hand. 'Het is hier een gekkenhuis.'

'Ja,' zei ik. 'Dave was hier al eens eerder geweest.'

'Daarom probeer ik Mclean steeds uit te leggen dat je niet op het laatste moment zonder kaartje binnen kan komen,' zei Dave, met een blik op iemand links van ons die een bord omhooghield met de tekst: WIE HEEFT NOG TWEE KAARTEN OVER?!!!

Mijn moeder keek naar Dave en toen weer naar mij. 'Wat bedoel je?'

Ik slikte en haalde diep adem. 'Dave is gewoon een beetje bezorgd of hij echt wel naar binnen kan.'

'Naar binnen?' herhaalde mijn moeder.

'Naar de wedstrijd.'

Ze leek in de war. 'Ik denk niet dat dat een probleem zal zijn,' zei ze, om zich heen kijkend. 'Even kijken hoe het ervoor staat.'

'Het gaat echt niet gebeuren,' zei Dave tegen haar. 'Maar dat geeft niets. Jullie moeten gewoon maar...'

'Robert?' riep mijn moeder, zwaaiend naar een lange, brede man in een pak die vlakbij stond. Hij had een paar gelamineerde kaarten om zijn nek hangen en hield een walkietalkie in één hand. Toen hij naar ons toe kwam zei ze tegen hem: 'Wij zijn klaar om naar binnen te gaan.'

'Geweldig,' antwoordde hij knikkend. 'Kom maar mee.'

Hij ging op weg en mijn moeder, die nog steeds mijn hand vasthield, volgde hem. Toen ik achteromkeek naar Dave, zag ik dat hij in de war was. 'Wacht,' zei hij. 'Hoe...'

'Ik leg het straks wel uit,' zei ik.

Robert leidde ons door de hoofdingang, waar een heleboel mensen in de rij stonden te wachten, naar een zijdeur. Hij liet een van zijn kaarten zien aan een vrouw in een uniform en zij deed de deur open en gebaarde ons naar binnen te gaan.

'Wilt u eerst naar de viplounge of meteen naar uw plaatsen lopen?' vroeg Robert aan mijn moeder.

'O, ik weet het niet,' zei ze, mij aankijkend. 'Wat vind jij, Mclean? De wedstrijd begint over twintig minuten.'

'Mij lijkt het goed om naar de plaatsen te gaan,' zei ik.

'Perfect.' Ze kneep me weer in mijn hand. 'De tweeling zit er al met hun oppassen. Ze zullen zo blij zijn om je te zien!'

Vanuit mijn ooghoek zag ik dat Dave me nog een verbaasde blik toewierp, maar ik bleef recht voor me uit kijken toen we door de gang liepen en in het stadion zelf kwamen. Meer dan de helft van de plaatsen was al bezet, het dweilorkest speelde en op de beeldschermen was een tekenfilm met een dansende adelaar te zien, de mascotte van het u-team. Al die herrie vulde mijn oren. Ik dacht aan mijn vader en aan alle wedstrijden die ik als kind met hem had gezien, samen op de allerhoogste plekken in het stadion, waar we de longen uit ons lijf schreeuwden.

Ik voelde een klopje op mijn schouder. Ik draaide me om en zag Dave ongelovig om zich heen kijken. We liepen steeds verder de trappen af naar beneden en kwamen steeds dichter bij het basketbalveld. 'Hou jij soms dingen voor je?' vroeg hij.

'Eh... een beetje wel,' antwoordde ik toen we een rij sportverslaggevers en cameramannen voorbijliepen.

'Een beetje wel?' zei hij.

'Daar is ze dan!' zei mijn moeder toen we bij de derde rij waren aangekomen, waar GERESERVEERD stond. Ze stak mijn hand omhoog als bewijs en zwaaide ermee naar de tweeling, die op schoot zat bij twee studentes. De ene had rood haar en een rij oorbellen in haar oor en de andere was een lange brunette. 'Kijk, Maddie en Connor! Jullie grote zus!'

Allebei de kinderen droegen een Defriese T-shirt en ze begonnen te stralen toen ze mijn moeder zagen. Ik werd straal genegeerd. Niet dat ik hun dat kwalijk nam. Ondanks mijn moeders pogingen om de dingen anders voor te spiegelen, hadden ze geen idee wie ik was.

'Dit zijn Virginia en Krysta,' ging mijn moeder verder, gebarend naar de meisjes, die naar ons lachten toen we langs hen heen naar onze plaatsen liepen. 'Dit zijn mijn dochter Mclean en haar vriend David.'

'Dave,' zei ik.

'O, sorry!' Mijn moeder draaide zich half om en legde de hand waarmee ze de mijne had vastgeklampt op zijn schouder. Dave stond daar maar verbijsterd naar het basketbalveld te kijken. 'Dave. Dit is Dave. Kom, laten we gaan zitten.'

Mijn moeder nam plaats naast Krysta en nam Maddie van haar over, die een beetje aan het zeuren was, maar zich toen lekker op haar schoot nestelde. Ik ging naast haar zitten en wachtte op Dave, die verdwaasd langs de rij liep en uiteindelijk naast mij neerplofte.

'Is dit niet gezellig?' vroeg mijn moeder, terwijl ze Maddie op haar schoot wiegde. Ze leunde tegen mijn schouder en zei: 'Het is fantastisch om allemaal bij elkaar te zijn.'

'Dames en heren!' donderde een stem door de luidsprekers. De menigte om ons heen juichte en het geluid golfde van boven naar beneden en weer terug. 'Ik verzoek u de University Eagles welkom te heten!'

Dave zat met grote ogen om zich heen te kijken terwijl het team rechts van ons uit de tunnel kwam rennen. Het orkest speelde en de vloer schudde omdat iedereen naast en boven ons met zijn voeten stampte. Ondanks mijn gemengde gevoelens voelde ik toch dezelfde opwinding door de liefde voor het spel die er al als klein kind bij mij zat ingebakken. Het was als de band die ik met mijn moeder had, die ondanks alles toch onmiskenbaar was.

'Oké,' zei – of liever: schreeuwde – Dave in mijn oor toen de mensen om ons heen oorverdovend applaudisseerden en juichten. 'Wie ben jij eigenlijk?'

Het was niet de eerste keer dat ik niet wist hoe ik moest reageren. Ik had de afgelopen jaren zelfs veel moeite gedaan om elke keer met een ander antwoord te komen. Eliza, Lizbet, Beth... een heleboel verschillende meisjes. In deze menigte, met mijn moeder aan de ene kant en een jongen die ik nauwelijks kende aan de andere, was ik hen geen van allen. Voor ik antwoord kon geven kwam iedereen op dat moment gelukkig overeind, omdat de spelers het veld op renden. Ik wist dat alles wat ik zou zeggen verloren zou gaan in het rumoer. En misschien wel juist omdat niemand me kon horen gaf ik toch maar antwoord. 'Ik weet het niet,' zei ik. 'Ik weet het niet.'

Defriese verloor; het werd 79-68. Niet dat ik er echt met mijn hoofd bij was. Ik had het er te druk mee mezelf te verdedigen.

'Ziezo,' zei mijn moeder terwijl ze in mijn hand kneep. 'Vertel eens wat over Dave.'

Het was na de wedstrijd en we zaten in een apart eetzaaltje in een plaatselijk restaurant, waar Peter en zij hadden gereserveerd voor het diner. Het heette Boeuf en het was een heel groot, donker restaurant met zware fluwelen gordijnen en een brandende open haard. Aan de muren hingen verschillende strijdwapens: glimmende zeisen, zwaarden van verschillende grootte, zelfs iets wat leek op een kleine stormram. Ik werd er ongemakkelijk van, omdat het leek alsof we elk moment konden worden aangevallen en we dan het decor zouden moeten gebruiken om ons te verdedigen.

'We zijn buren,' vertelde ik mijn moeder terwijl de ober dikke in leer gebonden menu's voor onze neus op tafel legde. Dave, die ook was uitgenodigd om mee naar het restaurant te gaan, was even naar de wc gelopen. Peter zat te bellen. De tweeling zat aan het andere eind van de tafel in kinderstoelen te giechelen, terwijl de oppassen hen voerden. Niet dat ik er veel van kon zien. Het was er zo donker dat het niet iets met de ambiance te maken leek te hebben, maar eerder een verduisteringsactie was.

'Alleen buren?' vroeg ze.

Haar voortdurende nadruk op bepaalde woorden was meer dan ergerlijk, maar ik beet op mijn tong. Ik had aan het begin van de wedstrijd maar besloten om al mijn verdraagzaamheid in te zetten, toen ze mijn hand nog steeds niet had losgelaten en in sneltreinvaart vragen op me af bleef vuren over school en mijn vrienden. De enige andere optie was om haar af te snauwen, maar omdat we twee rijen achter Peter en zijn assistent-trainers zaten, zouden alle sportfans van Amerika dan live op televisie kunnen meegenieten van onze spanningen. Alles was al te veel in de openbaarheid gekomen. Ik zou er niet dood van gaan om twee uur lang kalm te blijven. Hoopte ik.

Ik zou dat hele televisiegebeuren misschien hebben vergeten als Dave niet om de tien seconden werd gebeld door vrienden die hem op de televisie hadden gezien. Niet dat hij er iets van merkte, want hij ging helemaal op in de wedstrijd, waar hij met open mond naar keek, nog steeds verbijsterd over de plek waar hij zat.

Terwijl hij zijn blik onafgebroken op de acties op het basketbalveld gericht hield, gluurde ik naar het scherm van zijn mobiel. KRIJG NOU WAT! luidde het eerste bericht van Ellis, gevolgd door GOZER! en nog een paar andere berichten in dezelfde trant van vrienden die ik niet kende. Toen weer een signaal van nog een bericht. LEKKERE CHARMEUR! Het was van Riley.

'Je telefoon gaat,' liet ik hem weten.

Hij keek mij aan en blikte toen naar zijn mobiel, waarna hij snel weer naar het veld keek. 'Dat kan wel even wachten,' zei hij. 'Ik snap er gewoon niets van dat jij niet kijkt.'

'Ik kijk wel,' zei ik. 'Het is een goede wedstrijd.'

'Het is een geweldige wedstrijd, vanuit... tja... de allerbeste plek ter wereld,' corrigeerde hij me. 'Ik kan nog steeds niet geloven dat jij basketbalroyalty bent en dat je daar zo geheimzinnig over deed.'

'Ik ben geen basketbalroyalty,' zei ik. 'Maar wat is dat eigenlijk?'

'Peter Hamilton is je stiefvader!'

'Stiefvader, ja,' herhaalde ik, harder dan ik had moeten doen. Ik schraapte mijn keel. 'Stiefvader,' zei ik weer.

Nu had ik zijn aandacht. Hij keek mij aan en wierp daarna een blik op mijn moeder en de tweeling. 'Juist,' zei hij langzaam. Toen keek hij mij aan met een blik waardoor ik me een beetje vreemd en kwetsbaar voelde, alsof ik meer had gezegd dan ik had gedaan. 'Maar bedankt voor de uitnodiging. Ik meen het.'

'Geen dank.' Hij bleef me maar aankijken en daarom wees ik naar het veld. 'Hállo? Ik snap gewoon niet dat je niet kijkt.'

Dave lachte en richtte zich weer op de wedstrijd, terwijl opnieuw zijn telefoon ging. Deze keer keek ik er niet naar en concentreerde ik me op de spelers, die in een waas langsrenden. De bal suisde tussen hen door.

Nu, in Boeuf, hield ik mezelf voor dat ik geduldig moest blijven. Ik was met een jongen komen aanzetten en het was logisch dat mijn moeder dingen veronderstelde. 'Alleen buren,' zei ik tegen haar. 'Hij woont naast ons.'

'Hij lijkt me erg aardig,' zei ze. 'En ook slim.'

'Hij heeft maar zo'n twee woorden met je gewisseld,' merkte ik op, precies op het moment dat een van de tweeling uit protest een keel opzette.

'Wat?' zei ze, en ze kwam wat dichterbij met haar hand achter haar oor.

'Niks.'

Dave kwam al terug naar onze tafel. Hij botste tegen mijn rugleuning op en ik schoot opzij. 'Sorry,' zei hij, terwijl hij op de tast zijn stoel vond en ging zitten. 'Het is hier gewoon vreselijk donker. Ik liep een andere eetzaal binnen en ging aan een tafel vol vreemden zitten.'

'Oeps.'

'Vertel mij wat. Maar ik geloof dat ze me niet hebben gezien.' Hij pakte de menukaart op en mijn moeder lachte naar mij, alsof ik in zijn afwezigheid iets aan haar had bekend. Tegen haar zei hij: 'Nogmaals bedankt voor het kaartje. De wedstrijd was ongelofelijk.'

'Ik ben blij dat je het leuk vond,' antwoordde ze. Ze keek naar Peter, die nog steeds aan de telefoon hing, en toen zei ze tegen mij: 'Hij is zo meteen wel klaar met al die persmensen. Dan kan je ons vertellen hoe het met je gaat.'

'Er valt niet veel te vertellen,' zei ik, terwijl ik bladzijde na bladzijde van de wijnkaart omsloeg in een poging het eten op de kaart te vinden. Ik hoorde in gedachten de stem van mijn vader, die hier ook kritiek op zou hebben. Als je maar lang genoeg met iemand bent die restaurants uit het slop trekt, begin je vanzelf ook zo te denken. 'Ik ben vooral met school bezig.'

'En gaat het goed met je vader?' vroeg ze op een opgewekte en beleefde toon.

Ik knikte, net zo beleefd. 'Hij maakt het goed.'

Mijn moeder lachte om de een of andere reden naar Dave en toen nam ze een slokje van haar wijn. 'Maar wat nog meer? Je doet vast nog wel iets naast school.'

Er viel een stilte en daarom konden we Peter des te beter horen, die het had over een sterke aanval. Ik voelde dat mijn moeder me aankeek en zat te wachten op nog iets wat ze kon meepakken en koesteren. Maar ik had niets anders meer met haar te delen. Ik vond dat ik haar al mijn tijd had gegeven, en een vriend. Dat moest wel weer genoeg zijn.

Maar opeens schraapte Dave zijn keel en zei: 'Nou, we werken aan een maquette.'

Mijn moeder knipperde met haar ogen en toen keek ze me aan. 'Een maquette?' vroeg ze. 'Van wat?'

Ik had zin om Dave onder tafel een schop te geven, maar kon hem niet goed genoeg zien om contact met hem te maken. In plaats daarvan keek ik in zijn richting, al had hij dat niet in de gaten. 'Het is een maquette van het centrum van de stad en het gebied eromheen,' zei hij tegen mijn moeder, terwijl de ober onze waterglazen vulde. 'Voor het honderdjarig bestaan. Ze maken hem op de zolder van de Luna Blu.'

Ik voelde mijn moeder staren en zei: 'Paps restaurant.'

'Aha,' zei mijn moeder. Ze keek me nog steeds aan alsof ze verwachtte dat ik hier iets zinnigs op zou zeggen. Dat deed ik niet en daarom zei zij: 'Dat klinkt interessant. Hoe ben je daar zo toe gekomen?'

Ik wist zeker dat die vraag voor mij was bedoeld, maar reageerde niet. Dus nadat Dave een broodje en een stukje boter had gepakt, gaf hij haar antwoord: 'Om eerlijk te zijn was het in mijn geval een kwestie van moeten.'

'Een kwestie van moeten,' herhaalde mijn moeder.

'Een taakstraf,' zei hij. 'Ik ben een paar maanden geleden in de problemen gekomen en daarom moet ik een paar uur een taakstraf doen.'

Ik voelde dat mijn moeder hiervan schrok. 'O,' zei ze met haar blik op Peter, die nog steeds zat te bellen. 'Tja.'

'Hij is gepakt op een feestje met drank in zijn hand,' legde ik haar uit.

'Het was stom,' gaf Dave toe. 'Toen de politie opdook, nam iedereen de benen. Ze zeiden dat we moesten blijven staan waar we stonden en ik volg meestal bevelen op. Best wel ironisch, toch?'

'Eh... ja,' zei mijn moeder, weer naar mij kijkend. 'Best wel.'

'Om eerlijk te zijn,' zei hij, zijn keel schrapend, 'was dat vrijwilligerswerk helemaal niet zo erg. Het blijkt nu dat mijn ouders veel strenger zijn dan de rechtbank. Ik heb sinds dat hele gebeuren min of meer huisarrest van ze gekregen.'

'Ik denk dan ook dat ze er erg van geschrokken zijn,' zei mijn moeder. 'Opvoeden is vaak heel moeilijk.'

'Iemands kind zijn ook,' zei ik.

Iedereen keek mij aan. Toen stak mijn moeder haar hand uit naar haar waterglas; ze keek strak terwijl ze een slokje nam. Typerend: Dave biecht spontaan op dat hij is gearresteerd en uiteindelijk ben ík weer de slechterik.

'Hoe dan ook,' zei hij, mij aankijkend, 'ik heb de helft van mijn uren in een dierenasiel gewerkt, waar ik de kooien schoonmaakte. Maar door de bezuinigingen moesten ze vroeger in de middag dicht. En daarom ben ik nu de maquette aan het maken met Mclean.'

'De maquette,' zei Peter, die zich in het gesprek mengde. De ober bracht hem zijn wijn en nam veel te lang de tijd om zijn lege glas mee te nemen en het servet eronder weer te schikken. 'Een maquette van wat?'

Rechts van me wilde Dave antwoorden en aan de andere kant van mijn moeder zat Peter op het antwoord te wachten, maar tussen Dave en Peter in had mijn moeder een uitdrukking op haar gezicht alsof ik de ergste dochter ter wereld was. Ik voelde de hele recente geschiedenis in me kolken terwijl ik me probeerde te herinneren hoe het vroeger was geweest, toen we nog gewoon onszelf waren en alles veel eenvoudiger was. Maar het lukte me niet. Ik wist alleen dat ze weer gekwetst was en dat het mijn schuld was. En daarom deed ik wat ik altijd deed: ik deed alsof.

'Het is een maquette van de stad,' flapte ik er plotseling

uit. 'Ik zou er eigenlijk niet eens aan meedoen. Maar Opal – die werkt in het restaurant – had echt hulp nodig en daarom heb ik toch maar mijn steentje bijgedragen.'

'O,' zei mijn moeder, 'dat klinkt wel als een nuttige manier om je tijd te besteden.'

'Het is een gigantisch project,' ging ik verder. 'Duizenden stukjes. Ik weet niet of het haar lukt om het op tijd af te krijgen. Het moet in mei klaar zijn.'

'Het is belangrijk om een doel te hebben,' zei Peter. 'Zelfs een onbereikbaar doel kan heel motiverend werken.'

Dit was, kort gezegd, mijn stiefvader ten voeten uit. Ik was ervan overtuigd dat als hij ooit geen sporttrainer meer zou zijn, er wel ergens een hulpbehoevende groep te vinden was die hij aan meer zelfvertrouwen zou kunnen helpen.

'Nou, in dat geval,' zei Dave, 'is het mijn doel om zonder verdere toestanden mijn eindexamen te halen.'

'Je mikt wel hoog,' zei ik.

'Daar zeg je wat.'

Hij lachte. Ik lachte terug en voelde mijn moeder naar me kijken. Ik zag er in haar ogen vast uit als een vreemde, besefte ik. In een stad die ze niet kenden, met mensen die ze nog nooit had ontmoet, terwijl we allebei waadden door een onzekere wereld die zich bevond tussen hoe we ooit waren en hoe we misschien zouden worden. Net als toen ik eerder van een afstandje naar haar had gekeken, werd ik ook nu onverwacht verdrietig van deze gedachte. Maar toen ik me naar haar toe wilde keren, keek ze al weg en zei ze iets tegen een van de oppassen.

'Dat was een zware wedstrijd,' zei ik toen maar tegen Peter. 'Jullie speelden heel agressief.'

'Niet agressief genoeg,' zei hij. Toen voegde hij er met gedempte stem aan toe: 'Bedankt dat je bent gekomen. Dat heeft je moeder heel gelukkig gemaakt.'

'Wat zei je?' vroeg mijn moeder, die haar aandacht weer op ons richtte.

'Ik zei net tegen Mclean dat we heel blij zijn dat het strandhuis eindelijk klaar is,' antwoordde hij vlotjes. 'En dat ze er een keer moet langskomen. Colby is echt prachtig in deze tijd van het jaar.'

'Ik ken Colby niet zo goed,' zei ik. 'Wij gingen altijd naar North Reddemane.'

'O, er is niets meer te doen in North Reddemane,' zei Peter tegen mij. 'Alleen nog een paar winkels die op hun laatste benen lopen en een aantal slooppanden.'

Ik dacht aan het Poseidon met de muffe schimmellucht en de verkleurde spreien, en ik keek naar mijn moeder en vroeg me af of zij het zich nog herinnerde. Maar ze lachte alleen naar hem. 'Het was er vroeger heel leuk,' zei ik.

'Dingen veranderen,' zei Peter, en met zijn vrije hand sloeg hij de menukaart open. Hij boog voorover en tuurde erop. 'Goeie god,' zei hij, 'ik zie geen steek. Waarom brandt er hier geen licht?'

Niemand gaf antwoord en we probeerden allemaal onze eigen menukaart te bestuderen in het schaarse licht van de kaars die midden op tafel stond. Als er iemand langs was gelopen en naar binnen had gekeken, wat zou die dan van ons gedacht hebben? Hoe deze groep mensen overkwam – familie van elkaar of niet – samen rondtastend in het donker.

'Wauw,' zei Dave. 'Die was hard.'

Ik keerde me naar hem toe, terwijl de afstand tussen de achterlichten van Peters suv en ons steeds groter werd. 'Wat bedoel je?'

'Die zucht van je,' zei hij. 'Ik meen het. Hij was bijna oorverdovend.'

'O,' zei ik. De achterlichten gingen nu over de kleine hobbel en ze waren vlak bij de hoofdweg. De richtingaanwijzer ging al aan. Over een paar minuten zouden ze op de snelweg zitten. 'Het spijt me.'

'Dat hoef je niet te zeggen,' zei hij. 'Het viel me gewoon op. Gaat het wel met je?'

Ik had nu al uren bij alles wat ik deed en zei nagedacht. Ik had er eerlijk gezegd geen energie meer voor om dat te blijven doen. Dus in plaats van antwoord te geven ging ik alleen maar zitten op de plek waar we stonden, op de stoep tussen onze huizen in, en trok ik mijn knieën tegen mijn borst. Dave kwam naast me zitten en een paar minuten lang luisterden we alleen maar naar de bonkende muziek die achter de gesloten deur van mijn buurman vandaan kwam.

'Ik kan niet goed met mijn moeder overweg,' zei ik na een tijdje. 'Helemaal niet goed. Ik denk... Ik denk soms dat ik haar haat.'

Daar dacht hij over na. Toen zei hij: 'Nou, dat verklaart de spanning.'

'Voelde je daar iets van?'

'Het was moeilijker geweest om het niet te voelen,' antwoordde hij. Hij stak zijn hand uit naar zijn schoen en keek toen naar mij. 'Waar het ook over gaat, ze doet wel heel erg haar best. Echt heel erg.'

'Te erg.'

'Misschien wel.'

'Te erg,' zei ik weer, en deze keer bleef hij stil. Ik haalde adem en voegde eraan toe: 'Zij heeft mijn vader bedrogen. Met Peter. Ze verliet hem, al zwanger, en ging trouwen. Het was een klerezooi.'

Er reed een auto langs, die vaart minderde en toen weer doorreed. Dave zei: 'Dat is wel hard.'

'Ja.' Ik trok mijn knieën dichter tegen me aan. 'Maar dat is het nou net. Jij ziet dat in, net zo makkelijk. Maar zij kan dat niet. Dat heeft ze nooit gekund.'

'Wat een verrassing,' antwoordde hij. 'Terwijl het toch zo voor de hand ligt.'

'Vind je ook niet?' vroeg ik. 'Ik bedoel, als jij begrijpt wat zij verkeerd heeft gedaan, waarom begrijpt zij dat dan niet?'

'Maar dat is niet hetzelfde,' zei hij.

Ik keek hem alleen maar aan, terwijl er nog een auto langsreed. 'Wat bedoel je?'

'Eerst zeg je dat ze niet inziet wat ze heeft gedaan,' antwoordde hij. 'Toch? En dan vraag je je af waarom ze het niet begrijpt. Dat zijn twee verschillende dingen.'

'Is dat zo?'

'Ja, want iets inzien is makkelijk. Iets is gebeurd of niet. Maar iets begrijpen... Daar wordt het lastig.'

'Ziehier de relatie met mijn moeder,' zei ik. 'Heel lastig. Al jaren.'

'Ik snap het,' zei hij.

We zaten een tijdje zwijgend naast elkaar. Hij plukte aan het gras; de sprieten piepten tussen zijn vingers terwijl ik voor me uit staarde. Uiteindelijk vroeg ik: 'Dus jouw ouders flipten toen je was gearresteerd?'

'Flippen is nog zacht uitgedrukt,' zei hij. 'Ze waren in de hoogste staat van paraatheid. Code rood.'

'Dat lijkt me een beetje overdreven.'

'Ze dachten dat ik was losgeslagen,' zei hij.

'Was er meer aan de hand dan dat ene biertje op het feest?'

'Nee, niet,' zei hij. 'Maar ik had daarvoor nog nooit zoiets gedaan. Niet eens iets wat erop leek. Ik was pas een paar weken ervoor voor het eerst naar schoolfeestjes gegaan.'

'Grote veranderingen,' zei ik.

'Precies.' Hij ging achteroverzitten en steunde op zijn handen. 'Volgens hen kwam het allemaal door de Frazier Bakery. Toen ik daar begon te werken is het bergafwaarts met me gegaan.'

Ik keek hem een paar tellen aan. 'Jij bent niet echt een crimineel.'

'Misschien niet, maar je moet mijn ouders begrijpen,' zei hij. 'In hun ogen neem je alleen een bijbaantje als dat je helpt bij je vervolgopleiding. Je gaat je tijd niet verdoen met bosbessen-banaansmoothies maken voor een minimumloon als je in die tijd ook je natuurkunde kunt bijspijkeren. Dat klopt gewoon niet.'

'Bosbessen-banaansmoothies?'

'Dat is een ontbijtsmoothie,' legde hij uit. 'Je zou er eens eentje moeten proberen. Ze zijn erg lekker.'

Ik knikte. 'Maar waarom heb je dat baantje genomen?'

'Het leek me gewoon leuk,' zei hij. 'Ik bedoel, ik heb vanaf mijn tiende mijn moeder in het laboratorium geholpen met onderzoek doen en aantekeningen maken. Dat was interessant, maar ik had niet zoveel gemeen met het personeel daar. Op een dag zat ik in de Frazier Bakery en zag ik dat ze een briefje hadden opgehangen dat ze personeel zochten. Ik heb me aangemeld en ben aangenomen. Net zo makkelijk.'

'Dus dat was het einde van het laboratorium,' zei ik.

'Tja. Er hangen genoeg wonderkinderen rond in dat gebouw. Ik denk dat, behalve mijn moeder, niemand me daar erg miste.' Hij plukte nog steeds aan het gras. 'Hoe dan ook, ik maakte vrienden van mijn eigen leeftijd en deed eens iets anders in het weekend dan lezen en studeren. Dat was allemaal al alarmerend genoeg. Toen vertelde ik hun die zomer ook nog eens dat ik wou overstappen naar Jackson. Ze zeiden dat daar geen sprake van kon zijn en lieten me allerlei statistieken zien van gemiddelde cijfers en de leer-ling-leraarratio...'

'Probeerden ze je met onderzoeken te overtuigen?'

'Ze zijn wetenschappers,' zei hij, alsof daarmee alles was verklaard. 'Uiteindelijk stemden ze ermee in, maar alleen voor een semester, en ook omdat ik al genoeg punten had behaald voor mijn einddiploma.'

'Was dat vorig jaar?'

Hij knikte.

'Kon jij vorig jaar al je diploma gehaald hebben?'

Hij kuchte en zei: 'Eigenlijk had ik alle vakken al in de tweede klas afgerond.'

'Jezusmina,' zei ik. 'Hoe slim ben jij eigenlijk?'

'Wil jij de rest van het verhaal nog horen of niet?'

Ik beet op mijn lip. 'Sorry.'

Hij keek me zogenaamd geïrriteerd aan, waarvan ik in de lach schoot, en toen ging hij verder. 'Ik veranderde dus van school en toen ging ik meer met Riley en Heather om, en ik ging ook mee naar een paar feestjes en zegde mijn na-tuurkundequizclubje vaarwel.'

'Dat klinkt allemaal vrij normaal,' zei ik, 'behalve dat van die natuurkundequizclub.'

'Voor de meeste mensen wel, maar niet voor mij.' Hij schraapte zijn keel. 'Hoor eens, ik ben er niet trots op, maar ik was bijna achttien en ik had nog nooit iets... eh... normaals gedaan. En ineens zat ik op die grote school waar niemand me kende. Ik kon zijn wie ik wilde. En ik wou niet meer dat superserieuze slimme kind zijn.'

Ik zag in een flits alle scholen waar ik op had gezeten voor me, een waas van gangen en gesloten deuren. 'Dat snap ik,' zei ik.

'Ja?'

Ik knikte.

'Het punt is dat ze niet blij met me waren. En toen begon ik dat reisje voor na het eindexamen te plannen, in plaats van naar het Breinkamp te gaan, en dat hielp ook niet echt.'

'Het Breinkamp?'

'Dat is een wiskundezomerkamp waar ik al sinds groep 7 naartoe ga,' legde hij uit. 'Ik zou dit jaar weer als leider meegaan. Maar Ellis, Riley, Heather en ik willen naar Texas rijden. Wat veel minder op leren is gericht.'

Ik lachte. 'Reizen is heel leerzaam.'

'Dat heb ik ook tegen ze gezegd. Maar ze trapten er niet in.' Hij keek weer naar zijn handen. 'Nou, en toen had ik ook nog eens de mazzel dat ik op dat feest met drank werd gepakt. Zo kwam die hele reis op de helling te staan.'

De deur van onze buurman sloeg open en er kwam iemand naar buiten, die naar een van de geparkeerde auto's liep. Hij startte de motor en gaf een paar keer gas, en het geluid vulde de straat. Toen hij wegreed, leek het nog stiller dan ervoor.

'Dus jij gaat niet mee?'

'Ik moet me eerst bewijzen,' zei hij op een formele en stijve toon – duidelijk niet zijn eigen woorden. 'Het vertrouwen terugwinnen. Als zij vinden dat ik op die gebieden vooruitgang heb geboekt, zullen ze er misschien over nadenken.'

'Misschien.'

'Misschien,' zei hij. Hij lachte naar me. 'Er hangt een heleboel af van dat "misschien". Waarschijnlijk te veel.'

'Riley zei dat ze bang zijn,' zei ik uiteindelijk. 'Dat ze bang zijn om je kwijt te raken.'

'Dat snap ik wel,' zei hij, 'maar zijn er maar twee opties? Ben ik een jeugdcrimineel met wie het snel bergafwaarts gaat, of word ik volgens schema een natuurkundige? Hoe kan dat nou?'

'Je hebt een derde optie nodig,' zei ik.

'Of ik moet ten minste de kans krijgen om daarnaar op zoek te gaan,' zei hij. 'En dat is, denk ik, waar ik nu op zit te wachten. Ik loop aan het lijntje, zit mijn tijd uit, hou me aan de regels en probeer erachter te komen wat er hierna komt.'

'Wauw,' zei ik, 'jij bent echt een teleurstelling.'

'Jep,' gaf hij met een uitdrukkingsloos gezicht toe. 'Dat vat ik maar op als een compliment uit de mond van een vreselijke dochter die wreed is tegen haar moeder.'

Ik lachte en trok mijn knieën nog dichter tegen mijn borst. Ik begon de kou ineens te voelen en vroeg me af hoe laat het was.

'Maar even serieus,' zei Dave na een tijdje. 'Ik wou je toch even zeggen dat het er van buitenaf in elk geval uitziet alsof je moeder haar best doet. En soms is dat alles wat je kan doen.'

'Je kiest dus haar kant,' zei ik.

'Ik geloof niet in kanten.' Hij zette zijn handen weer op het gras en leunde achterover. 'Mensen doen om allerlei redenen heel stomme dingen. Je snapt er soms helemaal niks van.'

'Het is ook niet mijn taak om het te begrijpen,' zei ik met een scherpere stem dan ik had bedoeld. 'Ik heb niets gedaan. Ik was gewoon een onschuldige toeschouwer.'

Dave zei niets en keek nog steeds omhoog.

'Ik heb niets gedaan,' zei ik weer, verrast door de brok die plotseling in mijn keel zat. 'Ik heb dit niet verdiend.'

'Nee,' zei hij, 'dat heb je ook niet.'

'Ik hoef helemaal niets te begrijpen.'

'Oké.'

Ik probeerde de brok weg te slikken en knipperde verwoed met mijn ogen. Het was zo'n lange dag geweest en ik was heel moe. Ik wilde dat ik gewoon weg kon gaan, naar binnen kon verdwijnen, maar daar was altijd nog iets anders voor nodig, een weg om van hier naar daar te komen.

Daaraan denkend, keek ik op naar de hemel, koud en helder boven ons hoofd, en ik haalde adem. Eén, dacht ik, op zoek naar het Steelpannetje, terwijl mijn ogen prikten van de tranen. Twee, en ik slikte weer om mezelf te kalmeren terwijl ik Cassiopea ontdekte. Terwijl ik naar een derde zocht, voelde ik dat ik begon te trillen, omdat ik zo ontzettend graag iets wilde vinden daar boven, ergens. Het was koud en mijn blik was wazig, maar toen voelde ik ineens dat Dave zijn arm om mijn schouders sloeg. Hij was warm en dichtbij, en op hetzelfde moment dat ik dat besefte, zag ik de omtrek van Orion. Drie, dacht ik, en toen liet ik mijn hoofd tegen het zijne rusten en deed ik mijn ogen dicht.

8

Toen ik maandagochtend op school kwam, was Riley de eerste die ik zag.

Ze was zelfs de enige die ik zag, omdat ik veel te laat was. Onze verwarming was de vorige avond uitgevallen en doordat ik de verhuurder moest bellen om een monteur te laten komen, had ik de bus gemist. Toen moest ik wachten tot mijn vader klaar was met bellen om me een lift te geven. Hij voerde een gesprek met Chuckles, die in Londen zat. Dus een kwartier nadat het tweede uur was begonnen, was ik eindelijk op school. Ik had nog nat haar en mijn vingers waren ietwat bevroren. Bovendien rammelde ik van de honger, omdat ik alleen een halve banaan bij mijn vader in de auto had gegeten, terwijl hij door de oranje verkeerslichten scheurde omdat hij nu ook zelf laat was.

Ik was halverwege de trap, op weg naar mijn kluisje, toen ik Riley ontdekte, die voor de deur van de studiecoördinator op de radiator zat met haar rugzak aan haar voeten. Ze zat te bellen en sprak zachtjes, met haar hoofd naar beneden, toen ik langs haar liep en de hoek omsloeg. Het enige waar ik aan kon denken was de sms die zij naar Dave had gestuurd – LEKKERE CHARMEUR! – en hoewel er tussen hem en mij niet echt iets was gebeurd, voelde ik me toch een beetje gek. Ik meende wat ik over Dave had gezegd: hij was een aardige jongen, maar ik had geen tijd voor een aardige jongen, of welke jongen dan ook. Maar ik had geen zin om het allemaal nog een keer uit te leggen en daarom ontliep ik haar.

Ik stopte wat boeken in mijn kluisje en toen ik mijn maag hoorde rammelen, begon ik te zoeken naar de energiereep waarvan ik bijna zeker wist dat ik die er de week ervoor in had gestopt. Toen ik hem eindelijk had gevonden, scheurde ik hem meteen open en nam ik een hap. Ik stond daar te kauwen en ving een glimp op van mezelf in de vreselijke SEXY-spiegel met veren en ik besloot ter plekke dat die zijn langste tijd had gehad. Maar toen ik hem eraf wilde rukken, merkte ik dat hij er stevig op geplakt zat. Ik nam nog een hapje van mijn reep, zette mijn nagels onder de rand van de spiegel en kreeg hem een piepklein beetje los.

Verdomme, dacht ik, en ik trok nog een keer. Er gebeurde niets. Ik stopte de rest van de reep in mijn mond en gebruikte toen beide handen om bij de randen onder de veren te komen. Er zat geen beweging in. Ik wilde het net opgeven en mijn hap doorslikken, toen de spiegel ineens losliet. Op dat moment gebeurde er ineens van alles achter elkaar: de hap van mijn energiereep bleef steken in mijn keel, de spiegel kletterde op de grond en de deur van het kluisje zwaaide dicht en sloeg tegen mijn neus.

Ik struikelde achteruit, terwijl ik tegelijkertijd stikte en sterretjes zag, en botste tegen het waterkraantje achter me. Het ging vrolijk en als vertrouwd aan en liet een boog water over mijn elleboog lopen.

'O mijn god!' hoorde ik iemand zeggen. Er waren voetstappen, en doordat ik mijn ogen half dichtkneep van de pijn, zag ik voor me heel vaag iets bewegen. 'Gaat het?'

Ik hoestte, opgelucht dat ik weer kon ademhalen, slikte en stapte bij de waterkraan vandaan om het waterballet te laten stoppen. Nu bleef alleen nog mijn neus over, die prikte alsof erin was geknepen. 'Ik geloof het wel.'

'Dat was echt gestoord.'

Ik deed mijn ogen langzaam open en zag dat het inderdaad Riley was die met een bezorgd gezicht voor me stond. Ik knipperde met mijn ogen en ze kwam iets scherper in beeld.

'Je moet gaan zitten,' zei ze, en ze pakte me bij mijn elleboog. Ik zakte door mijn knieën en liet me via de muur op de grond glijden. 'Dat was een behoorlijke klap. Ik kon het aan de andere kant van de gang horen.'

'Ik weet niet wat er gebeurde,' zei ik.

Ze draaide zich om en stak de korte gang over naar waar de SEXY-spiegel bij mijn kluisje op de grond lag en ze raapte hem op. 'Ik denk dat je dit ding wel de schuld kunt geven. Als je ze eenmaal hebt opgeplakt, kan je ze er volgens mij nooit meer af halen.'

'Dat zeg je me nu.' Ik bracht mijn hand voorzichtig naar mijn neus, maar van de lichtste aanraking deed mijn hele gezicht al pijn.

'Kom, laat me eens zien.' Ze kwam op haar hurken voor me zitten en tuurde van dichtbij. 'O, man. Het is wel een grote plek. Kijk.'

Ze hield de spiegel op ooghoogte. En ja hoor: ik had een rode bult midden op mijn neus, die groter leek te worden terwijl ik ernaar keek. Ik wist niet zeker of hij gebroken was, maar het was allesbehalve SEXY.

'Geweldig,' zei ik. 'Dit is precies wat ik vandaag nodig had.'

'Natuurlijk, joh.' Ze lachte en pakte toen mijn rugzak voor me op. 'Kom mee. We gaan een verpleegster zoeken. Die kan er wat ijs op leggen.'

Ik duwde mezelf overeind en voelde dat ze naar me keek. Ik was al een beetje wankel, op die vreemde manier als je uit je evenwicht bent gebracht. Riley nam mijn arm, alsof ze dat aanvoelde, en hield me bij mijn elleboog vast. Haar aanraking was licht, maar toch voelde ik dat ze me stuurde toen we de grote gang insloegen.

Bij de kamer van de verpleegster werden we achter een jongen gezet die moest overgeven (bah) en een lang meisje met koorts en felrode wangen. Ik kreeg een zak met diepvrieserwten en er werd me gezegd dat ik moest wachten. Ik ging zo ver mogelijk van de andere patiënten af zitten en drukte de zak tegen mijn neus. Au!

Riley kwam naast me zitten. 'Helpt dat?'

'Heel erg,' zei ik. Vanachter de erwten voegde ik eraan toe: 'Je hoeft niet te blijven. Je hebt vast wel iets beters te doen.'

'Niet echt,' antwoordde ze. Toen ik haar even aankeek omdat ik dat betwijfelde, zei ze snel: 'Ik heb een tussenuur en zou eigenlijk in het wiskundelokaal of de mediatheek moeten zitten, maar niemand controleert dat.'

'Fijn voor je,' zei ik. 'Hoe heb je dat voor elkaar gekregen?'

Ze haalde haar schouders op en sloeg haar ene been over het andere. 'Het zal wel komen doordat ik er eerlijk uitzie.'

Ik wilde weer voorzichtig mijn neus aanraken. Die was nu een beetje verdoofd, maar de bult was groter. Geweldig. Aan de andere kant van het vertrek zag ik de jongen die moest overgeven een beetje groen worden. Ik drukte de erwten weer tegen mijn neus.

'Zo,' zei Riley, terwijl de verpleegster langsliep om het meisje met koorts op te halen en haar naar de behandelkamer te brengen, 'jij en Dave?'

Ik slikte. Tja, dit kwam niet echt als een verrassing. 'Het stelde eigenlijk niets voor. We zijn gewoon naar de wedstrijd gegaan.'

'Dat heb ik gezien.' Ik keek haar aan. 'Mijn vader is een grote U-fan. Bij ons thuis is naar de wedstrijd kijken een grote gebeurtenis.'

'Zo was mijn vader ook,' zei ik, 'maar dan voor Defriese.'

'Nu zeker niet meer zo?'

Ik liet de erwten zakken. De uitdrukking op haar gezicht was meelevend, niet plagerig.

'Nee, nu niet meer zo,' antwoordde ik.

We waren allebei een tijdje stil. Toen zei ze: 'Het spijt me als ik je de vorige keer in verlegenheid heb gebracht. Toen we bij jou voor de deur met elkaar spraken.'

'Maar dat heb je niet gedaan,' zei ik.

'Alleen...' Ze keek omlaag naar haar handen, en spreidde haar vingers en legde ze op haar knieën. 'Dave brengt alleen mijn overbeschermende kant naar boven. Ik wil niet dat hij wordt gekwetst, snap je?'

'Hij heeft me verteld dat hij alleen met jou bevriend was toen hij hier op school kwam.'

'Zo ongeveer wel, ja. Hij leerde Ellis op de eerste dag bij het mentoruur kennen, maar wij tweeën vormden zijn hele vriendenkring. Daarbij kwam hij van Kiffney-Brown, wat bijna een andere planeet is. Ik bedoel, zijn beste vriend daar was dertien.'

'Bedoel je Gerv de Perv?'

'Heeft hij je over hem verteld? God, die knul is een nachtmerrie. Ik bedoel, hij is superslim en alles, maar op een gegeven moment heb je wel genoeg snotgrappen gehoord.' Ze rolde met haar ogen. 'Maar eerlijk gezegd was ik ook niet echt veel beter voor hem. Door mij is hij naar feestjes gegaan en al die andere dingen gaan doen die hem in conflict brachten met zijn ouders. Hij zou beter af zijn geweest als hij alleen met Ellis was omgegaan.'

'Zijn Ellis en jij niet bevriend?'

'Nu wel,' zei ze, 'maar meer omdat Dave een gezamenlijke vriend is. Ellis is een goeie vent, weet je. Hij voetbalt en is betrokken bij een aantal schoolactiviteiten. Hij doet zelfs die verdomde televisieberichten. Hij is duidelijk een betere keus dan ik voor hem ben.'

'Dat weet ik nog zo net niet,' zei ik. 'Jij lijkt me een heel goeie vriendin.'

'Echt?'

Ik knikte en zij glimlachte.

'Ik doe mijn best. Maar het is ook op een bepaalde manier egoïstisch. Ik heb een rare tic om voor iedereen te zorgen, niet alleen voor Dave. Dat maakt het ingewikkeld.'

Ik verplaatste de erwten. 'Maar eenvoud heeft ook zijn nadelen.'

'Hoe bedoel je?'

'Ik weet het niet,' zei ik. 'Ik verhuis nogal vaak. Dus het is moeilijk om mensen echt te leren kennen. Het is misschien makkelijker, maar ook wel eenzaam.'

Ik wist niet waarom ik zo eerlijk was. Misschien vanwege de tik op mijn hoofd. Riley draaide zich naar me toe en keek me aan. 'Denk je dat je hier nog een tijdje blijft?'

'Geen idee,' antwoordde ik.

'Hè? Meen je dat?'

Ze keek weer voor zich uit.

Ik zei: 'Hoezo?'

'Nou, hier is dat niet zo, dat je geen vrienden hebt gemaakt.'

'Echt niet?'

Ze keek naar de jongen met het groene gezicht tegenover ons. 'Mclean,' zei ze, 'ik zit hier in mijn vrije uur bij jou, in de verpleegkamer. Dat betekent dat we vrienden zijn.'

'Maar jij bent gewoon aardig,' zei ik.

'Net zoals jij aardig voor mij was, die avond dat ik in mijn auto zat,' antwoordde ze. 'En je hebt Dave meegenomen naar de wedstrijd. Je hebt Deb uitgenodigd om in een kringetje te komen zitten, en geloof me, dat heeft bij mijn weten nog nooit iemand gedaan. En je hebt Heather nog geen klap voor haar kop gegeven, en dat is ook noemenswaardig.'

'Dat is echt niet zo moeilijk, hoor,' zei ik.

'Ja, dat is het wel. Ze is mijn beste vriendin en ik hou van haar, maar soms is ze onuitstaanbaar.' Ze leunde achterover en sloeg haar benen weer over elkaar. 'Geef toe, Mclean. Jij denkt misschien dat je geen banden wilt, maar je gedraagt je daar niet naar.'

'Mclean Sweet?' Ik keek op en zag de verpleegster met een klembord in de deuropening van de behandelkamer staan. 'Kom binnen, dan kijk ik naar die bult.'

Ik stond op en pakte mijn rugzak. 'Bedankt dat je met me mee bent gegaan,' zei ik tegen Riley. 'Dat waardeer ik heel erg.'

'Ik blijf wel tot je klaar bent,' zei ze.

'Dat hoeft niet.'

Ze installeerde zich op haar stoel en haalde haar mobieltje uit haar zak. 'Weet ik.'

Ik volgde de verpleegster naar de andere kamer en ging op de behandeltafel zitten, terwijl zij de deur achter ons dichtdeed. Wat een rare dag, dacht ik toen zij op een kruk met wieltjes bij me kwam zitten en gebaarde dat ik de erwten moest wegleggen. Toen ze vooroverboog om mijn verwonding te bekijken, keek ik door het raam van de deur naar de kamer erachter. Het glas was wazig en dik voor de privacy en je kon geen details zien. Toch zag ik het silhouet van iemand die vlakbij zat te wachten. Op mij.

In de lunchpauze liep ik naar het schoolplein met mijn burrito en flesje water, en ik kreeg sterk de indruk dat mensen naar me staarden. Monden vielen open, liever gezegd. Ik wist dat mijn neus opgezwollen was, maar de aandacht die ik nu trok, al vanaf het moment dat ik het aan de stok had gekregen met mijn kluisje, leek me wat overdreven. Maar misschien was een meisje dat eruitzag alsof ze in een kroeggevecht verzeild was geraakt wel groot nieuws op een rustige maandagochtend.

Riley en Heather waren in geen velden of wegen te bekennen en daarom liep ik naar Deb, die in haar eentje onder haar boom zat. Ze luisterde met haar ogen dicht naar haar iPod.

'Hé', zei ik. Toen ze niet opkeek, stootte ik tegen haar voet en ze maakte een sprongetje van schrik en deed haar ogen open.

'O, Mclean!' zei ze, en ze haalde snel de oordopjes uit haar oren. 'Het is dus echt waar! Ik dacht dat het gewoon een gemene roddel was.'

'Wat?'

'Jij en Riley,' zei ze. Toen ik haar alleen maar aankeek, voegde ze eraan toe: 'Jullie gevecht? Ik hoorde dat ze jou een klap had gegeven, maar ik kon het gewoon niet geloven...'

'Riley heeft me helemaal geen klap gegeven.' Ik keek om me heen op het schoolplein. Een aantal mensen keek doodleuk, zonder hun blik af te wenden, terug. 'Wie heeft dat gezegd?'

'Ik hoorde het op het toilet,' fluisterde ze. 'Iedereen heeft het erover.'

'Jezusmina.' Ik ging zitten en legde mijn burrito naast me op de grond. 'Waarom zou ze me een klap hebben gegeven?'

Deb pakte haar suikervrije cola op en nam een slokje door het rietje. 'Pure jaloezie,' legde ze uit. 'Ze zag jou en Dave Wade op televisie bij die wedstrijd en toen is ze geflipt.'

'Zij en Dave hebben geen verkering,' zei ik tegen haar, en ik haalde mijn burrito uit de verpakking, maar eerlijk gezegd had ik er weinig trek meer in.

'Dat weet ik en jij ook, maar blijkbaar weet de rest van de school dat niet.' Ze streek een plukje haar achter haar oor.

'Je weet hoe het is. De meeste mensen denken dat een jongen en een meisje geen vrienden kunnen zijn. Dat er meer achter zit. Standaard.'

'Misschien wel,' zei ik.

'Maar...' zei ze langzaam terwijl ze mijn gezicht bestudeerde. 'Wat is er dan wel gebeurd?'

'Ik heb mezelf met de deur van mijn kluisje verwond.'

'Au!'

'Vertel mij wat.'

'Maar het ziet er echt niet zo slecht uit, hoor,' zei ze, en ze nam nog een slokje. 'Als dat verhaal over een *catfight* niet de ronde deed, zou het niemand opgevallen zijn.'

Het was tijd om van onderwerp te veranderen. Ik knikte naar haar iPod, die tussen ons in op de grond lag. 'Waar luister je naar?'

'Gewoon een mix die ik heb gemaakt,' zei ze. 'Muziek kalmeert me. Ik merk dat het me helpt om even weg te drijven als het een lange dag is geweest.'

'Dat snap ik,' zei ik. 'Ik zou ook wel iets kalmerends kunnen gebruiken. Mag ik even luisteren?'

'Natuurlijk,' zei ze, 'maar...'

Ik had mijn hand al uitgestoken om haar oordopjes te pakken, die ik in mijn oren stopte, en ik verwachtte de zachte, kalmerende klanken van muziek voor volwassenen te horen. Of misschien een opwekkend musicaldeuntje. In plaats daarvan kreeg ik een orkaan van geluid, gevolgd door een drumsolo.

Ik schrok op en trok een oordopje uit. Het andere zat er nog in en vulde mijn hoofd met het geluid van iemand die onsamenhangend zijn longen uit zijn lijf schreeuwde boven het geluid uit van iets wat op een kettingzaag leek. 'Deb,' sputterde ik terwijl ik de iPod omdraaide en naar het beeldschermpje keek. 'Wat is dit?'

'Gewoon een band waar ik in zat op mijn oude school,' zei ze. 'Ze heten Naugahyde.'

Ik keek haar alleen maar aan. 'Zat jij in een band?'

Ze knikte. 'Een tijdje.'

In mijn oor ging de zanger nog steeds door met luide, rauwe stem. 'Zat jij in déze band?'

'Ja. Het was een kleine school. Er was niet veel keus.' Ze schoof haar haarband recht. 'Ik heb mijn hele leven al drumles, maar ik wou eigenlijk iets samen met anderen doen. Dus toen ik een advertentie zag dat er een drummer werd gezocht, heb ik gereageerd en heb ik meegedaan aan wat sessiewerk.'

'Deb,' zei ik met opgestoken hand. 'Wacht even. Hou je me voor de gek?'

'Hoezo?'

'Nou, eh... jij ziet er niet echt uit als een speedmetaldrummer.'

'Omdat ik dat ook niet ben,' zei ze.

'O nee?'

'Ik bedoel, ik zou mezelf niet zo noemen. Ik ben goed in allerlei genres.' Ze stak haar hand in haar tas, haalde er een pakje kauwgom uit en bood er mij een aan. Toen ik het afsloeg, stopte ze het weer terug, ritste de tas dicht en keek me aan. 'Maar ik hou wel van dat snelle werk, alleen al omdat het leuker is om te spelen.'

Ik deed mijn mond open, nog steeds in schok, maar er kwamen geen woorden uit.

Voor ik iets kon bedenken, zat Dave ineens naast me. 'Hé,' zei hij, en hij liet zijn rugzak van zijn schouders glijden. 'Hoe gaat het hier?'

Ik wendde me tot hem. 'Deb,' zei ik, 'is een drummer.'

'Holy shit!' zei hij.

'Ja!' zei ik. 'Is dat niet te gek? Ik bedoel...'

'Wat is er met je gezicht gebeurd?' vroeg hij.

En het zou niemand opvallen? 'Riley heeft me een klap gegeven,' zei ik tegen hem.

'Wát heeft ze gedaan?'

'Dat is het gerucht,' zei ik, en ik pakte mijn flesje water. 'Volgens Deb, althans.

'Ik hoorde het op de wc,' legde Deb uit.

Dave keek haar aan en blikte toen naar mij. 'Wauw,' zei hij, en hij kwam dichterbij. 'Ze heeft je wel goed geraakt.'

Nu keek ik hem aan. 'Geloof je echt dat ze dat zou doen?'

'Bij jou?' vroeg hij. 'Nee. Maar ze heeft wel sterke armen. Dat weet ik uit ervaring. Waar ging die klap zogenaamd over?'

Ik keek naar Deb, die snel iets begon te zoeken in haar tas. Uiteindelijk zei ik: 'Het was blijkbaar omdat ze jaloers was omdat ze ons samen op de televisie had gezien.'

'Aha,' zei hij knikkend. 'Juist. Een jaloerse woedeaanval.' Hij stak voorzichtig zijn hand op en raakte mijn wang aan. Vanuit mijn ooghoek zag ik dat Deb met grote ogen toe-keek. 'Wat is er echt gebeurd?'

'Ik ben aangevallen door de deur van mijn kluisje.'

'Dat soort dingen gebeurt.' Hij liet zijn hand zakken. 'Heb je ijs nodig of zoiets?'

'Dat heb ik al van de verpleegster gekregen,' zei ik tegen hem. 'Maar bedankt.'

'Dat is het minste wat ik kan doen,' zei hij. 'Omdat ik er zogenaamd de oorzaak van was.'

Ik lachte. 'Jij maakt er grapjes over, maar de rest van de school gelooft het echt. Kijk maar om je heen.'

Dave draaide zich om en keek het schoolplein rond. Sinds hij bij ons was komen zitten, hadden we nog meer toeschouwers gekregen. 'Wauw,' zei hij, weer kijkend naar mij. 'Je hebt helemaal gelijk.'

'Mensen vinden een driehoeksverhouding onweerstaanbaar,' zei Deb.

'Zou je dit zo noemen?' vroeg Dave. Hij zei het tegen haar, maar keek mij recht aan, en ik voelde dat ik een kleur kreeg.

'Nee,' zei ik.

Hij haalde zijn schouders op. 'Jammer. Ik heb altijd al een hoofdrol willen spelen in zoiets.'

'Echt niet,' zei Deb hoofdschuddend tegen hem. 'Dat is geen pretje, dat kan ik je wel vertellen.'

Ik proestte en Dave schoot daardoor ook in de lach. Deb keek ons alleen maar aan omdat ze de grap niet vatte. 'Deb,' zei ik, 'is er iets waar jij géén ervaring mee hebt?'

'Hoe bedoel je?' vroeg ze.

'Nou, gewoon...' Ik wendde me tot Dave voor hulp, maar die gaf hij me natuurlijk niet. 'Je bent een expert op het gebied van tatoeages. Je drumt en nu heb je ook nog in een driehoeksverhouding gezeten.'

'Eén keertje maar,' antwoordde ze. Toen zuchtte ze. 'Maar één keer was meer dan genoeg.'

Dave lachte en toen keek hij mij weer aan, en er ging een siddering door me heen. Als een flakkerend vlammetje. Nee, dacht ik snel. Ik blijf hier niet lang, hij is niet mijn type.

'Zeg, Deb,' zei Dave. 'Kom je vanmiddag naar de Luna Blu om mee te helpen met ons maquetteproject?'

'Het is helemaal niet ons project,' zei ik. 'Ik was er die dag alleen maar om Opal te helpen. Het is alleen voor jeugdcriminelen.'

'Niet waar,' sprak hij me tegen. 'Het is een vrijwilligersproject voor iedereen die ernaar snakt om de gemeenschap te dienen.'

'Ernaar snakken?' vroeg ik.

'Ik ben dol op vrijwilligerswerk!' riep Deb uit. 'Mag echt iedereen meedoen?'

'Jep,' zei Dave tegen haar. 'En luister maar niet naar Mclean. Zij is zo'n beetje de drijvende kracht van dit project.'

'Dat klinkt echt leuk! Ik ben dol op groepsprojecten,' zei Deb.

'Dan moet je een keer langskomen. We werken eraan van vier tot zes,' zei Dave.

'Praat je ook namens mij?' vroeg ik aan hem. 'Want ik zal er niet zijn.'

'O nee?' vroeg hij. We keken elkaar even aan. Toen zei hij: 'We zullen het zien.'

Deb keek met een vragend gezicht van mij naar hem. Maar voor ik iets kon zeggen, ging de bel. Het geluid galmde over het schoolplein en rinkelde in mijn oren. Ze sprong op, greep naar haar tas, maar hield haar blik nog steeds op Dave gericht. Ze keek gefascineerd toe terwijl hij ook ging staan, zich omdraaide en naar mij keek.

'Je had die klap voor mij echt niet hoeven opvangen, hoor,' zei hij. 'Ik ben een lover, geen vechter.'

'Je bent gestoord!' zei ik.

Hij stak zijn hand uit. 'Kom op, vechtersbaas. Loop met me mee. Dat is toch wat je het liefst wilt?'

Dat klopte. Het gekke was dat ik ondanks al mijn ervaring wist dat het een vergissing was, dat hij anders was dan al die anderen. Maar hoe hij dat wist, daar had ik geen idee van. Dus ik stond op en liep met hem mee.

Toen ik die middag thuiskwam, zaten mijn vaders sleutels in de deur. Ik trok ze eruit, duwde de deur open en hoorde stemmen.

'Hou op. Ik meen het. Het is niet grappig meer.'

'Je hebt gelijk.' Stilte. 'Het is gewoon zielig.'

Gegiechel. Toen: 'Luister, als we al het personeel met een

puntensysteem beoordelen, de evaluaties toepassen zoals we dat hebben besproken en daarop verdergaan, dan...'

'... is dat de officiële cijfermatige bevestiging dat wij het slechtste personeel van de hele stad hebben.'

Ik hoorde geproest en toen bulderend gelach. Tegen de tijd dat ik bij de keukendeur stond en mijn vader en Opal zag zitten aan de tafel, met daarop een stel papieren, lagen zij in een deuk.

'Wat zijn jullie aan het doen?' vroeg ik.

Opal pakte een servet van het aanrecht, bette haar ogen en deed haar mond open om antwoord te geven. Maar voor ze dat kon doen, barstte ze weer in lachen uit en wapperde ze met haar hand voor haar gezicht. Mijn vader, die tegenover haar zat, stamelde iets.

'Het hoofdkantoor,' hijgde Opal uiteindelijk, 'wil dat wij beslissen wie onze zwakste schakels zijn.'

'En het antwoord is,' voegde mijn vader er snuivend aan toe, 'iedereen.'

Ze barstten allebei weer in lachen uit, alsof dit de grootste grap aller tijden was. Opal liet met schokkende schouders haar hoofd in haar handen rusten, terwijl mijn vader achteroverleunde en op adem probeerde te komen.

'Ik snap het niet,' zei ik.

'Dat komt,' zei mijn vader proestend, 'omdat jij er niet al vier uur mee bezig bent geweest.'

'Vier uur!' zei Opal, en ze sloeg met haar hand op de tafel. 'En we hebben niets! Nul, nada, niks.'

Mijn vader giechelde weer. Hij klonk als een jong meisje. Ik vroeg: 'Waarom doen jullie dit hier?'

'We kunnen het niet in het restaurant doen,' zei Opal. Ze haalde diep adem. 'Het is een serieuze zaak.'

Mijn vader gooide zijn hoofd naar achteren en proestte het weer uit, waardoor zij ook moest lachen. Ik liep naar de koelkast om iets te drinken te pakken en vroeg me af of we een gaslek hadden of zoiets.

'Oké, oké.' Opal haalde nog eens diep adem. 'Even serieus. Dit is belachelijk. Ik ben zo uitgelaten dat ik scheel zie. We moeten dit afmaken... O mijn god! Mclean, wat is er met je neus gebeurd?'

Ik deed de koelkastdeur dicht en zag dat ze me allebei aanstaarden. Het was waarschijnlijk en profil nog beter te zien. 'Ik heb een aanvaring gehad met mijn kluisje. Maar het gaat alweer.'

'Meen je dat?' vroeg mijn vader toen ik naar hen toe liep en naast hem ging zitten. Hij stak zijn hand uit om de bult aan te raken en ik sidderde. 'Dat ziet er ernstig uit.'

'Het was daarnet nog erger,' zei ik. 'De zwelling is al gestopt.'

'Het lijkt wel alsof iemand je een klap heeft gegeven,' zei mijn vader.

'Dat is niet zo. Gewoon een stomme kettingreactie.' Ik nam een slokje van mijn frisdrank. Hij keek me nog steeds aan. 'Pap, het is oké.'

Aan de andere kant van de tafel lachte Opal naar me. 'Ze is een sterk meisje, Gus. Hou op met tobben.'

Mijn vader trok een gezicht naar haar en keek toen naar de stapel papieren voor hem op tafel en wreef met zijn hand over zijn gezicht. 'Oké, luister. Ik ken Chuckles vrij goed,' zei hij. 'Hij houdt van formules en cijfers, en dat alles netjes op een spreadsheet. Daarom gebruikt hij dit evaluatiesysteem. Het is zo klaar als een klontje.'

'Dat is misschien wel zo, maar dat laat geen ruimte voor de menselijke kant,' zei Opal. 'Ik ben de eerste om toe te geven dat we niet het meest bekwame personeel hebben...'

Ik liet mijn blik vallen op een blocnote die bij zijn elleboog lag. Er stond een lijst met namen op, met elk een cijfer erachter. De kantlijnen waren gevuld met krabbeltjes, aantekeningen en doorhalingen.

'Maar,' voegde ze er snel aan toe, 'ik denk dat onze mensen wel kleur en persoonlijkheid toevoegen aan de Luna Blu-ervaring, die je niet in cijfers kunt uitdrukken.'

Mijn vader keek haar aan. 'Tijdens de lunch vandaag,' zei hij met vlakke stem, 'had Leo een broodje kip gemaakt met yoghurt erop in plaats van zure room.'

Opal beet op haar lip. 'Tja,' zei ze na een tijdje, 'in het Midden-Oosten is yoghurt heel geliefd op een broodje.'

'Maar we zitten niet in het Midden-Oosten.'

'Het is een vergissing!' zei ze met opgestoken handen. 'Mensen maken fouten. Niemand is perfect.'

'Dat is een heel goede insteek op de kleuterschool,' antwoordde mijn vader, 'maar in een restaurant dat winst wil draaien moeten we hoger mikken.'

Ze keek naar haar handen. 'Dus jij vindt dat we Leo moeten ontslaan?'

Mijn vader trok zijn blocnote dichterbij en tuurde erop. 'Als we het volgens de formule van Chuckles doen wel, ja. Gezien deze cijfers moet hij en iedereen die hierop bovenaan staat vertrekken.'

Opal kreunde en schoof haar stoel naar achteren. 'Maar zij zijn geen cijfers. Het zijn mensen. Goeie mensen.'

'Die het verschil tussen yoghurt en zure room niet weten.' Ze rolde met haar ogen en toen voegde hij eraan toe: 'Opal, dit is mijn werk. Als iets of iemand niet voldoet, dan moeten we veranderingen aanbrengen.'

'Net als de broodjes.'

Hij zuchtte. 'Ze waren te duur, kostten te veel tijd om te maken en leverden niets op. Je zou kunnen zeggen dat ze een kostenpost waren.'

'Maar ik vond ze lekker,' zei ze zacht.

'Ik ook.'

Opal keek hem verrast aan. 'Echt?'

'Ja.'

'Ik dacht dat jij van augurken hield?'

Mijn vader schudde zijn hoofd. Ik zei: 'Hij haat augurken. Alle augurken.'

'Maar vooral gefrituurde augurken,' zei hij. Toen Opal hem alleen maar met open mond aanstaarde, voegde hij eraan toe: 'Het gaat niet om mijn persoonlijke smaak, maar om wat het beste is voor het restaurant. Je moet emoties er-buiten laten.'

Ze dacht hier even over na, terwijl ik opstond en mijn glas, dat nu leeg was, in de gootsteen zette. Toen zei ze: 'Ik zal je één ding zeggen: ik zou jouw werk nooit kunnen doen.'

'Wat wil je daarmee zeggen?' vroeg mijn vader.

'Dit,' zei ze, en ze wees op de blocnote die tussen hen in op tafel lag. 'Dat je ergens binnenkomt en honderden ver-anderingen aanbrengt, waarmee je iedereen tegen de haren in strijkt, en dat je mensen ontslaat. Om nog maar te zwij-gen over het feit dat je al die tijd en energie ergens in steekt en dan weer naar het volgende restaurant gaat als je klus is geklaard.'

'Het is gewoon een baan,' verklaarde hij.

'Dat snap ik.' Ze pakte een servet en scheurde de rand eraf. 'Maar hoe kan je er níét bij betrokken raken? Bij het restaurant en iedereen die er werkt?'

Ik zette de kraan uit. Ik wilde zijn antwoord horen.

'Nou,' zei hij na een tijdje, 'dat is ook niet altijd zo mak-kelijk. Maar ik heb jarenlang een eigen restaurant gehad waar ik tot over mijn oren in zat, en dat was ook niet mak-kelijk. Het was zelfs heel moeilijk.'

'Vertel mij wat,' zei Opal. 'Ik hou al van de Luna Blu sinds ik een tiener was. Ik heb mijn hart eraan verpand.'

'En daarom wil je dat het zo goed mogelijk loopt. Ook al betekent dat dat je moeilijke beslissingen moet nemen.'

We waren allemaal even stil. Toen vouwde Opal het servet op en legde het netjes voor zich neer. Ze keek naar mijn vader en zei: 'Ik heb er vreselijk de pest aan als je gelijk hebt.'

'Dat weet ik,' zei hij tegen haar. 'Dat hoor ik wel vaker.'

Ze zuchtte, schoof haar stoel nog verder naar achteren en ging staan. 'Dus als we morgen de bespreking met het hoofdkantoor hebben, geven we hun deze cijfers...'

'... en gaan we van daaruit verder,' zei mijn vader.

Opal pakte haar tas en haar sleutels. 'Ik heb het gevoel dat mijn laatste uur heeft geslagen,' zei ze, en ze sloeg haar sjaal om haar nek. 'Hoe kan ik deze mensen nog recht in de ogen kijken als ik weet dat ze hoogstwaarschijnlijk volgende week ontslagen zijn?'

'Het is niet makkelijk om de baas te zijn,' zei mijn vader.

'Je meent het,' was haar reactie. 'Ik zou willen dat ik een paar broodjes had om mijn verdriet mee te vergeten. Koolhydraten zijn heel goed tegen schuldgevoel.'

'Jemig,' zei mijn vader, 'wanneer hou jij er eens over op?'

Ze lachte en hing haar tas over haar schouder. 'Nooit,' zei ze. 'Dag, Mclean. Beterschap.'

'Bedankt,' zei ik. En toen keken mijn vader en ik toe hoe ze door de huiskamer naar de voordeur liep en hem openduwde. Halverwege de oprit bleef ze even staan en schikte ze haar sjaal. Toen keek ze naar de grijze lucht, rechtte haar schouders en liep verder.

Ik keek naar mijn vader. Hij zei: 'Ze is me er eentje.'

'Dat is iedereen.' Ik maakte het aanrecht schoon, draaide me om en zag dat hij nog steeds Opal zat na te kijken toen zij de straat overstak en de steeg in liep. 'Maar wat denk je? Wordt echt iedereen ontslagen?'

'Geen idee,' antwoordde mijn vader, die de papieren op tafel bijeenraapte. 'Dat hangt van oneindig veel factoren af. Van de aandelen van Chuckles tot zijn humeur. Maar wat zij niet beseft is dat het niet het einde van de wereld is als er mensen worden ontslagen.'

'O nee?'

Hij schudde zijn hoofd. 'Het gebouw zelf is momenteel al meer waard dan het restaurant. Chuckles zou kunnen beslissen om het hele pand te verkopen om in één keer van het hele zaakje af te zijn.'

Ik keek weer naar Opal, die nu nog nauwelijks zichtbaar was. 'Denk je dat hij dat zal doen?'

'Misschien wel. We zullen het morgen zien.'

Ik draaide me weer om naar het aanrecht en droogde mijn handen af aan een stuk keukenrol. Mijn vader liep naar me toe en gaf me een kus boven op mijn hoofd, terwijl hij zijn mobieltje pakte en vervolgens naar de gang liep.

Toen de deur van zijn slaapkamer dichtsloeg, liep ik naar de tafel en keek op de blocnote met de namen en de cijfers erop. Tracey stond op de vierde plek, Leo op de derde. Jason stond negende, wat dat ook te betekenen had. Bestond er maar zoiets als een waterdicht systeem om te weten wie de moeite waard was om te behouden en wie eruit gegooid moest worden. Dat zou het leven stukken makkelijker maken, omdat je er dan voor kon kiezen met wie je een band kreeg en met wie niet.

Later die avond was ik op mijn kamer en probeerde ik wat geschiedenishuiswerk te doen, toen ik iemand op onze keukendeur hoorde kloppen. Ik liep door de donkere gang en zag Dave staan in het licht van de veranda. Hij droeg een spijkerbroek en een geruit overhemd met lange mouwen. Hij hield met pannenlappen een steelpan vast waar de damp vanaf kwam.

'Kippensoep,' zei hij toen ik de deur opendeed. 'Geweldig voor verwondingen na kroeggevechten. Wil je een kommetje?'

Ik deed een stap naar achteren en hij kwam binnen. Hij liep regelrecht op het gasfornuis af en zette de pan neer. 'Kook jij?'

'Vroeger wel vaak,' antwoordde hij. 'Ik wou soms weleens iets anders eten dan wat mijn moeder op het menu zet. Vlees en melkproducten. Maar dat is alweer een tijdje geleden. Ik hoop dat we hier niet dood van gaan.'

Ik pakte twee kommen en twee lepels voor ons. 'Dat is nou niet echt een aanbeveling.'

'Misschien niet, maar bekijk het eens van deze kant,' zei hij, 'je hebt vandaag al een klap in je gezicht gehad, dus wat heb je nog te verliezen?'

'Ik zal het je nog maar een keer zeggen: ik héb geen klap gekregen.' Ik ging aan de tafel zitten.

'Ja, dat weet ik.' Hij begon de soep in een van de kommen te gieten. 'Maar ik zou liegen als ik niet toegaf dat ik best gevleid was dat de hele school denkt dat jij een klap om mij hebt gekregen.'

'Nou, ik ben blij dat ik heb kunnen bijdragen aan je zelfvertrouwen.'

Hij stak een lepel in een kom en gaf die aan mij. 'Ik snap dat het gênant voor je was en daarom vond ik dat ik op z'n minst soep voor je kon maken. Bovendien had ik geen goed gevoel over wat er eerder gebeurde.'

Ik nam de soep aan en keek hem in de ogen. 'Wat bedoel je?'

Hij haalde zijn schouders op. 'Over wat ik zei dat je moest meehelpen met de maquette. Toen je niet was gekomen, besefte ik dat het wel een beetje lullig van me was.'

'Hoezo dan?'

'Dat ik zei dat ik een lover en geen vechter ben.' Hij zuchtte en ging tegenover me zitten. 'Lulliger kan toch niet?'

'O, jawel hoor.'

Hij lachte. 'Even serieus, omdat ik klassen heb overgeslagen en met wonderkinderen ben omgegaan... zijn mijn sociale vaardigheden niet echt geweldig. Soms zeg ik de stomste dingen.'

'Daar hoef je geen klassen voor over te slaan, hoor,' zei ik. 'Ik haal gemiddeld zevens en ik zeg ook vaak de stomste dingen.'

'Zevens?' Hij keek geschokt. 'Meen je dat?'

Ik trok een gezicht naar hem en boog me over mijn soepkom, waar damp vanaf kwam. Het laatste wat ik had gegeten was de helft van die kleffe burrito en ik besefte ineens dat ik ontzettende honger had. Ik nam een hap. De soep was dik, met vermicelli, kip en wortels, en het was precies wat ik nodig had.

'Wauw,' zei ik. 'Dit is heerlijk.'

Hij nam ook een hap en dacht even na. 'Niet slecht. Maar er moet meer tijm in. Waar staan je kruiden?'

Hij maakte al aanstalten om naar de keukenkastjes te lopen, toen ik zei: 'Nou, eigenlijk...'

'Hier?' vroeg hij toen hij bij een kastje bij het gasfornuis stond.

'... hebben we nog niet echt...'

Maar voor ik mijn zin kon afmaken, was het al gebeurd: hij had het deurtje opengedaan en de lege kast kwam in zicht. Hij wachtte even en deed toen het volgende kastje open. Ook leeg. Net als het kastje ernaast. Uiteindelijk ontdekte hij een kastje waarin al onze keukenspullen stonden, dat ik had ingericht op de manier zoals ik dat in al onze andere huizen had gedaan: een handjevol kruiden, zout, peper, chilipoeder, knoflookpoeder op de onderste plank en het bestek in een plastic bak ernaast. Op de plank erboven stonden vier borden, vier kommen, drie koffiebekers en zes glazen. En op de bovenste plank een koekenpan, twee steelpannetjes en een beslagkom.

'Wacht even,' zei hij toen hij het volgende kastje opendeed. Leeg. 'Wat is hier aan de hand? Zijn jullie op survivalkamp of zoiets?'

'Nee,' zei ik beschaamd, hoewel ik niet snapte waarom. Ik was er juist vaak trots op dat we alles tot het minimum hadden beperkt; dat maakte het makkelijker om te verhuizen. 'Wij hebben gewoon niet veel nodig.'

Hij deed nog een kastje open, dat ook leeg was. 'Mclean,' zei hij, 'jullie keuken is zo'n beetje leeg.'

'We hebben alles wat we nodig hebben,' sprak ik hem tegen. Hij keek me alleen maar aan. 'Behalve tijm. Hoor eens, mijn vader werkt in een restaurant. Wij koken niet vaak thuis.'

'Je hebt niet eens een braadpan,' zei hij terwijl hij nog meer laatjes en kastjes opendeed, die ook leeg waren. 'Wat doe je als je iets wilt braden of stoven?'

'Dan koop ik een pan van aluminiumfolie,' zei ik. Hij bleef me aankijken. 'Wat?' Weet je wel wat een gedoe het is om al die pannen in te pakken? En hoe zwaar ze zijn?'

Hij kwam weer aan tafel zitten. Achter hem stonden nog een paar kastjes open, als een stel open monden. 'Het is niet lullig bedoeld, maar dat is best wel triest,' zei hij.

'Hoezo?' vroeg ik. 'Het is lekker overzichtelijk.'

'Het is waardeloos,' antwoordde hij. 'En zo tijdelijk. Alsof je maar een week blijft.'

Ik nam nog een hap soep. 'Overdrijf niet zo.'

'Even serieus.' Hij keek weer naar de kastjes. 'Is dit zo in het hele huis? Dat als ik de kasten in je slaapkamer opendoe, je maar twee broeken blijkt te hebben of zo?'

'Jij gaat geen kasten in mijn kamer openmaken,' zei ik. 'En het antwoord is nee. En als je het per se weten wilt: we hadden vroeger meer spullen, maar elke keer dat we verhuisden, besefte ik hoe weinig we ervan gebruikten. Daarom ben ik het aantal spullen steeds verder gaan beperken.'

Hij keek hoe ik in mijn kom soep zat te roeren en de wortels in beweging bracht. 'Hoe vaak ben je verhuisd?'

'Niet zo vaak,' zei ik. Hij leek niet overtuigd, en daarom voegde ik eraan toe: 'Ik woon nu ongeveer twee jaar bij mijn vader... en dit is geloof ik de vierde plek waar we wonen. Zoiets.'

'Vier steden in twee jaar?' vroeg hij.

'Tja, als je het zo formuleert, klinkt het niet best,' zei ik.

Toen zeiden we allebei een tijdje niets. Het enige geluid was het getik van de lepels. Ik wilde dolgraag opstaan en de deurtjes van de lege kasten dichtdoen, maar dan zou het net zijn alsof ik iets toegaf. Dus ik bleef zitten waar ik zat.

'Ik bedoel dat het wel moeilijk moet zijn,' zei hij uiteindelijk, en hij keek me aan, 'om altijd dat nieuwe meisje te zijn.'

'Niet echt.' Ik trok een been onder me. 'Het heeft ook wel iets bevrijdends.'

'Je meent het.'

'Jazeker,' zei ik. 'Als je vaak verhuist, heb je niet veel verwikkelingen. Er is gewoon niet veel tijd om ergens bij betrokken te raken. Dat is simpeler.'

Daar dacht hij even over na. 'Dat is waar. Maar als je nooit echt vrienden maakt, dan heb je waarschijnlijk ook niemand die je twee uur 's nachts is. En dat is best rot.'

Ik keek naar hem terwijl hij in zijn soep roerde; de wortels draaiden in de bouillon. 'Je wat?'

'Je twee uur 's nachts.' Hij slikte en zei toen: 'Je weet wel: iemand die je om twee uur 's nachts kunt bellen en op wie je altijd kunt rekenen. Zelfs als diegene ligt te slapen, of als het koud is of als je uit de gevangenis gehaald moet worden... diegene komt je toch halen. Het is... eh... de hoogste vorm van vriendschap.'

'Aha.' Ik keek omlaag naar de tafel. 'Ja, daar zie ik de waarde ook wel van in.'

We waren even stil. Toen zei Dave: 'Maar ik begrijp dat hele gedoe van met een schone lei beginnen ook wel weer. Je hoeft niet de hele tijd dingen over jezelf uit te leggen.'

'Precies,' zei ik. 'Niemand weet dat je ooit bevriend bent geweest met Gerv de Perv. Of dat je onderdeel was van een driehoeksverhouding met bijbehorende valse catfights.'

'Of dat je ouders een nare scheiding achter de rug hebben.'

Ik keek naar hem.

'Het spijt me, maar dat is toch wel wat je eigenlijk bedoelde?'

Niet echt. Niet opzettelijk, tenminste. 'Mijn punt is dat al die verhuizingen precies waren wat mijn vader en ik nodig hadden. Het is voor ons allebei goed geweest.'

'Om overal maar tijdelijk te zijn,' zei hij.

'Om een frisse start te maken,' sprak ik tegen. 'Vier keer zelfs.'

Er viel weer een stilte. Ik hoorde de koelkast achter me zoemen. Wat raar dat sommige dingen je nooit opvielen, totdat er niets anders was wat opviel.

'Denk je dat je weer snel gaat verhuizen?' vroeg hij uiteindelijk. 'Als de zes maanden om zijn?'

'Ik weet het niet,' antwoordde ik. 'Soms blijven we wat langer of juist korter. Het hangt af van het bedrijf waarvoor mijn vader werkt. En volgend jaar...'

Ik dwaalde af, omdat ik pas op het moment dat ik mijn

zin begon besefte dat ik het hier helemaal niet over wilde hebben. Maar ik voelde dat Dave me aankeek en afwachtte.

'... gaan we studeren en zo,' maakte ik de zin af. 'Dus er zit al een einddatum aan deze stad vast. Voor mij althans.'

We keken elkaar een paar tellen aan. Hij was een slimme gast, waarschijnlijk de slimste jongen die ik ooit had gekend. Dus het duurde niet lang – een fractie van een seconde misschien – voor hij begreep wat ik zei.

'Juist, ja.' Hij stak zijn lepel in zijn kom, die nu leeg was. 'Nou, je bent in elk geval voorbereid om op kamers te gaan. Jij weet wat eenvoud is.'

Ik lachte en keek naar de kastjes. 'Ja toch?'

'Misschien moet ik een paar lessen bij je nemen. Dat komt misschien nog van pas als ik deze zomer op reis ga.'

'Op reis ga?' vroeg ik. 'Wil je zeggen dat het doorgaat? Vinden je ouders het goed?'

'Niet echt. Maar ze staan er niet meer zo afwijzend tegenover.' Hij schoof zijn soepkom opzij. 'Voornamelijk omdat ik heb gezegd dat ik de tweede helft van de zomer naar het Breinkamp zou gaan, wat zij graag willen. Alles draait om compromissen sluiten. Maar als dat betekent dat ik daardoor met Ellis en Riley naar Texas kan gaan, vind ik het best.'

'Is Heather niet uitgenodigd?'

Hij lachte. 'Goeie vraag, maar eigenlijk zou ze tot voor kort meegaan. Tot ze... eh... haar auto min of meer in de prak heeft gereden en haar rijbewijs is ingetrokken. Ze moet van haar vader de schade betalen, en de verzekering, voor ze weer achter het stuur kruipt, dus daar gaat al haar geld aan op.'

'Was dat het ongeluk bij het wachthuisje?' vroeg ik.

'Klopt!' Hij zuchtte. 'Zij is echt de slechtste chauffeur ooit. Ze kijk niet eens als ze invoegt.'

'Dat had ik ook al gehoord.' Ik keek naar mijn soepkom en speelde met een verdwaald stukje wortel. 'Wat is er te doen in Texas?'

'Austin, vooral. De broer van Ellis woont daar en hij heeft het er altijd over hoe goed de muziekscene daar is en wat voor coole dingen er te doen zijn. Bovendien is het ver genoeg om onderweg ook nog een paar andere steden te kunnen aandoen.'

'Je hebt er zin in,' zei ik.

'Nou, ik ben niet zo bereisd als sommige andere mensen. En iedereen vindt een lange reis met de auto toch te gek?'

Ik knikte en dacht aan de tijd dat mijn moeder en ik altijd naar het Poseidon in North Reddemane reden. Ik wist dat hij mijn leven maar vreemd vond, en om eerlijk te zijn verwachtte ik niet van hem dat hij mijn hele achtergrond begreep. Hoe zou dat ook kunnen als hij zijn hele leven op dezelfde plek had gewoond, met dezelfde mensen om zich heen, en zijn verleden en geschiedenis nooit kon ontvluchten? Ik wilde er niet mee zeggen dat mijn manier van leven de beste was. Maar je leven is ook niet het allerbeste als er nooit iets verandert. En gezien de keuze tussen deze twee opties, wist ik dat mijn manier van leven voor mij de beste was. Ik mocht dan geen kruiden in de kast hebben staan, maar ik sleepte, zogezegd, ook geen zinloze zware braadpannen met me mee.

'David? Hallo?'

Ik draaide me om en zag mevrouw Dobson-Wade op haar veranda staan. Achter haar stond de deur open.

Ze keek reikhalzend en met een bezorgd gezicht naar de achtertuin.

Dave stond op, liep naar onze deur en stak zijn hoofd om de hoek. 'Hé,' zei hij. Ze maakte een sprongetje van schrik. 'Ik ben hier.'

'O,' zei ze. Toen ze mij zag, zwaaide ze, en ik zwaaide terug. 'Het spijt me dat ik stoor, maar die documentaire waar je vader het vandaag over had komt zo en ik weet dat je het begin niet wilt missen.'

'Juist,' zei Dave, terwijl hij een blik op mij wierp. 'De documentaire.'

'Het gaat over cellen,' legde mevrouw Wade aan mij uit. 'Een heel interessant, diepgaand verslag. Heel goed aangeschreven.'

Ik knikte, omdat ik niet goed wist wat ik hierop moest zeggen. 'Ik kom zo,' zei Dave tegen haar.

'Goed.' Ze lachte en deed de deur dicht, en Dave liep weer naar de tafel.

'Cellen?' zei ik toen hij weer zat.

'Jep.' Hij zuchtte, stapelde onze soepkommen op en zette de lepels erin. 'Alles en iedereen bestaat uit cellen, Mclean.'

'Dat weet ik,' zei ik. 'Het is vast heel fascinerend.'

'Wil je komen kijken?' Ik beet op mijn lip en probeerde niet te lachen toen hij opstond en zijn stoel aanschoof. 'Tja, ik ben er ook niet zo weg van. Maar als ik naar Austin wil, moet ik het spelletje met ze meespelen. De brave zoon uithangen en zo.'

Hij liep naar het gasfornuis, waar hij het steelpannetje pakte, en stak de pannenlap in zijn zak. Terwijl ik toekeek, deed hij voorzichtig alle deuren van de lege kastjes dicht. En zo zag mijn keuken er weer normaal uit. Van de buitenkant tenminste.

Hij liep nu naar de deur, met het pannetje in zijn hand, en ik schoof mijn stoel naar achteren en stond op. 'Hoor eens,' zei ik, 'dat ik vandaag niet meer ben langsgekomen, kwam niet door iets wat jij hebt gezegd. Ik wil gewoon...'

'Geen verwikkelingen,' maakte hij mijn zin af. 'De boodschap is duidelijk.'

We stonden elkaar een tijdje aan te kijken. Had ik maar meer tijd, dacht ik, maar dat was niet echt het probleem. Ik was er alleen niet van overtuigd dat een relatie zou kunnen werken. Als het perfecte liefdesverhaal niet zo perfect bleek te zijn, wat betekende dat dan voor de rest van de mensheid?

Dave keek weer naar zijn huis. 'Ik moest maar eens gaan. De cellen en hun levensloop wachten op me.'

'Bedankt voor de soep.'

'Graag gedaan. Bedankt voor het gezelschap.'

Ik duwde de deur open en hij liep erdoorheen. Hij keek één keer om toen hij het trapje af liep en over de oprit stapte. Ik keek hoe hij in zijn eigen keuken naar binnen ging, waar in de verte het licht van de televisie flikkerde.

Ik was al bijna in mijn kamer om mijn huiswerk te gaan maken, toen de telefoon ging. Eerlijk gezegd schrok ik ervan, omdat ik min of meer vergeten was dat we een telefoon hadden. Mijn vader en ik namen meestal niet de moeite om een vaste telefoonlijn te nemen, omdat we onze mobieltjes gebruikten; dat was makkelijker dan elke keer weer een nieuw nummer te moeten onthouden. Maar om de een of andere reden had EAT INC hier een vaste lijn voor ons geïnstalleerd. Die paar keer dat het toestel was gegaan, had iemand het verkeerde nummer gedraaid of waren het telemarketeers geweest. Als ik mijn huiswerk niet had willen uitstellen, had ik het gerinkel waarschijnlijk helemaal genegeerd.

'Hallo?' zei ik op strenge toon, om aan te geven dat ik geen behoefte had aan een verkooppraatje.

'Spreek ik met Mclean?'

Ik herkende de stem niet, en dat maakte het nog vreemder dat de beller mij wel kende. 'Eh...' zei ik, 'met wie spreek ik?'

'Met Lindsay Baker. Van de gemeenteraad. We hebben elkaar in het restaurant ontmoet.'

Ik zag haar onmiddellijk weer voor me: dat geelblonde haar, die heldere ogen en nog helderdere tanden. Zelfs door de telefoon was haar zelfvertrouwen bijna tastbaar. 'O, juist. Hallo.'

'Ik bel omdat ik je vader al een paar dagen probeer te bereiken op zijn mobiel en in de Luna Blu. Maar dat lukt steeds niet en ik hoopte dat ik hem op dit nummer kon spreken. Is hij er?'

'Nee,' zei ik, 'hij is in het restaurant.'

'O.' Het was even stil. 'Dat is vreemd. Ik heb daar net heen gebeld en toen zeiden ze dat hij thuis was.'

'Echt?' Ik keek op de klok. Het was halfacht, de drukste tijd in het restaurant. 'Dan weet ik ook niet waar hij kan zijn.'

'Ach ja,' antwoordde ze. 'Ik kon het altijd proberen. Dat zal ik blijven doen, maar mag ik je mijn nummer en een boodschap voor hem doorgeven?'

'Dat is goed.'

Ik pakte een pen en haalde de dop eraf. 'Zeg hem maar,' zei ze, 'dat ik heel graag een lunchafspraak met hem wil maken om door te nemen waar we het over hebben gehad. Ik trakteer; hij mag zeggen wanneer en waar. Mijn nummer is 919-967-774. Dat is het nummer van mijn mobiel en die heb ik altijd bij me.'

Lindsay Baker, schreef ik, met het nummer eronder. *Wil met je lunchen*. 'Ik zal het tegen hem zeggen,' zei ik.

'Perfect. Dank je, Mclean.'

We hingen op en ik keek weer naar de boodschap en vond dat het klonk alsof de grote boze wolf had gebeld. Ach ja, dacht ik terwijl ik het briefje op de keukentafel legde. Hij zal het wel snappen.

Ik liep weer naar mijn kamer en probeerde me onder te dompelen in de industriële revolutie. Ongeveer een half-uur later hoorde ik een zacht geklop op mijn achterdeur, zo zacht dat ik me afvroeg of ik het me had verbeeld. Toen ik naar beneden ging, was er niemand te zien. Maar op de veranda lag een klein doosje met een briefje erbij.

Ik pakte het op. Het was een potje tijm, al geopend, maar nog meer dan half vol. *Voor het geval je besluit te blijven*, stond er in een slordig handschrift op. *We hadden er drie staan.*

Ik keek weer even naar de donkere keuken van de Wades, draaide me om, ging naar binnen en zette de tijm in de keukenkast, naast de peper, het zout en het bestek. Ik nam het briefje mee naar mijn kamer, waar ik het precies in het midden op mijn radiowekker plakte, zodat dat het eerste was wat ik 's ochtends zou zien.

9

Toen ik de volgende dag wakker werd, scheen er een helder-wit licht door mijn raam. Op het moment dat ik de gordijnen opzijschoof en naar buiten keek, zag ik dat het 's nachts had gesneeuwd. Alles was bedekt door zo'n tien centimeter sneeuw en het kwam nog steeds naar beneden.

'Sneeuw,' meldde mijn vader toen ik de keuken in kwam. Hij stond bij het raam met een kop koffie in zijn hand. 'Dit heb ik al een tijd niet meer gezien.'

'Niet meer sinds Montford Falls,' zei ik.

'Als we geluk hebben, loopt Chuckles hierdoor vertraging op op het vliegveld. Dat geeft ons iets meer tijd.'

'Voor wat?'

Hij zuchtte en zette zijn mok neer. 'Om een wonder te verrichten. Om het personeel bij het beste restaurant in de stad weg te lokken. Om aan een andere carrière te denken. Dat soort dingen.'

Ik deed een keukenkastje open om een pak cornflakes te pakken. 'Nou, je bekijkt het in elk geval van de positieve kant.'

'Altijd.'

Ik wilde de melk pakken, toen ik ineens dacht aan het telefoontje van gisteravond. 'Hé, hoe laat ben jij gisteren weggegaan uit het restaurant?'

'Pas om één uur 's nachts, toen ik naar huis ging,' antwoordde hij. 'Hoezo?'

'Lindsay Baker, dat gemeenteraadslid, heeft gebeld,' zei

ik. 'Toen ze belde en een boodschap achterliet vertelde ze dat haar was gezegd dat jij weg was.'

Hij zuchtte weer en wreef over zijn gezicht. 'Oké, neem het me niet kwalijk,' zei hij, 'maar het kan zijn dat ik heb gezegd dat ik er niet was.'

'Echt waar?' vroeg ik.

Hij grijnsde.

'Hoezo?'

'Omdat ze me voortdurend belt om het over die maquette te hebben, en daar heb ik nu de tijd en de energie niet voor.'

'Ze zei dat ze je al een tijdje probeert te bereiken.'

Hij kreunde, nam nog een laatste slok koffie en zette zijn mok toen in de gootsteen. 'Wie belt er nou rond etenstijd naar een restaurant om een lunchafspraak te maken? Dat is belachelijk.'

'Wil ze een afspraakje?'

'Ik weet niet wat ze wil. Ik weet alleen dat ik er geen tijd voor heb.' Hij pakte zijn mobieltje, wierp een blik op het scherm, waarna hij het dichtklapte en het in zijn zak liet glijden. 'Ik moet naar het restaurant om een aantal dingen te doen voordat Chuckles verschijnt. Red jij het om naar school te gaan? Of denk je dat er geen school is vandaag?'

'Dat betwijfel ik,' zei ik. 'We zitten hier niet in Florida. Maar ik hou je wel op de hoogte.'

'Doe dat.' Hij kneep in mijn schouder toen ik de melk uit de koelkast pakte. 'Fijne dag.'

'Jij ook. Sterkte.'

Hij kreunde weer en liep naar de voordeur. Ik keek hoe hij zijn jas aantrok, die niet erg warm of waterdicht was, waarna hij de veranda op liep. Voor de zoveelste keer dacht ik aan volgend jaar, hoe het voor hem zou zijn als hij zonder mij in weer een andere stad in weer een ander huurhuis zou wonen. Wie zou de dingen dan voor hem regelen, zodat hij andermans zaken op orde kon stellen? Ik wist dat het niet mijn verantwoordelijkheid was om voor mijn vader te zorgen, dat hij dat niet van me vroeg of van me verwachtte. Maar hij was al een keer in de steek gelaten. Ik vond het vreselijk dat ik degene was die het voor de tweede keer zou doen.

Precies op dat moment ging mijn telefoon. Als je het over de duvel hebt, dacht ik toen ik op mijn scherm PETER HAMILTON, zag staan. Ik wilde de NEGEER-knop indrukken, toen mijn oog op de tijd viel. Ik had nog een kwartier om de bus te halen. Als ik het nu zou afhandelen, zou ik de rest van de dag rust hebben, of in elk geval een paar uur. Ik haalde diep adem en nam op.

'Hallo, schat!' zei mijn moeder – iets te hard – in mijn oor. 'Goedemorgen! Hebben jullie ook sneeuw daar?'

'Een beetje,' zei ik, terwijl ik naar de vallende sneeuwvlokken keek. 'En jullie?'

'O, hier ligt zo'n zeven centimeter en het valt nog steeds. De tweeling en ik zijn er al uit geweest. Ze zien er zo schattig uit in hun sneeuwpakjes! Ik heb je een paar foto's gemaild.'

'Geweldig,' zei ik. Er waren al dertig seconden voorbij, en ik had er nog zo'n tweehonderdzeventig te gaan voor ik kon ophangen zonder onbeleefd te zijn.

'Ik wou nog een keer zeggen hoe leuk ik het vond om je afgelopen weekend te zien,' zei ze. Ze schraapte haar keel. 'Het was geweldig om weer bij elkaar te zijn. Maar tegelijkertijd besefte ik hoeveel ik de afgelopen jaren van je leven heb gemist. Je vrienden, wat je allemaal doet...'

Ik deed mijn ogen dicht. 'Zoveel heb je nou ook weer niet gemist.'

'Ik denk van wel.' Ze snufte. 'Hoe dan ook, binnenkort kom ik heel graag nog een keer langs. Het is een korte reis en er is geen reden waarom we elkaar niet meer zouden zien. Maar je kan ook hierheen komen. Dit weekend, bijvoorbeeld, geven we hier thuis een barbecue voor het team en wat sponsors. Ik weet dat Peter het enig zou vinden als je komt.'

Shit, dacht ik. Hier was ik al bang voor geweest toen ik ermee instemde om naar de wedstrijd te gaan. Geef je een vinger dan wil ze meteen je hele hand. Voor ik het wist, zouden we weer bij de advocaat zitten. 'Ik heb het momenteel heel druk op school,' zei ik.

'Maar het zou alleen voor het weekend zijn,' antwoordde ze. Drammen, drammen. 'Je kan je schoolwerk meenemen en het hier doen.'

'Dat gaat niet zo makkelijk. Ik moet ook dingen hier doen.'

'Nou, oké dan.' Nog meer gesnuif. 'En het weekend erna? Dan gaan we voor het eerst naar het strandhuis. We kunnen je onderweg ophalen en dan...'

'Dat weekend lukt ook niet,' zei ik. 'Ik geloof dat ik beter een tijdje hier kan blijven.'

Stilte. Buiten sneeuwde het nog steeds, schoon en wit en alles bedekkend. 'Goed,' zei ze, maar haar toon gaf duidelijk aan dat het allesbehalve goed was. 'Als je me niet wilt zien, wil je me niet zien. Daar kan ik niets aan veranderen.'

Nee, dacht ik, dat kan je zeker niet. Het leven zou stukken eenvoudiger zijn als je gewoon kunt leven met die opmerking, dat we er allebei hetzelfde voor staan en het een uitgemaakte zaak is. Maar niets was zo eenvoudig. In plaats daarvan moest je steeds ontwijken en rennen, ingewikkelde stappen maken om de bal in de lucht te houden. 'Mam,' zei ik, 'laat...'

'...me gewoon met rust,' maakte ze mijn zin op een gekwetste toon af. 'Nooit bellen, nooit e-mailen, niet proberen om in contact te blijven met mijn oudste kind. Wil je dat, Mclean?'

'Wat ik wil,' zei ik langzaam, en ik probeerde om mijn stem neutraal te laten klinken, 'is een kans om mijn eigen leven te leiden.'

'Hoe kan je nou denken dat je dat niet al doet? Je wilt niet eens de kleinste gebeurtenis in je leven met me delen, tenzij je onder druk wordt gezet.' Nu huilde ze echt. 'Ik wil alleen maar dat we weer net zo close zijn als vroeger. Voor je vader je meenam, voor je zo was veranderd.'

'Hij heeft me niet meegenomen.' Mijn stem klonk al scherper. Ze had weer rondgetast, gepord en geduwd, en nu had ze het gevonden: die ene knop waarop je niet meer kon drukken. Was ik veranderd? Doe me een lol! 'Dit was mijn keus. Jij hebt ook keuzes gemaakt, weet je nog?'

De woorden rolden eruit voor ik het wist en ik voelde het gewicht ervan toen ze me ontsnapten en haar oren bereikten. Het was heel lang geleden dat we iets over de affaire en de scheiding hadden gezegd; dat ging helemaal terug tot de dagen van Zulke Dingen Gebeuren Nu Eenmaal In Een Huwelijk, die betonnen muur waarop elk gesprek stukliep. Maar nu had ik weer een granaat over die muur gegooid en kon ik me alleen schrap zetten voor de gevolgen.

Ze was een hele tijd stil; dat leek althans zo. Uiteindelijk zei ze: 'Op een bepaald moment zal je ermee moeten ophouden om mij overal de schuld van te geven, Mclean.'

Dit was het moment. Je terugtrekken en verontschuldigen, of doorgaan tot er geen weg terug meer was. Ik was moe en ik had hier geen andere naam of ander meisje om me achter te verschuilen. Dat zal de reden zijn geweest dat Mcleans stem zei: 'Je hebt gelijk. Maar ik kan je wel de schuld geven van de scheiding en hoe wij er nu samen voor staan. Jij hebt dit gedaan. Geef dat nou eens toe.'

Ik voelde dat haar adem stokte, alsof ik haar een stomp in haar maag had gegeven. En dat was op een bepaalde manier ook zo. Al die geforceerde vriendelijkheid, dat om de waarheid heen draaien... nu had ik de regels overtreden, de muur neergehaald en al het lelijke in de openheid gebracht. Ik had bijna drie jaar aan dit moment gedacht, maar nu het zover was, werd ik er alleen maar verdrietig van, zelfs nog voor ik de klik hoorde omdat ze had opgehangen.

Ik klapte mijn mobiel dicht en pakte mijn rugzak. Een rit van vier uur verderop stortte mijn moeder in, en dat was mijn schuld. Ik had op z'n minst een klein beetje opluchting kunnen voelen, maar in plaats daarvan werd ik meer overspoeld door iets wat op angst leek toen ik over de oprit liep en mijn jas stevig om me heen trok.

Buiten was de lucht koud en fris, en kwam de sneeuw nog steeds hard naar beneden. Ik sloeg af in de omgekeerde richting van de bushalte en begon naar de stad te lopen. Tegen de tijd dat ik besefte hoe ver ik was afgedwaald, zag ik nog maar een paar winkelpuien voordat de straat weer woongebied werd. Ik moest omkeren, een bushalte vinden en naar school gaan. Maar eerst moest ik opwarmen. Daarom liep ik naar de eerste de beste winkel die open was, een bakker met een plaatje van een muffin voor het raam, waar ik naar binnen ging.

'Welkom bij de Frazier Bakery!' riep een vrolijke stem zo gauw ik over de drempel stapte. Ik keek op en zag twee mensen achter de toonbank die druk bezig waren, terwijl er een paar klanten in de rij stonden. Dit was duidelijk zo'n keten die een huiselijke indruk wilde wekken: het was er zo ingericht dat het er klein en gezellig uitzag, met een persoonlijke begroeting en een (nep) open haard. Ik ging in de rij staan en pakte een paar servetjes om mijn neus af te vegen.

Ik was zo moe geworden van de wandeling en liep nog steeds zo te trillen door wat er met mijn moeder was gebeurd dat ik daar alleen maar stond te schuifelen, tot ik ineens oog in oog stond met een knap roodharig meisje met een gestreept schort voor en een ouderwets papieren kapje op haar hoofd. 'Welkom bij de Frazier Bakery!' zei ze. 'Wat kunnen we doen om je het gevoel te geven dat je welkom bent?'

God, ik haatte al die onzin, nog voor ik mijn vader er eindeloos over had horen klagen. Ik keek op en las het bord met het menu erop. Koffie, muffins, panini's, smoothies, bagels. Ik liet mijn blik rusten op de verschillende smoothies en herinnerde me ineens iets.

'Een bosbessen-banaansmoothie,' zei ik.

'Komt eraan!'

Ze draaide zich om en liep naar een rijtje blenders. Ik keek nog eens om me heen, naar de plek waar Daves ondergang was begonnen. Je kon je nauwelijks een onschuldigere werkplek voorstellen dan deze bakkerij. Er hingen verdomme overal borduurwerkjes aan de muur. LAAT JE TROOSTEN DOOR WARME MELKDRANKEN, was er eentje die boven de tafel hing met suiker, melk en roerstokjes erop. Op een andere, bij de vuilnisbakken, stond: LAAT NIETS VERLOREN GAAN. Ik vroeg me af waar ze die dingen bestelden en of je iets als massaproduct kon laten borduren en inlijsten. Dan zou ik er een bestellen met LAAT ME MET RUST erop en die op mijn deur hangen als mooi verpakte waarschuwing.

Toen ik mijn smoothie had gekregen, liep ik naar een nepleren stoel voor de nep open haard. Dave had gelijk: na twee slokken door mijn rietje had ik zo'n hoofdpijn dat ik er scheel van keek. Ik legde mijn hand op mijn voorhoofd, alsof hij daar warmer van werd, en sloot net mijn ogen, toen het belletje van de voordeur rinkelde.

'Welkom bij de Frazier Bakery!' riep een van de mensen achter de toonbank.

'Bedankt!' riep een stem terug, en iemand lachte. Ik zat nog steeds over mijn voorhoofd te wrijven toen ik voetstappen hoorde en daarna: 'Mclean?'

Ik deed mijn ogen open en daar stond Dave voor me. Maar natuurlijk was het Dave. Wie zou het anders zijn?

'Hallo,' zei ik.

Hij nam me aandachtig op. 'Gaat het? Het lijkt wel of je...'

'Het is gewoon die ijskoude smoothie,' zei ik terwijl ik hem omhooghield als bewijs. 'Niks aan de hand.'

Ik zag dat hij niet helemaal overtuigd was, maar gelukkig ging hij er niet op door. 'Wat doe je hier? Ik wist niet dat je een Vriend van Frazier was.'

'Een wat?'

'Zo noemen we de vaste klanten.' Hij zwaaide naar het roodharige meisje, dat terugzwaaide. 'Wacht even, dan pak ik een Alles Erop en Eraan en een Luie Donder Speciaal. Ben zo terug.'

Ik nam voorzichtig nog een slokje van mijn smoothie en keek hoe hij naar de toonbank liep en erachter dook. Hij zei iets tegen het meisje, dat lachte, draaide zich om en pakte een muffin, waarna hij een grote kop koffie voor zichzelf inschonk. Toen sloeg hij de kassa aan, liet er een briefje van vijf in glijden en pakte er een dollar en wat kleingeld uit, dat hij in de fooienpot deed.

'Dank je!' zeiden het roodharige meisje en de andere jongen achter de toonbank in koor.

'Graag gedaan!' zei Dave. Toen kwam hij weer mijn kant op.

Lieve hemel, dacht ik. Hier heb ik vandaag de energie niet voor. Maar ik kon er niets tegen doen. Ik zat in een openbare gelegenheid, en nota bene eentje die hij heel goed kende. Het was bijna grappig dat ik hier terecht was gekomen. Bijna dan.

'Ben je vandaag aan het spijbelen of zoiets?' vroeg hij toen hij naast me stond met de muffin in zijn hand.

'Nee,' antwoordde ik. 'Ik... eh... moest alleen nog ontbijten. Ik neem zo de bus.'

'De bus?' Hij leek beledigd. 'Waarom zou je met het openbaar vervoer gaan als ik een auto bij me heb?'

'O, dat hoeft niet.'

'Je bent ook laat,' herinnerde hij me, wijzend op de klok achter me. 'Met de bus ben je nog later. Slordigheid is niet iets om trots op te zijn, Mclean.'

Ik keek weer om me heen. 'Dat klinkt als iets wat geborduurd en ingelijst moet worden.'

'Je hebt gelijk!' Hij grijnsde. 'Dat zal ik doorspelen aan het management. Kom mee. Ik heb mijn auto achter geparkeerd.'

Ik liep achter hem aan, de gang door, langs de toiletten en door de achteruitgang. Al lopend at hij van zijn muffin en hij liet een spoor van kruimels achter, als in een sprookje. Ik vroeg: 'Hoe noemde je dat ook alweer?'

'Wat?'

'Jouw ontbijt.'

'De Alles Erop en Eraan en een Luie Donder Speciaal.'

'Ik kan me niet herinneren dat ik die op het menu heb zien staan.'

'Dat klopt, want het staat er ook niet op,' antwoordde hij terwijl hij over het parkeerterrein liep. 'Ik heb min of meer mijn eigen woordenschat bij de FrayBake. Vrij vertaald is het een muffin met alles erin en een koffie waarvan je de komende uren een paar keer naar het toilet moet. Het is blijven hangen, want nu gebruikt al het toonbankpersoneel die termen.' Hij zwaaide met zijn sleutels. 'We zijn er.'

Ik keek hoe hij om een Volvo liep, die onder de deuken zat. Op de passagiersstoel lag zo'n kralenmat die ik associeerde met taxichauffeurs en omaatjes. 'Is dit jouw auto?'

'Jep,' zei hij trots terwijl we instapten. 'Ze zat achter slot en grendel, maar gisteravond is ze eindelijk vrijgelaten.'

'O ja? Hoe heb je dat voor elkaar gekregen?'

'Ik denk dat het de cellen waren.' Hij stak de sleutel in het contact, draaide hem om en na wat gepruttel kwam de motor tot leven. 'O, en ik heb ook gezegd dat ik na het Austin-reisje in mijn moeders laboratorium ga werken, tot ik naar het Breinkamp ga. Zo doe je wat je moet doen voor de dingen waar je van houdt. En ik hou van deze auto.'

De Volvo sputterde en hield er ineens mee op, alsof hij dit wilde testen. Dave keek naar het contact en draaide aan de sleutel. Er gebeurde niets. Hij probeerde het nog een keer, en de auto maakte een zuchtend geluid, alsof hij moe was.

'Komt goed,' riep Dave boven het geluid van de motor uit, die klonk als een tikkende bom. 'Ze heeft soms gewoon een beetje liefde nodig.'

'Daar weet ik alles van,' zei ik. 'Net als Super Shitty.'

Ik flapte dit er zomaar uit, zonder dat ik er erg in had. Toen Dave me met opgetrokken wenkbrauwen aankeek, besefte ik wat ik had gedaan. 'Super Shitty?'

'Mijn auto,' legde ik uit. 'Mijn oude auto, zou ik eigenlijk moeten zeggen. Ik weet niet waar hij nu is.'

'Heb je die ook tegen een wachthuisje aan geknald?'

'Nee, ik ben verhuisd en had hem niet meer nodig.' Ik zag in een flits mijn oude afgetrapte Toyota Camry, met die altijd kapotte wisselstroomdynamo's, sissende radiator en de kilometerteller waar al meer dan driehonderdduizend kilometer op had gestaan voor hij in mijn bezit kwam. De laatste keer dat ik hem had gezien, stond hij geparkeerd in

Peters gigantische garage, tussen zijn Lexus en suv, en daar viel hij volkomen uit de toon. 'Dat was ook een goede auto. Alleen wel een beetje...'

'Shitty?'

Ik knikte en hij trapte een paar keer op het gaspedaal en toen op de rem. Ik zag een auto achter ons met zijn richtingaanwijzer aan omdat hij op onze plek wilde parkeren. Degene achter het stuur leek te vloeken toen de Volvo ineens aansloeg en er een wolkje rook uit de uitlaat kwam.

'Er gaat niets boven rijden in de sneeuw,' zei Dave, die nauwelijks van slag leek toen we het parkeerterrein af reden en vervolgens de heuvel af tot een stopbord. De sneeuwvlokken vielen op de ruitenwissers. Toen hij vaart minderde, piepten de remmen van de Volvo uit protest. Hij wierp een blik op mij en zei toen: 'Doe je gordel om, alsjeblieft. Veiligheid boven alles.'

Ik deed hem om, blij dat hij me eraan herinnerde. Mijn portier rammelde en ik hoopte dat de gordel me in mijn stoel zou houden als we tachtig reden en het openvloog. 'Maar eh...' zei ik toen we weer verder reden, 'nog bedankt voor de tijm.'

'Graag gedaan,' antwoordde hij. 'Ik hoop alleen dat je niet beledigd was.'

'Waarom zou ik beledigd zijn?'

'Nou, omdat je niet van wanorde houdt.'

'We hebben het over een kruidenpotje,' zei ik.

'Ja, maar dat is een hellend vlak. Eerst heb je tijm, dan komen de rozemarijn, de salie en het basilicum, en voor je het weet heb je een probleem.'

'Ik zal het onthouden.' De auto pufte en hij trapte het gaspedaal in. De motor brulde, waardoor de vrouw in de Lexus achter ons geschrokken keek.

'Hoe lang heb je dit ding al?'

'Iets minder dan een jaar,' zei hij. 'Ik heb haar zelf gekocht. Ze kostte me al mijn spaargeld, bar-mitswageld en wat ik bij de FrayBake heb verdiend.'

De remmen piepten weer. Ik zei: 'Zoveel?'

'Wat?' Hij keek me aan en blikte toen weer naar de weg. 'Hé, dit is een geweldige auto. Stevig, betrouwbaar. Ze heeft karakter. Ze heeft wel een paar problemen, maar ik hou toch van haar.'

'Met wratten en al,' zei ik.

Hij keek me ineens heel verbaasd aan. 'Wat zei je nou?'

'Wat dan?'

'Je zei: "Met wratten en al." Toch?'

'Eh... ja,' antwoordde ik. 'Ken jij die uitdrukking niet?'

'Vaag.' We stonden nu in de baan om af te slaan naar school en Dave haalde zijn linkerhand van het stuur, draaide hem om en liet die tatoeage van de zwarte cirkel zien. 'Daar komt dit zelfs vandaan.'

'Moet dat een wrat voorstellen?' vroeg ik.

'Min of meer,' zei hij terwijl hij terugschakelde. 'Toen ik klein was, gaven allebei mijn ouders fulltime les. Daarom werd ik doordeweeks opgevangen door Eva, een vrouw die nog meer kinderen opving.'

Het begon nog harder te sneeuwen en de ruitenwissers maakten overuren. Ze lieten twee kleine bogen helderheid achter en alles daaromheen was wazig.

'Ze had een kleindochter die net zo oud was als ik, en die was daar ook. Wij deden samen ons middagdutje en hebben samen lijm gegeten. Dat was Riley.'

'Echt waar?'

'Jep. Ik zei toch al dat we elkaar een eeuwigheid kennen? Maar Eva was gewoon... tja, megageweldig. Ze was lang en breed, en had een bulderende lach. Ze rook naar pannenkoeken. En ze had een wrat. Een joekel. Zo eentje die je bij een heks verwacht of zoiets. Precies hier.' Hij drukte zijn wijsvinger op het midden van de tatoeage. 'Wij vonden het fascinerend en smerig tegelijk. Ze liet hem altijd expres aan ons zien. Ze schaamde zich er totaal niet voor. Ze zei dat als we van haar hielden, we ook van de wrat hielden. Dat hoorde er gewoon bij.'

Ik dacht aan Rileys pols en diezelfde zwarte cirkel. En aan haar verdrietige gezicht toen Deb erover was begonnen.

'Vorig jaar kreeg ze kanker,' zei hij. 'Aan haar alvleesklier. Twee maanden na de diagnose is ze overleden.'

'Wat rot voor je.'

'Ja. Dat was tamelijk klote.' We draaiden de parkeerplaats van de school op en reden langs het wachthuisje. 'De dag na haar begrafenis hebben Riley en ik deze laten zetten.'

'Dat is wel een heel mooi eerbetoon,' zei ik.

'Eva was echt fantastisch.'

Ik keek hem aan toen we langs een rij auto's reden en vaart minderden voor een groep meisjes in joggingbroeken en dikke jassen. 'Ik vind het een geweldige gedachte. Maar dat is makkelijker gezegd dan gedaan, weet je.'

'Wat bedoel je?'

Ik haalde mijn schouders op. 'Om al het goede en slechte van iemand te accepteren. Het is mooi om het na te streven, maar het moeilijke gedeelte is om het echt voor elkaar te krijgen.'

Hij had een plek gevonden, draaide erin en zette de motor af, die er ratelend maar dankbaar mee stopte. Niet eerder had ik een auto meegemaakt die zo uitgeput leek. Toen keek hij me aan. 'Vind je dat echt?'

Ik moest meteen denken aan het telefoongesprek met mijn moeder die ochtend, haar onvaste stem en wat ik had gezegd. Ik slikte. 'Ik denk dat wij daarom zo vaak verhuizen. Niemand kent me goed genoeg om ook maar iets van het slechte te zien te krijgen.'

Hij zei even niets terug. We zaten gewoon te luisteren naar mensen die langsliepen. Het was glad buiten en iedereen moest moeite doen om overeind te blijven en liep heel voorzichtig; toch gleden sommigen uit.

'Dat zeg je nu wel,' zei Dave uiteindelijk, 'maar ik denk niet dat het klopt. Ik ken je nu een maand en toch weet ik al een heleboel slechte kanten van je.'

'Je meent het,' zei ik. 'Zoals?'

'Nou, om te beginnen dat je geen kruiden en specerijen hebt. En dat is gewoon heel raar. Bovendien ben je levensgevaarlijk met een basketbal in je hand.'

'Maar dat zijn nog geen wratten.'

'Misschien niet.' Hij grijnsde. 'Maar even serieus: het is allemaal relatief.'

Toen ging de bel; het bekende geluid werd gedempt door de sneeuw op het dak en de ramen. We stapten allebei uit. Mijn portier kraakte toen ik het opendeed. De grond was spiegelglad en ik gleed onmiddellijk uit; daarom greep ik naar de Volvo voor steun. 'Ho!' zei ik.

'Ja, kijk maar uit,' zei Dave, die naast me nauwelijks in balans kon blijven.

Ik begon voorzichtig te lopen en hij kwam naast me terwijl hij zijn rugzak om zijn schouders deed. Zijn hoofd was voorovergebogen, zijn haar viel over zijn voorhoofd en ik wierp een blik op hem terwijl ik dacht aan alle keren in de afgelopen twee jaar dat ik met jongens was geweest en dat het met geen van allen zo vertrouwd had gevoeld als met Dave. Misschien kwam dat doordat ik mezelf niet was, maar Beth of Eliza of Lizbet, een afspiegeling als een toneelattribuut dat er aan de voorkant echt uitzag, maar aan de achterkant leeg was. Maar hier, ondanks al mijn moeite, was ik weer mezelf geworden: Mclean Sweet, degene met die gestoorde ouders en krankzinnige basketbalconnecties, Super Shitty en een huisraad die in een boedelbak paste. Door al die frisse starten was ik – tot nu toe – vergeten hoe het was om slordig en eerlijk en ongecontroleerd te zijn. Om echt te zijn.

We waren bijna bij de stoep, toen ik voelde dat Dave, naast me, dreigde uit te glijden en met zijn armen zwaaide. Ik probeerde zelf stevig te blijven staan, wat niet helemaal lukte, terwijl hij achterover- en toen weer vooroverzwaaide. 'O, o,' zei hij. 'Ik val!'

'Hou me vast!' zei ik, en ik stak mijn hand uit naar de zijne. Maar in plaats van hem in balans te krijgen, had dit het tegenovergestelde effect, en toen strompelden we allebei over het ijs, met dubbel gewicht en dubbele kracht als we zouden vallen.

Het was een heel vreemd gevoel. Mijn voeten gleden onder me vandaan en mijn hart sloeg drie keer sneller door de angst dat ik geen controle meer had. Maar toen keek ik naar Dave. Hij lachte en had een rood gezicht gekregen van het heen en weer zwaaien en mij net zo onhandig met zich meetrekken. Dezelfde situatie, maar twee totaal verschillende reacties.

Er was zoveel gebeurd vanochtend. Toch was dit het beeld, het moment dat me uren later nog bezighield, nadat we veilig op de stoep waren aanbeland en we allebei naar onze klas waren gegaan. Hoe het voelde als de wereld onder je vandaan gleed en een hand de mijne vastgreep, en te weten dat als ik zou vallen, ik niet de enige zou zijn.

Het bleef maar sneeuwen en de sneeuw hoopte zich op, zodat vlak voor de lunchpauze de rest van de schooldag werd afgelast. Toen ik net als iedereen de school door de hoofduitgang verliet, dacht ik alleen maar aan de vrije middag die voor me lag, de stapels was die ik moest doen en het opstel dat ik morgen moest inleveren. Maar in plaats van de bus naar huis te nemen, zoals ik van plan was, stapte ik twee haltes eerder uit, aan de overkant van de Luna Blu.

Door de sneeuw was het er niet druk voor de lunch. Het restaurant was bijna leeg en daardoor was het gesprek tussen mijn vader, Chuckles en Opal makkelijk te volgen. Ze zaten in de aparte feestzaal, net achter de bar. Ik zag hen zitten aan een tafel, met koffiemokken en papieren voor hun neus. Mijn vader zag er moe uit en Opal heel gespannen. Het was duidelijk dat er nog geen wonderen waren verricht.

Ik liep door de eetzaal naar de deur die toegang gaf tot de trap. Toen ik die opendeed, hoorde ik onmiddellijk stemmen.

'... goed te doen,' zei Dave toen hij in zicht kwam. Deb, nog steeds in haar jas met sjaal en wanten, stond naast hem en allebei bestudeerden ze de dozen met de onderdelen. 'Ingewikkeld, ja. Maar verder goed te doen.'

'Het enige wat telt is dat het goed te doen is,' zei ze terwijl ze rondkeek. Toen ze mij zag, klaarde haar gezicht op. 'Hé! Ik wist niet dat jij ook zou komen!'

Ik ook niet, dacht ik. 'Ik snakte ernaar om de gemeenschap te dienen,' zei ik tegen haar, net toen Dave zich omdraaide om ook naar mij te kijken. 'Wat zijn we aan het doen?'

'Gewoon een plan van aanpak aan het bedenken,' zei Deb, die haar wanten uittrok. 'Heb jij enig idee hoe we dit het best kunnen aanpakken?'

Ik liep naar hen toe, ging naast haar staan en voelde dat Dave me aankeek. Ik moest weer aan vanochtend denken, aan de cirkel op zijn pols waaraan ik me had vastgeklampt toen we over de sneeuw waren gegleden. Hij is niet mijn type, zei een stemmetje in mijn hoofd, maar het was zo lang geleden dat ik niet eens meer wist wat dat betekende. Of dat dit meisje dat ik nu was, wel een bepaald type had.

'Niet echt,' zei ik, hem aankijkend. 'Laten we gewoon beginnen en maar kijken wat er gebeurt.'

Een kwartier later hadden we een vergadering.

'Oké, luister.' Debs gezicht stond bloedserieus. 'Ik weet dat ik nog maar net bij het project ben gekomen en ik wil niemand beledigen. Maar ik zal eerlijk zijn. Ik denk dat jullie het helemaal verkeerd hebben aangepakt.'

'Ik ben beledigd,' zei Dave droog.

Ze sperde haar ogen open. 'O, nee! Echt? Dat was niet...'

'Ik maak maar een grapje,' zei hij.

'O, gelukkig!' Ze lachte en had een kleur gekregen. 'Ik wil eerst zeggen dat ik heel blij ben dat jullie me erbij hebben gevraagd. Ik ben dol op dit soort dingen. Als kind was ik al gek van miniaturen.'

'Miniaturen?' vroeg ik.

'Je weet wel, poppenhuizen en zo. Ik vond vooral historische dingen geweldig. Kleine huisjes uit de tijd van de Amerikaanse Onafhankelijkheidsoorlog, victoriaanse weeshuizen. Dat soort dingen.'

'Weeshuizen?' vroeg Dave.

'Ja.' Ze knipperde met haar ogen. 'Hoezo? Iedereen kan met een poppenhuis spelen. Ik was wat creatiever in mijn spel.'

'Dave ook,' zei ik. 'Hij hield van modeltreintjes.'

'Dat is niet waar,' zei Dave geïrriteerd. 'Ik deed veldslagen na, en heel serieus.'

'O, ik was dol op veldslagen!' zei Deb tegen hem. 'Zo kwam ik aan mijn weeshuizen.'

Ik keek hen allebei aan. 'Wat hebben jullie voor jeugd gehad?'

'Geen al te beste,' antwoordde Deb op nuchtere toon. Ze liet haar jas van zich af glijden, vouwde hem netjes op en legde hem bij haar tasje op een tafel. 'We hadden geen cent te makken, mijn vader en moeder konden niet met elkaar opschieten. Mijn wereld stond op zijn kop. Daarom vond ik het ook zo leuk om andere werelden te creëren.'

Ik keek haar aan en besefte dat dit de eerste keer was dat ze zoveel over haar ouderlijk huis had verteld. 'Wauw,' zei ik.

Dave haalde zijn schouders op. 'Ik hield gewoon van veldslagen.'

'Wie niet?' antwoordde Deb, die alweer verderging. 'Hoe dan ook, ik vind echt, door mijn ervaring met maquettes en miniaturen, dat de beste aanpak om de gebouwen in elkaar te zetten de molentjesmethode is. En wat jullie hier hebben is helemaal schaakbord.'

We keken haar allebei aan zonder iets te zeggen. 'Juist,' zei Dave uiteindelijk. 'Maar natuurlijk.'

'Dus eerlijk gezegd,' vervolgde ze toen ik hem een blik toewierp en probeerde niet in de lach te schieten, 'denk ik dat we het roer helemaal om moeten gooien voor dit hele project. Is dat de gebruiksaanwijzing?'

'Ja,' zei ik, en ik pakte het dikke handboek op dat aan mijn voeten lag.

'Geweldig! Mag ik het zien?'

Ik gaf het aan haar en zij nam het meteen mee naar de tafel en sloeg het open. Binnen een paar tellen stond ze in gepeins verzonken over de bladzijden gebogen, terwijl ze met een vinger tegen haar lippen tikte.

'Mag ik iets zeggen?' fluisterde Dave tegen mij terwijl we

onze jassen ook afschudden. 'Ik vind Deb geweldig. Ze is compleet gestoord. En dat bedoel ik alleen maar positief.'

Het was waar. Deb was dan misschien een speedmetaldrummer, tatoeage-expert en miniatuurbouwer van weeshuizen geweest, maar ze was niet verlegen. Als ze iets overnam, dan nam ze ook de hele zaak over.

'Denk in termen van molens,' zei ze almaar tegen me terwijl ik over de maquette gebogen stond met een huisje in een hand. 'We beginnen in het middelpunt en werken dan rondom naar de randen.'

'Wij hebben gewoon de dingen die we uit de dozen hebben gehaald neergezet,' zei ik tegen haar.

'Dat weet ik. Ik zag het al toen ik er de eerste keer naar keek.' Ze wierp me een meelevende blik toe. 'Maar voel je niet rot, oké? Het is een vergissing die iedere beginner maakt. Maar als je ermee door was gegaan, zou je over dingen en huizen heen hebben moeten klimmen, je knieën hebben geprikt, en per ongeluk brandkranen hebben omgestoten. Het zou een zootje zijn geworden. Geloof me maar.'

Dat deed ik, en ik volgde haar aanwijzingen op. Voorbij waren de dagen van 'pak een stuk, zet het in elkaar en zoek de goede plek'. Deb had nu al haar eigen systeem ontwikkeld; ze had een rode pen uit haar tas gehaald om de instructies uit het boek aan te passen en een uur later had ze ons als een geoliede machine aan het werk gekregen. Zij verzamelde de stukken voor elk gebied rondom het middelpunt, die zij 'sectoren' noemde, die Dave vervolgens monteerde en die ik op de juiste plek zette. Pakken, Maken, Neerzetten. Of, zoals Deb het noemde: PMN. Ik verwachtte al helemaal dat ze bij onze volgende bijeenkomst T-shirts of petten met die letters erop mee zou nemen.

'Je moet toegeven,' zei ik tegen Dave toen ze aan de an-

dere kant van het vertrek voor de tweede keer aan de telefoon hing met het gratis informatienummer van de maquette-
leverancier om opheldering te vragen, 'dat ze hier erg goed
in is.'

'Goed?' vroeg hij terwijl hij een dak op een gebouw zette.
'Ik zou het meer voorbestemd willen noemen. Vergeleken
bij haar zijn wij een stel stomme klunzen.'

'Spreek voor jezelf,' zei ik. 'Ze zei dat mijn aanpak veel-
belovend was voor een beginneling.'

'O, hou jezelf maar niet voor de gek. Ze was gewoon beleefd.' Hij pakte nog een stukje plastic. 'Toen jij naar het
toilet was, zei ze tegen mij dat jouw sectoren schromelijk
tekortschieten.'

'Niet waar! Mijn sectoren zijn perfect.'

'Noem jij dat perfect? Het is een schaakbord.'

Ik trok een gezicht naar hem en gaf hem een por. Hij gaf
me een por terug. Hij lachte toen ik terugliep naar de maquette en me over mijn sector boog om die te inspecteren.
Hij zag er goed uit. Vond ik.

'... natuurlijk! Nee, u bedankt. Ik denk dat we elkaar nog
wel spreken. Oké. Dag!' Deb klapte haar telefoon dicht en
zuchtte. 'Ik meen het, wat is die Marion toch aardig!'

'Marion?'

'Die vrouw van het maquettebedrijf die aan de helpdesk
zit,' zei ze. 'Zij is een reddende engel.'

'Ben je bevriend geraakt met de dame van de helpdesk?'
vroeg ik.

'Nou, ik wil niet beweren dat we bevriend zijn,' antwoordde ze. 'Maar ze is geweldig geweest. Meestal geven ze
een nummer waar nooit wordt opgenomen. Je wilt niet
weten hoeveel uur ik in de wacht ben gezet om iemand te
spreken die me kon vertellen hoe je een dakrand op de
juiste manier moet plakken.'

Ik keek haar alleen maar aan. Aan de andere kant van de zolder proestte Dave het uit.

'Hé, is Gus daar?' riep iemand door het trapgat.

Ik liep ernaartoe en zag Tracey beneden staan. 'Nee. Hij zit met Opal in een bespreking in de feestzaal.'

'Nog steeds? God, wat zijn ze aan het doen?'

Ik zag in een flits de blocnote voor me met al die cijfers erop en haar naam die wel heel akelig bovenaan stond. 'Geen idee,' zei ik.

'Nou, als hij eindelijk tevoorschijn komt,' zei ze terwijl ze een pen uit haar haar haalde en hem met haar vrije hand terugstak, 'zeg hem dan maar dat dat gemeenteraadslid wéér heeft gebeld. Ik weet niet hoe lang ik haar nog kan af-poeieren. Ze komt duidelijk seks tekort, maar ze heeft geen gebrek aan doorzettingsvermogen.'

'Wat?'

'Ze heeft het op je vader voorzien,' zei ze langzaam, zodat ik het goed begreep. 'En hij heeft het niet in de gaten. Dus wil jij het aan hem doorgeven?'

Ik knikte en ze draaide zich om, liep terug naar de eet-zaal en liet de deur achter zich dichtvallen. Hier keek ik niet raar van op. Zo was het patroon: we kwamen ergens, installeerden ons en uiteindelijk kreeg hij een vriendin. Maar meestal wachtte hij daarmee tot hij al een vertrekda-tum wist. Net als iemand anders die ik goed kende.

'Mclean?' hoorde ik Deb achter me roepen. 'Kunnen we even overleggen over jouw aanpak op dit stuk hier bij het planetarium?'

Ik draaide me om. Dave, die langsliep met een gebouw in zijn handen, zei vrolijk: 'En jij zei nog wel dat jouw secto-ren perfect waren!'

Ik glimlachte, maar toen ik naar haar toe liep om haar kritiek aan te horen, was ik afgeleid. Ik wist niet eens waarom. Het was maar een telefoontje, een paar berichten. Niets wat niet al eerder was gebeurd. En mijn vader had haar nog niet eens teruggebeld. Nog niet.

Om vijf uur, toen we drie sectoren hadden afgemaakt die Debs strenge inspectie hadden doorstaan, besloten we om er voor die dag mee te stoppen. Toen we beneden kwamen was het restaurant net opengegaan. Het was er warm en licht, en mijn vader en Opal zaten aan de bar met een geopende fles rode wijn tussen hen in. Opal had een blos op haar wangen en ze lachte, blijer dan ik haar ooit had gezien.

'Mclean!' zei ze toen ze me ontdekte. 'Ik wist niet eens dat jij hier was!'

'We hebben aan de maquette gewerkt,' zei ik.

'Echt waar?' Ze schudde haar hoofd. 'En dat ook nog op je ijsvrije dag. Dat is pas toewijding.'

'We hebben drie sectoren afgemaakt,' zei Dave tegen haar.

Ze leek in de war. 'Drie wat?'

'Sectoren.' Nee, dat hielp niet echt. Ik wist niet hoe ik het moest uitleggen en daarom zei ik maar: 'Het ziet er heel goed uit. Serieuze vooruitgang.'

'Dat is geweldig.' Ze lachte weer. 'Jullie zijn de besten.'

'We hebben het vooral aan Deb te danken,' zei ik. Naast me stond Deb te blozen van plezier. 'Het bleek dat zij veel ervaring heeft met maquettes.'

'Godzijdank dat iemand die heeft,' reageerde Opal. 'Misschien kan Lindsay nu wat relaxter doen over dit hele gedoe. Wist jij dat ze steeds hiernaartoe belt? Het lijkt wel of ze ineens geobsedeerd is door het project.'

Ik wierp een blik op mijn vader, die zijn wijnglas oppakte en een slokje nam terwijl hij door het raam keek. 'Nou,' zei ik, 'dan zal ze wel heel blij zijn als ze nog een keer langskomt.'

'Dat vind ik nou fijn om te horen,' zei Opal, wijzend op mij. 'Zij blij, ik blij. Iedereen blij.'

'O, lieve hemel,' zei Deb met opengesperde ogen toen Tracey op ons af kwam met een bord vol gefrituurde augurken, die ze voor Opal neerzette. 'Zijn dat...'

'Gefrituurde augurken,' zei Opal tegen haar. 'De lekkerste van de hele stad. Neem er maar een.'

'Echt?'

'Natuurlijk! Jij ook, Dave. Dat is wel het minste wat we kunnen doen na al jullie harde werk.' Opal schoof het bord over de bar en Dave en Deb gingen er allebei naartoe om het ervan te nemen.

'Wauw,' zei Dave. 'Ze zijn heerlijk.'

'Ja, hè?' zei Opal. 'Ze zijn ons handelsmerk.'

Wauw, dacht ik, en ik keek naar haar toen ze zelf een augurk nam en hem in haar mond stopte. Mijn vader keek nog steeds uit het raam. 'Ging de vergadering goed?' vroeg ik.

'Beter dan goed,' zei Opal. Ze boog zich voorover en dempte haar stem. 'Niemand wordt ontslagen. Ik bedoel, we hebben onze argumenten naar voren gebracht en hij... hij snapte het gewoon. Het was te gek.'

'Wat fijn.'

'O, wat ben ik opgelucht!' Ze zuchtte en schudde haar hoofd. 'Het is precies waarop ik hoopte. Misschien kan ik vanavond zelfs een keer goed slapen. En dat allemaal dankzij je vader.'

Ze draaide zich om en kneep in zijn arm. Toen wendde hij zich eindelijk tot ons. 'Ik heb niets gedaan,' zei hij.

'O, hij is gewoon bescheiden,' zei Opal tegen mij. 'Hij nam het helemaal op voor ons personeel. Als ik niet beter wist, zou ik denken dat hij ook niet wou dat er iemand ontslagen werd.'

Ik keek mijn vader aan. Die haalde zijn schouders naar me op. 'Het is achter de rug,' zei hij. 'Dat is het enige wat telt.'

'Zie ik daar Mclean?' hoorde ik een donderende stem achter in het restaurant. Ik draaide me om en daar kwam Chuckles, groot en imponerend, op ons af gelopen. Zoals altijd droeg hij een duur pak met glimmende schoenen er-onder en zijn twee NBA-kampioensringen, een aan elke hand. Chuckles geloofde niet in vrijetijdskleding.

'Hallo, Charles,' zei ik toen hij me omhelsde en me bijna fijnkneep. Hij torende boven me uit; ik kwam ongeveer tot zijn middel. 'Hoe gaat het met je?'

'Het zal beter met me gaan als we onze tanden in de bizon hebben gezet,' zei hij. Dave en Deb, die bij de bar stonden, keken hem allebei met grote ogen aan toen hij met zijn in-drukwekkende lange arm een augurk pakte van het bord dat voor hen stond.

'Chuckles heeft zojuist geïnvesteerd in een bizonboerderij,' legde mijn vader me uit. 'Hij heeft vijf kilo biefstuk bij zich.'

'Die je vader zo op zijn geheel eigen wijze gaat bakken,' zei Chuckles, gebarend naar Tracey om achter de bar voor hem een wijnglas te pakken. 'Je eet toch met ons mee?'

'Dat is goed,' zei ik, 'maar ik moet eerst naar huis om me om te kleden. Ik zit onder het stof van die maquette.'

'Doe dat,' zei Chuckles, die zijn reusachtige gestalte op een barkruk naast Opal hees, terwijl Tracey zijn glas met wijn vulde. 'Ik blijf hier gewoon lekker zitten met deze prachtige vrouwen tot mijn eten klaar is.'

Mijn vader rolde met zijn ogen, net toen Jason zijn hoofd om de keukendeur stak. 'Gus,' zei hij, 'telefoon voor je.'

'Zie ik je over een halfuurtje?' zei hij tegen mij toen hij opstond. Ik knikte en hij liep naar Jason en nam de tele-foon van hem over. Ik zag dat hij hallo zei en toen verscheen er een grimas op zijn gezicht. Vervolgens draaide hij zich om, liep naar zijn kantoor en liet de deur achter zich dichtslaan.

'Ik moest ook maar eens gaan,' zei Deb, die haar jas dichtritste. 'Ik wil thuis mijn ideeën voor de maquette op mijn whiteboard zetten nu ze nog fris in mijn hoofd zitten.'

'Whiteboard?' vroeg Opal.

'Ik heb er een op mijn kamer staan,' legde ze uit. 'Ik vind het fijn om voorbereid te zijn als ik inspiratie heb.'

Opal keek mij aan en ik haalde mijn schouders op. Deb kennende, vond ik dit helemaal niet vreemd. Ze deed haar oorwarmers op en trok haar tas over haar schouder. 'Tot ziens, jongens.'

'Rij voorzichtig,' zei ik tegen haar, en ze knikte. Ze hield haar hoofd omlaag toen ze de sneeuw in stapte en wegliep. Zelfs haar voetafdrukken waren keurig en netjes.

'Deze augurken zijn echt lekker,' zei Chuckles tegen Opal toen ik mijn eigen spullen verzamelde. 'Maar wat is er gebeurd met de broodjes die jullie vroeger aanboden?'

'De broodjes?'

Hij knikte.

'We hebben... eh... besloten om die weg te doen.'

'Hè?' zei Chuckles. 'Wat jammer. Ze waren erg lekker, zover ik me kan herinneren.'

'Neem nog een augurk,' zei ze, en ze schoof het bord dichter naar hem toe. 'Die broodjes zullen langzaam uit onze herinnering verdwijnen, geloof me maar.'

Ik wierp een blik op haar toen ze haar wijnglas weer naar haar mond bracht en ze naar me lachte. Mijn vader had gelijk gehad. Geef het een dag of dertig en ze zou wel bijdraaien.

Dave en ik namen afscheid en liepen door de gang naar de achteruitgang. We kwamen net langs de keukendeur, toen we Jason zagen, die een plank door rommelde op zoek naar wat pannen. 'Doe voorzichtig buiten,' zei hij. 'Het sneeuwt nog steeds.'

'Zal ik doen,' zei ik.

'Hé,' zei Dave tegen hem toen hij opstond met een pan in zijn hand. 'Heb ik laatst jouw naam niet zien staan op de lijst voor het Breinkamp?'

'Geen idee,' zei Jason. 'Als hij erop staat, heb ik er niets mee te maken gehad. Ik heb al eeuwen geen contact meer met ze gehad.'

'Ben jij ook naar het Breinkamp geweest?' vroeg ik.

'Hij is er niet alleen geweest,' zei Dave tegen mij, 'hij is ook min of meer een Breinkamplegende. Ze vielen zowat op hun knieën voor zijn IQ-score.'

'Niet waar!' zei Jason.

'Bestelling!' riep Tracey. 'Een salade voor de grote baas, dus doe je best!'

'Ik moet aan de slag,' zei Jason. Hij lachte en liep naar de voorbereidingstafel. Dave keek toe en ik duwde de achterdeur open. Er waaide een beetje sneeuw naar binnen.

'Dus Jason had daar de status van supernerd?' vroeg ik aan hem terwijl ik mijn handschoenen aantrok.

'Meer van een popster,' antwoordde hij. 'Hij zat op Kiffney-Brown en volgde colleges op de universiteit, net als Gervais en ik, maar hij liep een paar jaar op ons voor. Hij zat op Harvard toen ik in de vijfde zat.'

'Harvard?' Ik keek om naar Jason, die een pan uit de inloopkast pakte. 'Dat is wel andere koek dan hulpkok zijn. Wat is er gebeurd?'

Hij haalde zijn schouders op, liep de deur uit en trok zijn capuchon over zijn hoofd. 'Ik zou het niet weten. Ik dacht dat hij er nog steeds zat, tot ik hem de vorige keer hier op zolder zag.'

Vreemd, dacht ik toen we langs de halfopen deur van mijn vaders kantoor liepen. Ik zag hem onderuitgezakt op zijn stoel zitten, met één been op zijn bureau.

'... heel druk geweest met het nieuwe menu en belangrijke vergaderingen,' zei hij. Ik hoorde zijn stoel kraken. 'Nee, nee. Dat is niet zo, Lindsay. Geloof me. En lunchen... Dat lijkt me een goed idee. Laten we dat doen.'

Ik keek naar de sneeuw op straat. Dave tuurde met zijn hoofd in zijn nek naar de lucht en de straatverlichting scheen op de vlokken die op hem neervielen.

'Jouw kantoor, gemeentehuis, halftwaalf,' ging mijn vader verder. 'Nee, jij mag het zeggen. Ik weet zeker dat jij de beste plekjes kent... Ja. Goed. Tot dan.'

De deur aan het andere eind van de gang, die naar het restaurant leidde, ging ineens open. Daar stond Opal, met een wijnglas in haar hand. 'Hé,' zei ze, 'zit je vader nog steeds te bellen?'

Ik knikte. 'Ik geloof het wel.'

'Nou, als hij klaar is, kan je hem dan zeggen dat we op hem zitten te wachten? Zeg maar dat Chuckles erop aandringt.' Ze lachte. 'En... eh... ik ook.'

'Goed,' zei ik.

'Bedankt!' Ze hief haar glas en verdween toen weer door de deur, die achter haar dichtviel.

Ik bleef even in mijn eentje midden in de gang staan. Uit de keuken kwam vrolijke dansmuziek en daarbovenuit klonken het gekletter van keukengerei, de piepende schoenzolen op de klamme vloer en de sissende grill. Allemaal geluiden van de aankomende drukte. Ik kende dit heel goed. Bijna net zo goed als de toon van mijn vaders stem toen hij daarnet het aanbod van dat gemeenteraadslid aannam. Het was me net zo bekend als zijn kaaklijn toen hij even tevoren naast Opal had gezeten, die, zich nergens van bewust, de goede afloop vierde. Er was iets verschoven, veranderd. Of eigenlijk was er juist niets veranderd.

'Hé, Mclean,' riep Dave door de hordeur. Ik keek in zijn richting en zag dat hij omgeven was door wit: op de grond bij zijn voeten en op de muur achter hem, en de vlokken vielen nog steeds. 'Ben je klaar om te vertrekken?'

Ik keek terug naar de deur van mijn vaders kantoor, waarachter het nu stil was. Nee, dacht ik. Dat ben ik niet.

10

'Hoor je dat?'

Ik keek op van de brandweerkazerne die ik recht op de maquette probeerde te zetten. 'Wat dan?'

Dave, die aan de overkant stond, hield zijn hoofd schuin. 'Dat,' zei hij met opgestoken vinger, terwijl het geluid van luide stemmen in het restaurant achter hem door het trapgat klonk. 'Het is al een tijdje aan de gang.'

'Iedereen is waarschijnlijk alles aan het klaarzetten,' zei ik, en ik verschoof de kazerne nog een keer. Het was gewoon een vierkantje dat netjes in een ander vierkantje moest passen, maar op de een of andere manier werkte het niet mee. 'Is het niet al bijna vijf uur?'

'Het is kwart voor vijf,' zei hij, nog steeds luisterend. 'Maar dit is niet het geluid van dingen klaarzetten. Er loopt iemand te schreeuwen.'

Ik zette het gebouw neer en liep naar de plek waar hij stond en door het trapgat keek. Ik kon niets zien, maar nu kon ik het ook heel duidelijk horen.

'O,' zei ik, 'dat is gewoon mijn vader.'

Dave trok zijn wenkbrauwen op. 'Je vader?'

Ik knikte en luisterde weer. Deze keer wist ik bijna zeker dat ik woorden als 'bullshit' en 'onbekwaam' hoorde, en iets over biezen en de suggestie dat degene tegen wie hij het had die maar moest pakken. 'Het klinkt alsof hij iemand ontslaat.'

'O ja?' Dave kneep zijn ogen tot spleetjes, alsof hij het

gesprek daardoor beter zou kunnen volgen. 'Hoe weet jij dat?'

'Het volume,' antwoordde ik. 'Hij wordt pas zo luidruchtig als hij weet dat diegene er niet lang meer zal zijn.' En op dat moment klonk er net zo hard een hoop gevloek.

Dave trok weer zijn wenkbrauwen op.

'Dat is degene die is ontslagen.'

'En dat weet jij omdat...'

'Mijn vader dat soort woorden niet gebruikt. Zelfs niet als hij iemand ontslaat.' Er klonk een klap. 'Ik wil wedden dat diegene met iets heeft gegooid. Het klonk als een bestek-bak.' En nog een klap. 'En dat is de achterdeur. Het zal wel een bordenwasser zijn geweest.'

'Hoezo?'

'Meisjes gooien meestal niet met spullen. En keuken-jongens schreeuwen meer.'

Dave keek me aan alsof ik gek was. 'Wat ben jij? De res-taurantfluisteraar?'

Ik schudde mijn hoofd. Het was nu een stuk stiller be-neden, de zware stilte die valt nadat iemand de zak heeft gekregen en alle anderen heel voorzichtig rondsluipen om de baas niet voor de voeten te lopen voor het geval ontslag besmettelijk is geworden. 'Ik ben opgegroeid op zo'n plek als deze. Na een tijdje begin je dingen te herkennen.'

Ik liep terug naar mijn sector en pakte de brandweer-ka-zerne op. Toen ik op de grond knielde en me weer op het vierkant richtte, zei Dave: 'Dat was vast heel cool, dat je ou-ders hun eigen zaak hadden. Jij mocht zeker overal komen?'

'Klopt.' Ik zette het stuk in het midden en zag dat het toch weer scheef stond. Verdomme. 'Het was of daar zijn, of hen nooit zien. Mijn vader in elk geval.'

'Drukke baan, zeker?'

'Meer dan fulltime.' Ik ging zitten. 'Mijn moeder was er 's avonds tenminste wel en ze zat hem altijd achter de broek om thuis te komen eten of een weekend vrij te nemen om iets met ons te doen. "Daar hebben we bedrijfsleiders voor," zei ze tegen hem. Maar mijn vader zei dat zelfs de best betaalde werknemer niets meer was dan dat: een werknemer. Dat ze nooit zin hadden om de inloopkasten, de toiletten of de frituurpan schoon te maken als die vies waren.'

Dave zei niets. Toen ik opkeek, zat hij me weer aan te kijken alsof ik Chinees sprak.

'Ze zijn nooit zo toegewijd als de eigenaar van het restaurant,' legde ik uit. 'Als eigenaar is elke klus, van chef-kok tot de bar, jouw klus. Daarom is het zo zwaar.'

'En ook zwaar voor jou,' zei hij.

'Ik wist niet beter, maar ik denk dat mijn moeder het er soms wel moeilijk mee had. Ze hield van het restaurant, maar ze noemde zichzelf wel een "restaurantweduwe".'

'Denk je dat ze daarom nu met Peter is?'

Ik knipperde met mijn ogen. Ik keek nog steeds naar de brandweerkazerne, maar ineens leek alles scheefgetrokken, en niet alleen de kazerne. 'Ik...'

'Het spijt me,' zei Dave snel. Ik slikte. 'Ik wou alleen... Dat was stom van me. Ik weet niet waar ik het over heb. Ik zeg maar wat.'

Ik knikte langzaam. 'Dat weet ik.'

We waren allebei een tijdje stil en daardoor waren alleen de stemmen van de bediening beneden te horen. Ik had de afgelopen weken dat ik tijd had gestoken in de maquette gemerkt dat het ritme verschilde en afhankelijk was van degene met wie ik samenwerkte. Als het Deb was, of zelfs Deb en Dave, kletsten we constant over muziek en school en dat soort dingen. Maar als het alleen Dave en ik was, was er een andere vloedstroom: wat geklets, wat stilte, altijd iets om over na te denken. Het was alsof ik een andere taal leerde, hoe je met iemand kon zijn en blijven, ook als het gesprek – en ikzelf – ongemakkelijk werd.

Uit het restaurant beneden klonk muziek en iedereen was de laatste dingetjes aan het doen voor de opening. Mijn vader geloofde in de regel dat de muziek hetzelfde moest zijn als het eten: eenvoudig en goed. Hij wilde hem ook niet te hard hebben (om de vroege vogels niet af te schrikken) en hij mocht alleen instrumentaal zijn (zodat de tekst niet zou wedijveren met de gesprekken aan tafel) en moest een vrolijk tempo hebben (zodat het personeel niet te sloom werd). 'Snel tempo, snelle bediening,' zei hij vaak. Dat had hij naar eigen zeggen geleerd toen hij als student een rampzalig baantje had gehad in een biologische tent.

In een goed restaurant vielen die dingen je niet op, en dat was precies zoals het moest zijn. Uit eten gaan is niets meer en niets minder dan dat: het gaat om eten. Het is de maaltijd die telt. Als klant zou je niet hoeven na te denken over dat soort details. En als iemand als mijn vader zijn werk goed doet, hoeft dat dus ook niet.

Dave en ik zaten een tijdje zonder iets te zeggen te werken, toen hij uiteindelijk zei: 'Wat is dat voor muziek beneden?'

'Cubaanse jazz,' zei ik. 'Mijn vader beweert dat mensen daardoor hun eten lekkerder vinden.'

'Dit is echt heel gek,' antwoordde hij, 'want ik haat jazz, maar ik rammel wel ineens van de honger.'

Ik glimlachte en stelde nog een laatste keer de brandweerkazerne bij voor ik hem er definitief op plakte. Toen drukte ik hem aan en voelde dat hij op zijn plaats klikte. Klaar.

'Zullen we iets te eten nemen?' vroeg ik aan Dave toen hij wat stof op de hoofdstraat met zijn overhemd wegveegde.

'Alleen als jij me vertelt wat het lekkerste is om pal na de opening te bestellen,' antwoordde hij. Toen keek hij me aan. 'Want ik weet dat jij dat heel goed weet.'

Ik lachte. 'Misschien wel.'

'Cool. Kom mee.' Hij ging staan en liep naar de trap, en ik ging achter hem aan. 'Ik denk aan vis.'

'Nee.'

'Ravioli?'

'Dat klinkt al beter.'

Hij keek grijnzend om terwijl ik het licht uitdeed. Op deze afstand en in het halfduister leek de maquette onwerkelijk, met gedeeltes waar gebouwen stonden, die grensden aan grote, lege gebieden. Het deed me denken aan hoe steden eruitzien als je er 's avonds overheen vliegt. Je kunt niet veel onderscheiden, maar de plekken waar mensen zijn samengekomen en zijn gebleven zijn een verzameling van kleine lichtjes die de duisternis doorbreken.

Toen ik de volgende dag uit school kwam, was mijn vader thuis. Dat was vreemd, omdat het restaurant over een uur open zou gaan en hij daar altijd was om toe te zien op de voorbereidingen in de keuken. Maar opeens besefte ik dat hij niet alleen thuis was, maar ook aan de keukentafel zat, dus niet aan de telefoon hing, constant in beweging was of onderweg was ergens naartoe, en dat hij op mij wachtte.

'Hé,' zei hij toen ik naar binnen ging en de zijdeur met een klik dichtdeed. 'Heb je even tijd voor me?'

Ik kon maar aan één ding denken: de hel was losgebroken. Ik zat diep in de problemen, of er was iemand overleden. Misschien wel allebei.

'Natuurlijk,' zei ik, en mijn mond was kurkdroog toen ik tegenover hem ging zitten. 'Wat is er aan de hand?'

Hij schraapte zijn keel en wreef met zijn hand over het

tafelblad alsof hij naar verdwaalde broodkruimels zocht. Uiteindelijk zei hij, na wat een hele tijd leek: 'Nou... ik wil dat je me op de hoogte brengt van wat er aan de hand is tussen je moeder en jou.'

Toen ik dit hoorde, voelde ik twee dingen: opluchting dat iedereen nog leefde en meteen daarachteraan een woedeaanval die me even bekend voorkwam als mijn eigen gezicht. 'Hoezo? Wat is er dan gebeurd?'

'Hebben jullie laatst ruzie gehad?' vroeg hij. 'Is er iets voorgevallen?'

'Wij hebben altijd gedoe,' antwoordde ik. 'Dat is niks nieuws.'

'Ik dacht dat je haar laatst had gezien in het weekend.'

'Dat klopt.' Nu zei ik met luidere en onvaste stem: 'Wat is er gebeurd? Heeft ze gebeld of zo?'

'Nee.' Hij schraapte nog een keer zijn keel. 'Maar ik heb vandaag wel iets van haar advocaat gehoord.'

O, shit, dacht ik. 'Haar advocaat?' herhaalde ik, hoewel ik al wist waar dit naartoe ging. 'Hoezo dan?'

'Nou,' zei hij, en hij liet zijn hand weer over de tafel glijden, 'blijkbaar wil zij het voogdijschap herzien.'

'Al weer,' voegde ik eraan toe. Hij zei niets. 'Waarom? Omdat ik haar eindelijk de waarheid heb verteld?'

'Aha.' Hij ging achteroverzitten en keek me recht aan. 'Dus er is wél iets voorgevallen.'

'Ik heb haar gezegd dat de scheiding haar schuld was en dat ik daarom boos op haar ben. Maar dat is toch niet echt schokkend nieuws?'

Mijn vader bleef me aankijken. Toen zei hij: 'Je moeder wil voor de rechtbank verklaren dat wij ons momenteel niet aan de omgangsregeling houden.'

'Wat wil dat zeggen?'

'Jij hebt haar het afgelopen halfjaar maar twee keer gezien,' zei hij, 'en vorig jaar ben je niet de hele zomer bij haar geweest.'

'Ik was er drie weken. En ik heb haar net gezien!' Ik schudde mijn hoofd en keek uit het raam. 'Dit is gestoord. Alleen omdat ik dit weekend niet bij haar langs ben geweest om mee te gaan voor een stom reisje naar het strand, wil ze ons weer voor de rechtbank slepen?'

'Mclean...'

'Heb ik hier helemaal niets over te zeggen? Ze kan me toch niet dwingen om haar tegen mijn zin te bezoeken. Toch?'

Hij zat achterovergeleund en wreef met zijn hand over zijn gezicht. 'Ik denk niet dat ze je tot wat dan ook wil dwingen. In een ideale wereld zou je het allemaal uit jezelf doen.'

'Dit is geen ideale wereld.'

'Nee, dat weet ik ook wel.' Hij zuchtte. 'Luister, Mclean, over acht maanden word je achttien. Voor die tijd ben je al aan het studeren. Misschien is het wel verstandig om er een paar keer heen te gaan...'

'Nee,' zei ik ronduit. Hij trok zijn wenkbrauwen op, verrast door mijn toon, en ik vermande me. Snel. 'Het spijt me. Hoor eens, we zijn hier net. Ik zit op school, ik heb vrienden. Ik heb geen zin om elk weekend in te pakken en weg te wezen.'

'Dat begrijp ik.' Ik zag dat hij in- en uitademde. 'Maar ik denk ook niet dat jij de rest van je eindexamenjaar in een rechtszaak verwikkeld wilt zijn.'

'Waarom kan ze me niet met rust laten?' Mijn stem brak en de tranen waren te horen, al waren ze nog niet te zien. 'Jezus. Heeft ze nog niet genoeg gekregen?'

'Ze is je moeder. Ze houdt van je.'

'Als ze van me hield, mocht ik wel hier blijven en mijn

eigen leven leiden.' Ik schoof mijn stoel naar achteren en de poten schraapten over het linoleum. 'Waarom mag ik niet zelf uitmaken wat ik nodig heb? Waarom heeft zij het altijd voor het zeggen? Of jij? Of die verdomde rechtbank?'

'Hé. Mclean!' Hij bleef kalm en keek me alleen maar aan. Mijn vader deed niet aan uitbarstingen, en dit soort gesprekken, vol emotie, waren zeldzaam, zo niet uniek. 'Je hoeft niet à la minute een besluit te nemen. Ik vraag je alleen om erover na te denken. Goed?'

Ik wist dat het geen onredelijk verzoek was en dwong mezelf om te knikken. 'Goed,' kreeg ik er met veel moeite uit.

Hij stond op, liep naar me toe en sloeg zijn armen om me heen. Ik omhelsde hem ook en keek de hele tijd over zijn schouder naar de tuin erachter. Toen hij me losliet en door de gang naar zijn kamer liep, duwde ik de deur open en ging naar de tuin. Ik had zin om iets kapot te maken, of om te schreeuwen, maar dat waren geen goede opties op een woensdagmiddag om vier uur in deze buurt. Toen keek ik naar het lege gebouw achter ons huis.

Ik liep door de tuin en stapte over de lage stenen muur, en zo stond ik op de deuren die naar de schuilkelder leidden. Ze waren dicht, maar er zat geen slot op. Ik keek naar het huis, door het keukenraam, maar mijn vader was waarschijnlijk al op weg naar zijn werk. Ik boog me voorover, trok aan de twee handvatten en de deuren gingen piepend open. Ik zag de smalle trap. Bovenaan lag een zaklamp.

Ik keek nog eens om me heen. Het was gewoon een doordeweekse middag en het verkeer nam al toe omdat het bijna spitsuur was. Vlakbij blafte een hond. Bij mijn buren de feestvierders stond de televisie te hard. En ergens, vier uur hiervandaan, probeerde mijn moeder mij te bereiken en reikte ze steeds verder naar me uit om me naar zich toe te trekken. Ik had gerend, haar ontweken en gezigzagd, en het had allemaal niet gewerkt. Ik wist dat dit ook geen echte oplossing was. Maar op dit moment kon ik alleen nog maar die zaklamp pakken en hem aanknippen. Toen richtte ik de lichtbundel op de trap en volgde hem naar beneden, het duister in.

Ik zou eigenlijk doodsbenauwd moeten zijn in mijn eentje in die kelder onder een leeg huis. Maar na een paar tellen, toen mijn ogen en mijn zenuwen aan mijn omgeving gewend waren, besefte ik dat Dave iets te pakken had. Toen ik onder aan de trap zat, met de zaklamp op mijn schoot, kreeg ik hetzelfde gevoel als die avond dat hij me hier naar binnen had getrokken. Het voelde letterlijk alsof ik onder de wereld was gedoken, ondergedoken van alle ellende – voor heel even dan.

Wat een klerezooi, dacht ik toen ik naar de lucht keek, die al donker werd. En dat allemaal omdat ik eindelijk had gedaan wat ik hiervoor nooit had gekund: de waarheid zeggen. Als mijn moeder genoeg van me hield om voor me te vechten, zelfs tegen mijn wil in, waarom kon ze dan niet accepteren dat ik boos op haar was?

Boven mijn hoofd hoorde ik een snorrend geluid, gevolgd door een startende motor, die even draaide en toen afsloeg. Ik ging staan en klom de trap op om te zien wat er gebeurde. Ik wilde net mijn hoofd naar buiten steken, toen Dave het zijne naar binnen stak.

'Holy shit!' zei hij, en hij sprong achteruit met een hand op zijn borst. 'Ik krijg bijna een rolberoerte van je!'

Ik was net zo geschrokken, en heel even bleven we staan waar we stonden om op adem te komen. Toen zei ik: 'Een rolberoerte?'

Hij keek me droog aan. 'Je hebt me laten schrikken.'

'Sorry, dat was niet de bedoeling. Ik moest gewoon even wegvluchten.' Ik stapte naar buiten op de besneeuwde grond en gebaarde naar de trap. 'Je hebt het rijk weer voor jezelf alleen.'

Hij knikte naar de zaklamp, die ik nog steeds vasthield. 'Daar kwam ik eigenlijk voor. Mijn vader en ik werken aan onze band en daar hebben we wat verlichting bij nodig.'

'Wat?'

Voor hij kon antwoorden, hoorde ik een schrapend geluid uit de garage achter hem. De Volvo stond ervoor geparkeerd en ik zag dat meneer Wade in de garage een paar stalen boekenkasten verplaatste.

'Garage opruimen,' legde hij uit, terwijl zijn vader een verhuisdoos oppakte. 'Het is een nuttig klusje en een vader-zoonactiviteit tegelijk.'

'Klinkt gezellig.'

'Ja, dat is het ook. Je hebt echt geen idee.'

'Dave?' riep zijn vader, die in onze richting tuurde. 'Kom je nog met die zaklamp?'

'Ik heb hem. Kom er zo aan,' antwoordde hij. Zijn vader knikte en zwaaide naar me. Ik zwaaide terug en keek hoe hij de doos naar buiten droeg, hem onder de basket zette en terugliep. Dave zei: 'Voor mijn vader is de hemel een enorme troep en een eindeloze voorraad opslagdozen.'

Ik lachte en keek toen naar het gebouw voor ons. 'Ben jij er ooit in geweest? Ik bedoel, verder dan de kelder?'

'Een paar keer, toen ik klein was,' zei hij. 'Voor ze de ramen hadden dichtgetimmerd.'

'Is het een huis?'

'Als dat zo was, was het wel heel groot. Binnen is het gigantisch. Hoezo?'

Ik haalde mijn schouders op. 'Ik vroeg het me gewoon af. Het valt nogal uit de toon, met al die andere huizen ernaast.'

'Vind je?' Hij keek nog eens goed. 'Zo heb ik het nog nooit bekeken. Het staat er al zolang ik me kan herinneren. Ik ben er denk ik gewoon aan gewend.'

We liepen door de tuin naar onze oprit, waar meneer Wade nog meer dozen onder de basket had opgestapeld. 'Zie je wel?' vroeg Dave. 'Welkom in zijn paradijs.'

Ik liet mijn blik over de dozen glijden. Sommige stonden open, andere waren dichtgeplakt, maar bijna geeneen was gelabeld. 'Wat zit er eigenlijk allemaal in?'

'Je kan het zo gek niet bedenken.' Hij zette de zaklamp aan en liet het licht over de dozen glijden. 'Oude scheikunde-dozen, rattenkooien...'

'Rattenkooien?'

'Mijn moeder is allergisch voor huidschilfers, behalve die van ratten.'

'Aha.'

'En, natuurlijk, mijn modeltreintjes.' Hij boog zich voorover, klapte een flap van een doos open en haalde er iets uit. Toen stak hij het in mijn richting en ik zag dat het een speelgoedsoldaatje was, klein en groen, met een geweer in zijn handen. *Beng*.

'Wauw,' zei ik. 'Hoeveel heb je er daarvan?'

'Meer dan je wilt weten. Als jij en je vader minimalisten zijn, dan zijn wij... maximalisten. Of zoiets.' Ik keek weer naar de soldaat. 'Wij gooien niet veel weg. Je weet maar nooit wanneer je iets nodig hebt.'

'Daar heb je winkels voor.'

'Zegt het meisje zonder tijm,' antwoordde hij. Er klonk luid geschraap uit de garage en we keken allebei naar meneer Wade, die met een rood gezicht met zijn magere armen de kast van de muur probeerde te trekken. 'Ik geloof dat mijn hulp gewenst is.'

'Goed,' zei ik. 'Veel plezier.'

'Reken maar,' zei hij, en toen liep hij naar de garage. Hij stopte de zaklamp in zijn zak en ging aan de andere kant van de kast staan.

Toen ze begonnen te duwen, liep ik naar de dozen en keek in die ene waar Dave net zijn soldaatje uit had gehaald. Er zaten meer figuurtjes in, en paarden en wagens. De doos ernaast, identiek qua grootte en vorm, bevatte een andere verzameling, deze keer met wapens: minikanonnen, geweren, musketten, pistolen, duidelijk van andere speelgoedsetjes. Toen ik mijn soldaatje terugdeed, keek ik weer naar Dave en zijn vader, en ik dacht aan al die veldslagen die hij moest hebben geleverd, alles tot in het kleinste detail neergezet. Het was een tot in de puntjes beheerst conflict, helemaal van je eigen hand, waarbij de uitkomst en alle consequenties nauwkeurig waren gemanipuleerd. Misschien was het sukkelig of zelfs gênant, maar nu zag ik ineens wat er zo aantrekkelijk aan was.

De volgende ochtend stond ik vroeg op en glipte ik door de voordeur naar buiten nog voor het helemaal licht was. Mijn vader was de avond ervoor later thuisgekomen dan anders. Dat wist ik omdat ik nog wakker was, en dat ook bleef, omdat ik naar zijn bekende geluidjes van laat op de avond luisterde: de radio die zacht aanstond terwijl hij een biertje dronk in de keuken, zijn standaarddouche na het werk en uiteindelijk zijn gesnurk, twee tellen nadat hij het licht had uitgedaan.

De hele avond had ik expres niet aan mijn moeder gedacht toen ik eten voor mezelf maakte, mijn e-mail checkte, de was opvouwde en de afwas deed. Ik concentreerde me op de dagelijkse dingen, alsof ik daardoor die vreemde dreiging van rechtszaken op een afstandje kon houden. Maar toen ik eenmaal in bed lag, kon ik nergens anders meer aan denken.

Nu, in het halfdonker, met mijn jas stevig tegen me aan geklemd, zette ik koers naar het centrum, terwijl mijn adem wolkjes in de lucht maakte. Er was niemand op straat, behalve een paar goed ingepakte joggers en wat politieagenten, die langzaam reden op de wegen die ze helemaal voor zichzelf hadden. Ik liep de ene na de andere straat door, op weg naar de neonletters die het woord OPEN vormden.

'Welkom bij de Frazier Bakery!'

Ik knikte en liep naar de toonbank, waarachter deze keer een oudere man met krullend haar en een bril stond. 'Hallo,' zei hij. Hij zag er een beetje slaperig uit. 'Wat kan ik doen om je het gevoel te geven dat je welkom bent?'

'Een Luie Donder Speciaal,' zei ik.

Hij knipperde niet eens met zijn ogen. 'Komt eraan.'

Vijf minuten later zat ik weer in dezelfde oude leren stoel tegenover de nep open haard. De enige andere mensen waren een groepje bejaarden aan een ronde tafel bij de voordeur, die een geanimeerd gesprek voerden over politiek. Ik dacht aan mijn vader, die thuis nog lag te slapen en niet eens wist waar ik was of wat ik op het punt stond te doen.

Toen ik de avond ervoor een beetje was gekalmeerd – en dat had wel even geduurd – begreep ik ineens wat hij had gezegd over dat ik maar beter gewoon aan mijn moeders wensen kon voldoen. We lagen al zo lang met elkaar overhoop, en nu, met nog maar een halfjaar voor de boeg dat dit alles een rol speelde, wist ik niet of ik degene wilde zijn die ervoor zorgde dat we het allemaal nog een keer moesten meemaken. Wat was een halfjaar op het grotere geheel, als ik wist dat ik aan het einde van de zomer toch weg zou gaan?

Maar in werkelijkheid ging het niet over die zes maanden, of de zomer. Het ging niet over de scheiding of al die verhuizingen en alle meisjes die ik verkozen had te zijn.

Meer dan ooit tevoren ging het deze keer om mij. Over een leven dat ik had opgebouwd in iets meer dan een maand tijd, over een stad waar ik me eindelijk een beetje thuis voelde en over de vrienden die ik hier had gemaakt. Precies op het moment dat het goed zou uitkomen om de banden makkelijk te kunnen doorsnijden en weer te vertrekken, had ik weer de pech dat ik eindelijk een plek had gevonden, en misschien zelfs wat mensen erbij die de moeite waard waren om voor te blijven.

'Welkom in de Frazier Bakery!' riep de man achter de toonbank. Hij klonk wat wakkerder nu; ik vroeg me af of hij zelf flink wat koffie had gedronken.

'Goedemorgen!' zei een vrouwenstem vrolijk terug. Ik keek achterom en daar stond Lindsay Baker, met een paardenstaart, gekleed in een yogabroek en een fleece jasje. Toen ze mij zag, lachte ze en kwam ze meteen op me af. 'Mclean! Hallo! Ik wist niet dat jij ook van deze bakker hield!'

'Dat is ook niet zo,' zei ik. Ze keek me verbaasd aan en daarom voegde ik eraan toe: 'Ik bedoel dat dit nog maar mijn tweede keer is. Ik heb hem laatst pas ontdekt.'

'O, ik ben dol op de Frazier Bakery,' zei ze. Ze liet zich op de stoel naast de mijne zakken en sloeg haar ene been over het andere. 'Ik kom hier elke ochtend. Ik kom om halfacht mijn sessie op de fitnessfiets niet door als ik geen karamel-espresso heb gedronken.

'O,' zei ik. 'Juist.'

'Ik bedoel, hoe kan je hier niet van houden?' vroeg ze terwijl ze achterover ging zitten. 'Het is heel gezellig en het voelt gewoon goed als je binnenkomt, met die open haard en die spreuken aan de muur. En het beste is nog wel dat als ik veel moet reizen, er altijd wel een Frazier op de hoek zit. Dus dan voel ik me, waar ik ook ben, meteen thuis.'

Ik nam mijn omgeving weer in me op en dacht aan mijn

vader. Als hij iets vreselijk vond in restaurants, dan was het wel een nepsfeer. Hij zei altijd dat eten een echte ervaring moet zijn, uniek en rommelig, en dat je jezelf voor de gek houdt als je doet alsof dat niet zo is. 'Tja,' zei ik, 'het is denk ik wel gerieflijk.'

'En het eten is ook heerlijk,' zei ze terwijl ze haar handschoenen uittrok. 'Ik eet hier bijna al mijn maaltijden, om eerlijk te zijn. Het ligt precies halverwege mijn appartement en mijn kantoor. Snap je wat ik bedoel? Perfect!'

Ik knikte. 'Ik moet uw karamel-espresso ook eens proberen.'

'Moet je doen. Je zal er geen spijt van krijgen.' Ze keek op haar horloge. 'Oeps, ik moet gaan. Als ik te laat kom, krijg ik misschien geen fiets meer, en dat is geen goede zaak. Hé, het was geweldig om je tegen het lijf te lopen! Je vader zegt dat je het hier heel erg naar je zin hebt.'

'Heeft hij dat gezegd?'

'O, ja. Ik denk dat hij het vooral de laatste tijd ook leuk vindt hier. Dat vermoeden heb ik gewoon.' Ze lachte en liet haar stralend witte tanden zien. Ik trok mijn wenkbrauwen op, maar ze had zich al omgedraaid en zwaaide meisjesachtig over haar schouder naar me. 'Zie je snel, Mclean!'

O, god, dacht ik toen ik keek hoe ze naar de toonbank liep, al moest ik toegeven dat ik wel een beetje opgelucht was. Mijn vader zou nooit met een vrouw kunnen zijn die van zo'n tent hield als deze, zelfs niet voor een korte tijd. Wij leefden misschien vluchtig en oppervlakkig, maar we hadden wél onze normen.

Ik wachtte tot ze haar koffie had gehaald en het belletje vrolijk klonk na haar vertrek, voor ik mijn mobieltje pakte om te zien hoe laat het was. Het was precies zeven uur toen ik belde en luisterde hoe het toestel één, twee, drie keer overging. Uiteindelijk nam ze op.

'Mam?'

'Mclean? Ben jij dat?'

Ik schraapte mijn keel en keek naar de open haard voor mijn neus. De houtblokken waren perfect gevormd, de nepvlammen flikkerden. Mooi, ja, maar het gaf geen echte warmte. Alleen maar een illusie, maar dat besefte je pas als je dichtbij kwam en het nog steeds koud was.

'Ja,' zei ik. 'We moeten praten.'

'Hé! Snel beslissen!'

Ik keek Dave alleen maar aan toen hij de basketbal naar mij gooide met de slechtste bovenhandse worp die ik ooit had gezien. Hij kwam een eind verderop neer, rechts van me, stuiterde en bonkte tegen mijn vaders auto.

'Heb je een bril nodig?' vroeg ik hem.

'Ik wil je alleen scherp houden,' antwoordde hij vrolijk als altijd toen hij naar de bal rende en hem opraapte. Hij liet hem stuiteren en zei: 'Zin in een potje?'

Ik schudde mijn hoofd. 'Veel te vroeg voor mij.'

'Het is halfnegen, Mclean. Doe gezellig mee.'

'Ik ben al sinds vijf uur op.'

'Echt waar?' Hij liet de bal weer stuiteren. 'Wat heb je allemaal gedaan?'

'Compromissen gesloten.' Ik geeuwde en draaide me om naar mijn huis. 'Ik leg het later wel uit.'

Ik liep de trap op en zocht in mijn zakken naar mijn sleutels. Binnen brandde nog geen licht: mijn vader sliep eindelijk eens uit.

'Wil je weten wat ik denk?' riep Dave me achterna.

'Nee.'

'Ik denk,' ging hij verder, mijn antwoord negerend, 'dat je bang bent.'

Ik keek hem droog aan. 'Bang?'

'Voor mijn techniek,' legde hij uit. 'Mijn snelheid. Mijn...'

Ik liep naar hem terug, stak mijn arm uit en stootte de bal uit zijn handen. Hij stuiterde op de oprit en rolde op het gras.

'Tja, ik had me nog niet defensief opgesteld.' Hij ging achter me langs, pakte de bal op en liet hem hard stuiteren. 'Nu ben ik aan de beurt. Kom maar op.'

'Ik heb je toch al gezegd dat ik er geen zin in heb?' zei ik met mijn armen over elkaar gevouwen.

Hij zuchtte. 'Mclean, kom op. Je woont in een basketbalstad. Je vader heeft bij DB gespeeld, je moeder is getrouwd met de huidige trainer en ik heb al persoonlijke ervaring met jouw bovenhandse worp.'

'Ja, maar ik heb momenteel niet de beste herinneringen aan basketbal,' legde ik uit.

'Daar kan je het spel niet de schuld van geven,' zei hij, en hij liet de bal nog een keer stuiteren. 'Basketbal is iets goeds. Basketbal wil alleen dat jij gelukkig bent.'

Ik keek hem alleen maar aan toen hij langzaam langs me heen in de richting van de basket dribbelde. 'Nu klink je als een gestoorde,' zei ik.

'Snel beslissen!' zei hij terwijl hij draaide en de bal naar me toe gooide. Ik ving hem met gemak op en hij keek verrast. 'Oké, mooi. Nu gooien.'

'Dave.'

'Mclean, doe me een lol. Eén schot.'

'Je hebt me dat al een keer zien doen,' zei ik.

'Ja, maar die brute kracht heeft mijn geheugen aangetast. Ik wil een herkansing.'

Ik zuchtte, liet de bal een keer stuiteren en rechtte mijn rug. Met uitzondering van dat boemerangschot dat ik de vorige keer maakte, had ik al jaren geen basketbal in mijn handen gehad. Maar die ochtend had ik allerlei dingen gedaan die ik nooit meer van plan was te doen en daarom was dit ook niet echt een verrassing meer.

In het begin was mijn moeder behoedzaam geweest aan de telefoon. Ze wist dat ik van het telefoontje van haar advocaat had gehoord en dacht dat ik haar eens flink de waarheid wilde vertellen over wat ik daarvan vond. Dat was ook best verleidelijk. Maar in plaats daarvan haalde ik diep adem en deed wat ik eigenlijk moest doen.

'Denk je dat je deze lente vaak naar het strand zult gaan?' vroeg ik aan haar.

'Het strand?'

'Ja.' Ik keek weer naar de open haard. 'Je zei dat als het huis klaar was en het basketbalseizoen voorbij, je vaak zou gaan. Toch?'

'Dat klopt,' zei ze langzaam. 'Hoezo?'

'Ik kom volgende maand als ik voorjaarsvakantie heb,' antwoordde ik. 'Als jij je advocaat terugfluit, kom ik die hele week en nog vier weekenden.'

'Ik wou de rechtbank er niet bij halen,' zei ze snel, 'maar...'

'En ik wil me niet de rest van mijn schooldagen druk maken over rechtbankzittingen,' zei ik. Ze was snel stil. 'Dus dit is wat ik te bieden heb: de voorjaarsvakantie en vier weekenden voor mijn eindexamen, maar ik mag zeggen wanneer. Afgesproken?'

Stilte. Ik wist dat ze dit niet wilde. Jammer dan. Ze kon mijn gezelschap, mijn tijd, een aantal van mijn weekenden en mijn voorjaarsvakantie krijgen, maar niet mijn hart.

'Ik zal Jeffrey bellen om te zeggen dat we eruit zijn gekomen,' zei ze. Als je mij de data van die vakantie en de weekenden stuurt.'

'Dat zal ik vandaag doen,' antwoordde ik. 'En dan hebben we het er verder over als de datum nadert. Goed?'

Even stilte. Het klonk als een zakelijke overeenkomst,

koud en afgemeten. Heel anders dan die spontane uitstapjes naar het Poseidon jaren geleden. Maar niemand ging meer naar North Reddemane. Blijkbaar.

'Goed,' zei ze uiteindelijk. 'Dank je.'

Nu stond ik hier met Dave, met een basketbal in mijn handen. Hij grijnsde en nam een verdedigende houding aan, of wat daarvoor moest doorgaan: licht voorovergebogen, springend van links naar rechts met zwaaiende armen voor mijn gezicht. 'Probeer me maar eens te passeren,' zei hij terwijl hij gekke wiegende pasjes maakte. 'Ik daag je uit.'

Ik rolde met mijn ogen en liet de bal links van me stuiteren voordat ik hem rechts passeerde. Hij deed zijn best om achter me aan te gaan en maakte een paar overtredingen met zijn armen toen ik dichter bij de basket kwam. 'Jij had vanwege de afgelopen vijf seconden eigenlijk op de strafbank moeten zitten,' zei ik tegen hem toen hij met zijn armen in de lucht stond te maaien. 'Dat weet je toch?'

'Dit is straatbasketbal!' zei hij. 'We houden geen overtredingen bij.'

'O, oké. In dat geval...' Ik gaf hem een elleboogstoot in zijn maag, waar hij van dubbel klapte, en bewoog me onder de basket om een shot te maken. In die paar tellen, met het netje recht boven mijn hoofd, herinnerde ik me alle dingen die mijn vader me had geleerd alsof ze waren aangeboren: kijk naar het rondje, ellebogen strak, lichte greep, licht, licht. Ik schoot en de bal ging met een perfecte boog door de basket.

'Afgekeurd!' riep Dave, die opsprong en de bal meenam.

'Overtreding!' riep ik, en ik pakte de bal af.

'Straatbasketbal!' antwoordde hij. En toen, alsof hij dat wilde bewijzen, tackelde hij me en lagen we allebei op de sneeuw naast mijn veranda, terwijl ik de bal verloor, die onder het huis rolde.

Zo lagen we een tijdje gewoon in de sneeuw. Hij had zijn armen losjes om me heen geslagen en we lagen samen uit te hijgen. Uiteindelijk zei ik: 'Oké, hiermee heb je ons helemaal uit het veld geslagen.'

'Vol lichamelijk contact,' zei hij, gedempt door mijn haar. 'Wie niet waagt, die niet wint.'

'Dit noem ik geen winnen.'

'Jij kon dat schot toch niet maken?'

Ik rolde op mijn rug en hij lag nog naast me te hijgen. 'Jij bent de vreemdste basketballer die ik ooit heb gezien.'

'Dank je,' zei hij.

Ik lachte hardop.

'Wat? Was dat soms een belediging?'

'Wat zou het anders zijn geweest?'

Hij haalde zijn schouders op en streek het haar uit zijn gezicht. 'Ik weet het niet. Ik vind dit een uniek spel, als je dat probeert te zeggen.'

'Zo kan je het ook noemen, ja.'

We lagen even zwijgend naast elkaar. Zijn arm lag naast de mijne, ellebogen en vingertoppen tegen elkaar aan. Na een tijdje rolde hij ook om. Ik deed hetzelfde, en zo lagen we met onze gezichten naar elkaar toe. 'Wie het eerst twee punten heeft?' vroeg hij.

'Jij hebt nog niet gescoord,' zei ik.

'Details,' antwoordde hij. Zijn mond was maar een paar centimeter van de mijne verwijderd. 'Wij grote geesten blijven daar niet te lang bij stilstaan.'

Ineens wist ik zeker dat hij me zou gaan zoenen. Hij was hier, ik voelde zijn adem en de grond lag stevig onder ons. Maar toen trok er een gedachte over zijn gezicht, een aarzeling, en hij verschoof een beetje. Niet nu. Nog niet. Het was iets wat ik zelf zo vaak had gedaan – afwegen of ik het risico wilde nemen, precies op zo'n moment – dat ik het meteen herkende.

'Een herkansing lijkt me wel op zijn plaats,' zei hij na een tijdje.

'De bal ligt onder het huis.'

'Ik pak hem wel. Hij ligt daar niet voor het eerst.'

'O nee?'

Hij ging overeind zitten en reageerde niet. 'Weet je, jij hebt wel heel stoere praatjes en alles, maar ik weet de waarheid over jou.'

'Wat was die ook alweer?' vroeg ik terwijl ik opstond.

'Stiekem wil je heel graag met me basketballen,' zei hij. 'Je hebt het zelfs nodig. Want diep vanbinnen hou je net zoveel van basketbal als ik.'

'Hield,' corrigeerde ik hem. 'Verleden tijd.'

'Niet waar.' Hij liep langs onze veranda, pakte een bezem en gebruikte de steel om de bal onder het huis uit te vissen. 'Ik zag hoe jij in positie ging staan. Daar sprak liefde uit.'

'Zag jij liefde in mijn schot?' vroeg ik ter verduidelijking.

'Ja.' Hij porde weer met de bezem en toen kwam de bal langzaam mijn kant op gerold. 'Ik bedoel, zo gek is dat niet. Als je eenmaal van iets houdt, zal je er altijd op de een of andere manier van blijven houden. Dat kan niet anders, want het is voor altijd een deel van je.'

Ik vroeg me af wat hij hiermee bedoelde en een tel later verraste ik mezelf met het beeld dat in mijn hoofd opkwam: mijn moeder en ik in de winter op een winderig strand, zoekend naar schelpen terwijl de golven op het strand sloegen. Ik pakte de bal op en gooide hem naar Dave.

'Ben je er klaar voor?' vroeg hij terwijl hij de bal liet stuiteren.

'Ik weet het niet,' zei ik. 'Ga jij vals spelen?'

'Het is straatbasketbal!' zei hij, en hij speelde mij de bal toe. 'Laat me maar eens wat van die liefde zien.'

Wat afgezaagd, dacht ik. Maar toen ik de bal stevig in mijn handen had, voelde ik inderdaad iets. Ik weet niet of het liefde was. Misschien een restje daarvan, wat dat ook te betekenen mocht hebben. 'Goed,' zei ik. 'Kom maar op.'

11

'Hallo,' zei de bibliothecaresse lachend. Ze was jong en had steil blond haar. Ze droeg een felroze coltrui, een zwarte rok en een hippe bril met rood montuur. 'Kan ik je helpen?'

'Ik hoop het,' antwoordde ik. 'Ik wil wat meer weten over de geschiedenis van deze stad. Maar ik weet niet waar ik moet beginnen.'

'Maak je maar geen zorgen. Je bent hier op de juiste plek.' Ze stond op van haar stoel met wieltjes en liep om haar bureau heen. 'Wij hebben hier de grootste verzameling kranten en documenten over de stad. Maar zeg dat niet tegen de historische vereniging. Zij zijn nogal competitief.'

'O,' zei ik. 'Goed.'

'Ben je op zoek naar iets speciaals?' vroeg ze, en ze gebaarde dat ik haar moest volgen door de leeszaal. Het stond er vol met banken en stoelen, de meeste bezet door mensen die verdiept waren in hun boeken, laptops of tijdschriften.

'Ik ben op zoek naar een kaart met details van het centrum erop, van zo'n twintig jaar geleden,' zei ik.

'Zoiets hebben we zeker,' antwoordde ze, en ze nam me mee naar een kleinere ruimte met planken aan alle vier de muren en een rij tafels ertussenin. Het was er leeg, op iemand in een anorak met de capuchon over zijn hoofd na, die met zijn gezicht naar de muur zat. 'Dit is van het vijfenzeventigjarig jubileum van de stad,' zei ze terwijl ze een groot boek tevoorschijn haalde. 'Ze hebben een herdenkingsuitgave van de geschiedenis van de stad gemaakt, met kaarten en al. Een andere optie is om de belasting- en kadastergegevens van, laten we zeggen, de afgelopen tien jaar te bekijken om te zien van wie welk stuk land was en wanneer het was aangekocht en verkocht. Percelen zijn meestal op adres terug te vinden.'

Ik keek naar de stapel boeken die ze naast me op een tafel legde. 'Dit lijkt me wel een goed begin,' zei ik.

'Geweldig,' zei ze. 'Veel succes. O, en je kan misschien beter je jas aanhouden. De verwarming hier werkt bijna niet. Deze ruimte kan een echte koelcel zijn.'

Ik knikte. 'Zal ik doen.'

Ze vertrok en ik zat gewoon een tijdje te kijken hoe zij terugliep naar de leeszaal en rondslingerende boeken van een paar tafels oppakte en meenam. Er was in de aangrenzende zaal een open haard, een echte, en pas toen ik hem zag, besefte ik dat het inderdaad heel koud was waar ik zat. Ik trok mijn jas dichter om me heen, deed de rits weer dicht en boog me over de stadsgeschiedenis door de bladzijden om te slaan.

In de twee weken dat Deb ons voor het eerst had geholpen met de maquette, lagen we meer op schema dan ik ooit voor mogelijk had gehouden. En dat ondanks het feit dat Opal geen jeugdcriminelen meer had kunnen ronselen, ook al had ze een paar keer gebeld. Gelukkig had Deb een plan. Of meerdere plannen.

Ten eerste had ze verschillende systemen ingevoerd om de efficiëntie te verhogen. Naast PMN hadden we EWZT (Elke Week Zelfde Tijd, een schema om te verzekeren dat er elke middag iemand bij de maquette was), VEOV (Voortgang Evaluatie Overzichtsvergadering, die elke vrijdag werd gehouden), en mijn eigen favoriet: SRGT (Schema van Resterende en Gespendeerde Tijd). Dit laatste was een groot kartonnen bord waar in detail al het werk op stond dat we nog moesten doen, samen met de dagen die we nog hadden voor het 1 mei was, de deadline van het gemeenteraadslid.

Deb had ook een website gemaakt voor het project en een blog waarop onze voortgang beschreven werd. Haar e-mails waren net als Deb zelf: vrolijk, zeer nauwkeurig en een beetje vasthoudend. Die vulden dagelijks mijn inbox. Maar er was één ding aan de maquette dat ik helemaal zelf wilde doen.

'Mclean?'

Ik knipperde met mijn ogen en keek naar de tafel naast me. Daar zat Jason, de hulpkok van de Luna Blu, in zijn anorak, met een boek in zijn hand. 'Hé,' zei ik verrast. 'Hoe lang zit jij hier al?'

'Al een tijdje.' Hij lachte. 'Ik was eigenlijk een beetje asociaal. Ik besefte niet dat jij degene was die met Lauren in gesprek was tot ik me daarnet omdraaide.'

'Lauren?'

Hij knikte naar de informatiebalie, waar de bibliothecaresse die me had geholpen nu iets op haar computer aan het typen was met haar ogen op het scherm gericht. 'Zij is de beste als je informatie zoekt. Als zij je niet kan helpen, kan niemand het.'

Ik zat daarover na te denken toen hij zijn boek oppakte – een stukgelezen paperback met op de rug BIDDEN WIJ VOOR OWEN MEANY – en het weer opensloeg. 'Kom je hier vaak?'

'Best wel,' zei hij. 'Ik heb hier een tijdje gewerkt toen ik op de middelbare school zat. In de zomer en na school.'

'Wauw,' zei ik. 'Dat is wel wat anders dan in de keuken van de Luna Blu werken.'

'Alles is anders dan in de keuken van de Luna Blu werken,' gaf hij toe. 'Daar is het een georganiseerde chaos. Misschien vind ik het daarom wel zo leuk.'

'Dave zei dat je op Harvard hebt gezeten,' zei ik.

'Jep.' Hij hoestte. 'Maar dat ging niet, en daarom ben ik teruggekomen en in de keuken gaan werken om de kost te verdienen. Een heel logische carrièrestap, natuurlijk.'

'Je zal wel een grote druk op je schouders hebben gevoeld,' zei ik. Hij trok zijn wenkbrauwen op, omdat hij niet helemaal begreep wat ik bedoelde. 'Die school waar jij en Dave op zaten en de vakken die je op de universiteit volgde... dat je zo gedreven was.'

'Het viel allemaal best mee,' zei hij. 'Maar het was uiteindelijk niet wat ik wilde.'

'Ik geloof dat hij er hetzelfde over denkt. Maar zijn ouders... niet echt.'

Jason lachte. 'Ik weet uit ervaring dat je geen keuzes moet maken op grond van wat anderen van je willen. Er zijn veel mensen die liever hebben dat ik op Harvard zit in plaats van dat ik hier augurken sta te frituren, naar de plaatselijke bibliotheek ga en mensen lastigval die iets proberen te onderzoeken. Maar het gaat niet om anderen, toch?'

Ik knikte. Toen wendde hij zich weer tot zijn boek en ik richtte mijn aandacht op het mijne, dat opengeslagen voor me lag. Nadat ik een paar documenten in kleine letters en wat schetsen had doorgekeken, sloeg ik de bladzijde om, en daar was het: een kaart van twintig jaar geleden van het centrum, waar de Luna Blu ook op stond. Ik boog me wat dieper over het boek en zocht naar onze straat en ons huis, dat alleen aangegeven stond met een nummer en de letters WHEV voor 'woonhuis één verdieping'. Ik liet mijn vinger erover glijden en toen over het huis van Dave ernaast, waarna ik naar het vierkantje erachter ging. Daar was het: een bekende vorm en ook gelabeld met een nummer. Erboven stond alleen: HOTEL.

Vreemd. Ik had wel verwacht dat het pand iets anders

was dan een woonhuis, maar om de een of andere reden verraste dit me toch. Ik pakte een pen en een oud bonnetje uit mijn tas en schreef het nummer van het hotel en het officiële adres erop. Daarna vouwde ik het op en stopte het in mijn zak. Ik was net de boeken aan het opstapelen, toen mijn mobiel piepte. Het was een bericht van Deb: EWZT-HERINNERING: JIJ STAAT VANDAAG INGEDEELD VAN 4 TOT 6! J

Ik keek op mijn horloge. Het was tien voor vier. Precies op schema. Ik pakte mijn tas en liet mijn telefoon erin glijden. Toen ik opstond, draaide Jason zich weer om.

'Ga jij naar het restaurant?' Ik knikte. 'Vind je het erg als ik met je meeloop?'

'Helemaal niet.'

We liepen naar de leeszaal, langs Lauren, die een oudere vrouw met een honkbalpetje bij de computers aan het helpen was. 'Bedankt voor je hulp met het catalogussysteem,' zei ze. 'Je bent een genie!'

Jason schudde zijn hoofd, duidelijk in verlegenheid gebracht, terwijl ik achter hem aan liep door de uitgang en daarna de straat op. We liepen een tijdje en toen zei ik: 'Dus Tracey en Dave zijn niet de enigen die het vinden? Jij bent gewoon een genie.'

'Drie mensen is nog geen meerderheid,' zei hij, en hij trok zijn muts over z'n oren. 'Maar, heb jij gevonden waar je naar zocht?'

'Min of meer,' antwoordde ik. We staken de straat over. Voor me uit zag ik de Luna Blu al door de karakteristieke blauwe luifel. 'Ik ben in elk geval een stuk dichterbij gekomen.'

We liepen een kleine straat verder. Er lag nog steeds sneeuw op de grond, maar die zag er nu grijs en vies uit en was hard en glad onder je voeten. 'Het is dus een beginnetje,' zei hij. 'Dat is toch goed?'

Ik knikte. Dat was waar. Maar iedereen kan een beginnetje maken. Het deel met alle beloftes, de mogelijkheden, de dingen waarvan ik hield, dáár ging het om. Ik merkte dat ik er steeds meer achter wilde komen wat er uiteindelijk was gebeurd.

'Daar ben je!' zei Deb toen ik de trap op kwam. 'We werden al ongerust. Ik dacht dat je er precies om vier uur zou zijn.'

'Het is nog maar vijf over vier,' zei ik.

'Ja, maar Mclean,' zei Dave, die met gekruiste benen op de grond zat, 'je weet dat EWZT niet kan wachten.'

'Het spijt me,' zei ik, en ik gaf hem een tik toen ik langs hem liep. 'Ik moest iets doen. Ik maak het wel goed, dat beloof ik.'

'Dat is je geraden ook,' zei hij.

Deb, die bij de tafel stond, begon naar wat stukjes te zoeken en neuriede in zichzelf terwijl ik me over mijn sector boog. We werkten een tijdlang in stilte voort; het enige wat we hoorden waren de stemmen uit de keuken beneden. Daarbij moest ik denken aan Jason, aan wat hij me had gezegd over Harvard en de keuzes die hij had gemaakt. Verbijsterend, dat je zo ver af kon zijn van wat je had gepland en dat je toch vond dat je precies was waar je moest zijn.

Ongeveer een halfuur later hoorden we luid gebonk onder aan de trap: BONK! BONK! BONK! Deb en ik maakten een sprongetje van schrik. Maar Dave leek onverstoorbaar toen hij over zijn schouder riep: 'Ja, we zitten boven!'

Even later ging de deur piepend open en hoorden we de geluiden van stemmen en voetstappen. Toen verscheen Ellis boven aan de trap, met Riley en Heather achter hem aan.

'O mijn god,' zei Heather, die gekleed was in een rood jack en een kort rokje met een maillot eronder. 'Wat is dit voor iets?'

'Dit heet een zolder,' zei Ellis tegen haar. 'Dat is de bovenste verdieping van een gebouw.'

'Hou je mond,' zei ze terug, en ze gaf een klap op zijn achterhoofd.

'Genoeg nu,' zei Riley met vermoeide stem. Toen keek ze naar Dave. 'Ik weet dat we vroeg zijn, maar ik werd er gek van om met hen tweeën in de auto te zitten.'

'Begrepen,' zei Dave. 'Ik ben bijna klaar.'

'Hier heb je dus al die tijd gezeten,' zei Ellis, die zijn handen in zijn zakken stak terwijl hij langs de maquette liep. 'Dit doet me denken aan al die actiefiguren waar je vroeger mee speelde.'

'Dat waren veldslagen,' zei Dave luid en duidelijk, 'en dat was heel serieus.'

'Natuurlijk, joh.'

Dave rolde met zijn ogen en maakte het laatste huis in zijn sector vast. Toen stond hij op en veegde zijn handen af aan zijn spijkerbroek. 'Oké, dat is gedaan. Ik ga aanstaande zaterdag aan de volgende beginnen.'

Deb wierp een blik op zijn werk. 'Klinkt goed.'

'Ga je weg?' vroeg ik.

'Eerdere afspraak,' antwoordde hij, terwijl Heather en Ellis naar de ramen liepen en naar de straat keken. Riley stond nog bij de maquette en nam hem goed in zich op. 'We gaan met elkaar eten, dat doen we elke maand. Het is bijna verplicht.'

'Hij bedoelt dat het eten zo lekker is dat je het niet zou willen missen,' deed Ellis een duit in het zakje. 'Niemand wil het missen.'

Heather snoof en keek mij aan. Riley zei: 'Zullen we gewoon maar gaan? Je weet hoe ze is als we te laat zijn.'

Ellis en Heather liepen al naar de deur, Dave ging achter hen aan. Riley keek nog een keer naar de maquette en zei toen: 'Jullie kunnen ook mee, als je wilt.'

'Waar gaan jullie dan heen?' vroeg ik.

'Mijn huis,' zei ze. 'En Ellis heeft gelijk. Het eten is verrukkelijk.'

'Ik weet het niet,' zei ik. 'Het klinkt geweldig, maar we hebben een tijdschema...'

'... maar dat kunnen we aanpassen,' onderbrak Deb mij. Ik keek haar aan. 'Ik bedoel dat we het wel kunnen inhalen. Dat is geen probleem.'

'O,' zei ik, verrast dat ze zo gretig was. 'Nou, goed dan. We gaan graag mee.'

Riley knikte, draaide zich om en liep achter Dave en Heather aan, die boven aan de trap stonden. Over haar schouder zei ze: 'Even een waarschuwing: mijn familie is nogal... gestoord.'

'Zijn niet alle families dat?'

'Vast wel,' zei ze schouderophalend. 'Kom. Jullie kunnen met ons meerijden.'

'Ik weet wat jullie denken,' zei Ellis, die de portieren van de MPV met de afstandsbediening opendeed. 'Dit is wel zo'n beetje het mooiste vervoersmiddel op vier wielen dat jullie ooit hebben gezien.'

We stonden allemaal te kijken terwijl het achterportier van het hemelsblauwe busje opengleed en twee rijen banken en een berg voetballen en noppenschoenen onthulde.

'Probeer hem niet uit te leggen dat het maar een MPV is,' zei Heather, die op de achterbank kroop en een bal op de grond duwde. 'Dat hebben wij al gedaan.'

'Het is de liefdesmachine van de moderne man,' antwoordde Ellis, die naar de bestuurdersplek liep, terwijl

Riley naast Heather ging zitten en Dave op de bank ervoor plaatsnam. Ik wierp een blik op Deb, die zich vastklampte aan haar tas. Ze stapte in na Dave, die naar de bijrijdersstoel wees. 'Hoeveel voertuigen ken jij met een oplader, een meter bagageruimte en uitneembare banken?'

'Het blijft een MPV,' zei Heather. 'Voordat jij hem als chillruimte beschouwde, zag je er niet meer in dan een stel achterbanken en een vergaarbak voor chipskruimels.

'Maar nu chill ik er wel in,' antwoordde Ellis, die de motor startte terwijl Deb haar portier dichtdeed. 'En wij gaan er allemaal in chillen onderweg naar Austin. De rest dondert niet.'

We verlieten het parkeerterrein naast de Luna Blu en voegden in op de weg. Ik draaide me om en kwam oog in oog met Riley, die uit het raam keek terwijl naast haar Heather met haar mobieltje in de weer was. 'Weet je zeker dat het kan – op het allerlaatst twee extra mensen meenemen?'

'O, ja hoor,' zei ze. 'Mijn moeder maakt toch altijd te veel.'

'Je kan nooit te veel gefrituurde kip hebben,' zei Dave tegen haar.

'Ze heeft de vorige keer gefrituurde kip gemaakt,' zei Heather, die nog steeds op haar scherm keek. 'Dat weet ik nog omdat Dave twee filets, twee poten en twee vleugels heeft gegeten. Wat alles bij elkaar...'

'... een hele kip is,' maakte Dave haar zin zuchtend voor haar af. 'Dat was wel een record voor mij.'

'De vraatzucht is ongelofelijk,' zei Riley tegen mij. 'Bijna gênant.'

'Bijna,' zei Ellis. Toen lachte hij naar haar in de achteruitkijkspiegel en zij lachte even terug, waarna ze weer uit het raam keek.

We reden door de stad, langs allerlei wijken, tot we op een tweebaansweg kwamen. Het landschap begon te veranderen, met aan weerskanten glooiende heuvels, af en toe een boerderij en grote weides waar koeien in stonden. Ik besefte ineens dat Deb nog geen woord had gezegd en daarom boog ik me naar voren, om haar hoofdsteun heen.

'Gaat het?' vroeg ik zacht.

'Ja.' Ze keek recht voor zich uit en nam alles in zich op. 'Ik heb dit alleen... nog nooit gedaan.'

'Buiten de stad gereden?'

Ze schudde haar hoofd. Naast haar zat Ellis te klooien met de radio en we hoorden flarden van muziek en stemmen. 'Dat me op deze manier wordt gevraagd om te komen eten.'

'Hoe bedoel je "op deze manier"?'

'Nou, door wat mensen van school. Vrienden.' Ze drukte haar tas nog dichter tegen haar borst. 'Dat is echt leuk.'

We zijn er nog niet, wilde ik zeggen, maar ik hield me in, omdat ik er weer aan werd herinnerd dat ik nog een hele hoop meer niet wist, al vertelde ze af en toe wel iets over haar verleden.

'Alles cool?' vroeg Dave aan mij toen ik weer gewoon ging zitten.

Ik knikte en keek weer naar Deb. Ze zat er heel stil bij, alsof iemand elk moment kon beseffen dat er een fout was gemaakt en haar terug zou sturen. Ik werd er verdrietig van, niet om nu, maar om alles wat ze hiervoor had meegemaakt en dat dit zo nieuw voor haar was. 'Ja, alles is oké.'

Toen we een hele tijd gereden hadden, minderde Ellis vaart en sloeg hij af op een keitjesweg. Net voorbij een rijtje brievenbussen stond een bord met de tekst EIGEN WEG: VERBODEN TOEGANG, en toen werden we heen en weer geschud en stootte Daves knie af en toe tegen de mijne. Maar ik haalde mijn been niet weg en hij ook niet. Toen we over een lage heuvel reden, zagen we een vrouw in een joggingbroek en een lange jas en met gympen die twee honden uitliet. Ze had een biertje in haar ene hand en een sigaret in de andere, en toch lukte het haar om uitgebreid naar ons te zwaaien toen we langsreden.

'Dat is Glenda,' legde Dave uit. 'Bezig met haar avond-powerwalk.'

'Eén biertje op, een tweede biertje te goed en op zijn tijd een sigaretje,' voegde Riley eraan toe. Tegen mij zei ze: 'Mijn buurvrouw.'

'Oké,' zei ik.

'En daar,' zei Heather toen we langs een korte oprit reden waar aan het einde een klein wit huis stond, 'woon ik. Wees maar niet al te veel onder de indruk van de grootte en de grandeur.'

'Ik ben dol op jouw huis,' zei Ellis. Over zijn schouder voegde hij er nog aan toe: 'Haar vader slaat in het groot Choco Princen in. Die doet hij in een glazen pot die naast de tv staat. Echt geweldig.'

Heather leek in haar nopjes en ik besefte dat ik haar nog nauwelijks had zien lachen. 'Hij is dol op zoetigheid. Ik probeer hem gezond te laten eten, maar dat is onbegonnen werk.'

'Laat die man lekker zijn Choco Prinsen eten,' zei Dave. 'Ben je soms van de voedselpolitie?'

'Hij moet op zijn gewicht letten!' zei ze tegen hem. 'Diabetes zit bij ons in de familie. En vrouwen willen niet lang genoeg bij hem blijven om voor hem te zorgen.'

Ik draaide me een beetje om toen we het huis passeerden. 'Woon jij alleen met je vader?' Ze knikte. 'Ik ook.'

'Hij is een klojo,' zei ze liefdevol. 'Maar hij is míjn klojo.'

Ellis sloeg af op de laatste oprit voor de weg ophield en hij stopte voor een groot bruin huis waar een stel auto's voor geparkeerd stonden. Het had een zilverkleurig metalen dak en een brede veranda, en een stukje erachter zag ik iets wat leek op een grote schuur. Op het dak stond een dikke schoorsteen die rook uitbraakte.

'We zijn er,' zei Dave, terwijl Ellis de motor afzette. 'Ik hoop dat jullie honger hebben.'

Het portier gleed weer open en hij en ik stapten uit, Heather en Riley volgden ons. Binnen brandde een aantal lampen, die een geel licht op de trappen wierpen toen we die op gingen. Ik draaide me om omdat ik even naar Deb wilde kijken, die met Ellis achteraan liep.

'Ik ruik al iets heerlijks,' zei ze zacht, terwijl Riley voor ons uit liep en de deur opentrok.

Ze had gelijk. Ik was opgegroeid in restaurants en had heel vaak lekker gegeten, maar de geur in dat huis was uniek. Net als gefrituurd eten, en kaas, en warmte en suiker en het lekkerste hapje dat je ooit hebt gegeten.

'Jullie zijn laat,' riep een vrouwenstem toen we over de drempel stapten. Dit werd gevolgd door het geluid van een ovendeur die dichtsloeg.

'Dat was Daves schuld,' zei Riley, die haar tas onder aan een trap liet vallen.

'Ik was bezig met vrijwilligerswerk,' zei Dave. 'Dat u het maar weet.'

'Wat goed van je.' Riley stapte opzij en ik zag dat de stem hoorde bij een kleine, roodharige vrouw die bij het aanrecht stond en haar handen afveegde aan een theedoek. Ze droeg een spijkerbroek, gympen en een u-basketbaltrui, en ze stond te lachen. 'Je bent een lieve jongen.'

'Hé, en ik dan?' vroeg Ellis.

'De jury is nog in beraad,' zei ze, en ze bood hem haar wang aan. Hij gaf haar een zoen en liep haar toen voorbij naar de eetkamer, die ik net erachter kon zien. 'Heather, schatje, je vader heeft gebeld. Hij komt laat thuis.'

'Waarom belt hij mij niet gewoon?' vroeg ze, en ze haalde haar mobiel uit haar zak. 'Ik heb hem al zo vaak uitgelegd dat hij geen mobieltje nodig heeft om een ander mobieltje te bellen. Maar hij snapt het niet. Hij is een echte holbewoner.'

'Laat Jonah met rust,' hoorde ik een stem vanuit de eetkamer zeggen. Ik keek naar binnen en zag Ellis zitten naast een man met een baard die ook een u-trui droeg, en een bijpassend petje. Er stond een biertje op de tafel voor hem, dat hij losjes vasthield. 'Niet iedereen is zo in de ban van technische snufjes als jij.'

'Het is niet iets technisch,' zei Heather, die op een stoel naast hem neerplofte. 'Het is een keypad.'

'Lief zijn, hè?' zei hij tegen haar, en zij stak haar tong uit. Ik keek hoe hij lachte, zijn blikje oppakte en een slok nam.

'Mam, dit zijn Mclean en Deb,' zei Riley. 'Ze hadden honger.'

'Nee, niet echt, hoor,' zei Deb snel. 'We willen u niet lastigvallen.'

'Jullie vallen ons niet lastig,' zei Rileys moeder. 'Kom mee en ga zitten. We zijn al laat en we weten hoe je vader zich gaat gedragen als hij denkt dat hij de tip-off mist.'

Ik wierp een blik op Riley, die een roodgeruit schort omknoopte. 'Zij weten niks,' verzekerde ze me. 'Dat beloof ik.'

'De tip-off?' vroeg Deb.

'Om zeven uur precies speelt u tegen Loeb College,' riep Rileys vader, en hij gebaarde naar ons dat we naar de eetkamer moesten komen. Toen we dichterbij waren, stak hij zijn hand uit. 'Jack Benson. Weet jij wel dat je dezelfde naam hebt als de beste basketbaltrainer aller tijden?'

'Eh... ja,' zei ik toen ik zijn hand schudde. Achter me waren Riley en haar moeder druk bezig en zetten ze verschillende pannen en schalen op tafel. 'Dat heb ik weleens eerder gehoord.'

'Kan ik u met iets helpen?' vroeg Deb aan haar, terwijl ze de lekkerste macaronischotel met kaas die ik in tijden had gezien op een onderzetter plaatste.

'Zie je dat?' vroeg Rileys moeder, wijzend naar Dave en Ellis. 'Dat noem je nou goed opgevoed. Jullie moeten allemaal les nemen. Of hiervan leren.'

'We zijn ermee opgehouden om te helpen omdat we dat van u nooit hoefden,' zei Ellis tegen haar. Tegen mij voegde hij eraan toe: 'Ze is een echte controlfreak als het om koken gaat. De manier waarop wij de borden opstapelen voldoet niet aan haar maatstaven.'

'Hou je mond maar,' zei Rileys moeder, die hem een tik gaf met een stapel servetten. Tegen Deb en mij zei ze: 'Jullie tweeën zijn de gasten. Ga zitten. Riley, zorg jij ervoor dat iedereen iets te drinken heeft? We zijn bijna zover.'

'Weet je,' zei meneer Benson toen ik naast Dave ging zitten, 'jij komt me bekend voor. Ken ik je ergens van?'

'Nee,' zei Riley over haar schouder, terwijl ze ijsblokjes in een schenkkan liet vallen.

'Ik denk van wel.' Hij keek me met half samengeknepen ogen aan. 'Jij was het die samen met Dave op televisie was bij die wedstrijd! Over goede plaatsen gesproken! Jij moet wel speciaal zijn om daaraan te komen. Hij wil me nog steeds niet vertellen hoe hij ze heeft gescoord.'

'Omdat het je niks aangaat,' zei mevrouw Benson. De geur van gefrituurd eten, warm en uitnodigend, overspoelde me toen ze achter me liep en een gigantische schaal met kip voor de neus van haar man op tafel zette. 'Hou nou eens tien minuten je mond over basketbal en zeg het tafelgebed. Zijn er nog vrijwilligers?'

Ik keek naar Deb, een beetje in paniek. Toen zei Dave:

'Maak je niet druk. Dat is ook een retorische vraag. Niemand kan zo goed het tafelgebed zeggen als zij.'

'Dave Wade,' zei mevrouw Benson, die een stoel naar achteren schoof en ging zitten. 'Dat is helemaal niet waar.'

Alle anderen aan tafel lachten, maar zij schudde alleen haar hoofd en negeerde hen. Toen stak ze haar handen uit, eentje in de richting van Ellis, links van haar, en rechts naar mij. Net toen haar vingers zich om de mijne sloten, voelde ik dat Dave mijn andere hand pakte.

'Dank u, God, voor deze maaltijd,' zei mevrouw Benson, en ik keek de tafel rond en zag dat Riley en Deb hun ogen dicht hadden. Meneer Benson leek naar de kip te kijken. 'En omdat we deze maaltijd met familie en oude en nieuwe vrienden kunnen delen. Wij zijn zeer gezegend. Amen.'

'Amen,' zei meneer Benson erachteraan, die al naar de opscheplepel greep. 'Laten we gaan eten.'

Ik had van mijn vader geleerd dat meningen over eten altijd vooringenomen zijn en dat je vraagtekens moet zetten bij de meest lovende recensies. Maar in dit geval had niemand een woord overdreven. Na een paar happen besefte ik dat dit een pure Zuidelijke maaltijd was: krokante kip, romige macaroni met kaas, sperziebonen gegaard in varkensvet en versgebakken broodjes die smolten in je mond. De ijsthee was zoet en koud, de porties waren enorm en ik wilde dat er geen einde aan kwam.

Ik ging zo op in mijn gedachten dat ik pas toen ik nog een stuk kip pakte, en hard op weg was om in de buurt te komen van Daves record, besefte dat het heel lang geleden was dat ik op deze manier aan een tafel had gezeten en in gezinsverband had gegeten. Ik had de afgelopen twee jaar of thuis op de bank gegeten, of in de keuken met mijn vader, prikkend van hetzelfde bord terwijl hij het eten van andere mensen stond te bereiden. Hier bij Riley ging het er heel anders aan toe. Er werd luid gesproken over van alles en nog wat, terwijl er schalen werden doorgegeven en glazen werden bijgevuld. Dave en ik stootten telkens met onze ellebogen tegen elkaar aan, terwijl Rileys moeder me overlaadde met vragen over hoe ik school vond en in welk opzicht het er anders was dan op mijn vorige scholen. Ondertussen praatten Ellis en Heather over basketbal met Rileys vader, en daarnaast vertelde Deb aan Riley over de maquette en de plannen die ze ermee had. Het was luidruchtig en het was warm, en ik had een rood gezicht gekregen. Ineens begreep ik weer wat de aantrekkingskracht van eten was, dat het meer was dan alleen iets klaarmaken en het door een luik in de keuken schuiven. Het ging om familie en om een thuis, een plek waar je hart lag, zoals Opal nog niet zo lang geleden over de Luna Blu had gezegd.

'Mclean, neem nog wat sperziebonen,' zei mevrouw Benson, en ze gebaarde naar Ellis om ze door te geven. 'En ik zie dat je nog wel een broodje kan gebruiken. Waar is de boter?'

'Hier,' zei Heather, die het bord optilde en aan meneer Benson gaf, die het weer doorgaf aan Dave. Terwijl de gesprekken weer oplaaiden, keek ik hoe het broodmandje de tafel rond ging, net als de conversaties. Langzaam maar zeker ging het van hand tot hand, van de ene persoon naar de andere, als schakels in een ketting op weg naar mij.

Na het eten zette Rileys moeder ons aan de afwas, terwijl meneer Benson zich verontschuldigde en naar de huiskamer ging, waar hij met een vers biertje onderuitzakte in een grote leren stoel. Even later hoorde ik de stadionomroeper en toen ik een blik op de televisie wierp zag ik twee mannen in pak die elkaar de hand schudden, met een scheidsrechter ernaast.

'Moet je dat zien,' riep meneer Benson over zijn schouder. 'Die hondenkop draagt vanavond maar één van zijn twee kampioensringen.'

'Mijn vader haat Loeb College,' zei Riley, die wat afwasmiddel in de gootsteen spoot terwijl de kraan liep. Hier was duidelijk sprake van een routine: zij had de afwasborstel in haar hand, Ellis stond naast haar om te spoelen en Deb en ik waren gewapend met een theedoek. Dave en Heather vormden de opruimploeg en deden de kastjes open en zetten dingen weg. 'En de trainer van Loeb al helemaal.'

'Geldt dat niet voor iedereen?' vroeg Ellis.

'Nee, hoor,' zei Heather. 'Je weet toch dat mijn vader een Loeb-fan is? Dus hou er maar over op.'

'Jonah is alleen voor Loeb om dwars te zijn,' riep meneer Benson. 'Alsof je voor Darth Vader bent. Dat klopt gewoon niet.'

Riley rolde met haar ogen en maakte een bord schoon, terwijl mevrouw Benson achter ons eten in folie verpakte en in de koelkast zette. 'Mam, ga zitten,' zei ze, 'wij hebben alles onder controle.'

'Ik ben al bijna klaar,' antwoordde haar moeder.

'Zij is nooit klaar,' zei Ellis.

Er klonk luid gejuich uit de televisie en meneer Benson klapte in zijn handen. 'Jezus, ja! Zo begin je een wedstrijd!'

'Jack,' zei Rileys moeder. 'Let op je woorden.'

'Sorry,' zei hij automatisch.

Ellis gaf me een schaal, die ik afdroogde en aan Deb gaf. 'Weet je,' zei ze toen ze hem aannam, 'ik heb nooit iets van basketbal begrepen.'

'Het is niet moeilijk te volgen als je gewoon naar een wedstrijd kijkt,' zei Heather.

'Dat zal wel, maar ik heb nog nooit een hele wedstrijd gezien.'

Er viel een stilte. Zelfs de televisie verstomde. 'Nog nooit?' vroeg Riley.

Deb schudde haar hoofd. 'Mijn moeder en ik hebben niet zoveel met sport.'

'Basketbal,' zei Dave, 'is niet gewoon een sport. Het is een geloof.'

'Jij moet ook op je woorden letten,' waarschuwde mevrouw Benson hem vanuit de voorraadkast, waar ze blikken schikte.

'Laat die jongen vrijuit spreken!' riep haar man. Ik keek naar hem en zag dat hij zich omdraaide, een vinger in de lucht stak en naar Deb wees. 'Kom eens hier, lieverd. Ik zal je wel een lesje basketbal geven.'

'O god,' kreunde Riley. 'Pap, alsjeblieft, zeg!'

'Dat lijkt me geweldig!' zei Deb. Toen keek ze naar haar theedoek. 'Ik moet alleen nog even...'

'Laat maar zitten,' zei Heather, die hem van haar overnam. 'Ga maar. Het is makkelijker als je hem zijn gang laat gaan. God weet hoe lang het gaat duren.'

'Weet je het zeker?' vroeg Deb aan Riley, die knikte. 'Oké, bedankt!'

Wij stonden zonder iets te zeggen af te wassen en af te drogen toen zij naar de huiskamer liep en naast de stoel van meneer Benson op de bank ging zitten. Het geluid van de televisie werd weer aangezet, maar toch konden we horen dat meneer Benson van wal stak. 'Goed,' zei hij, 'in 1891 heeft dokter James Naismith het basketbal uitgevonden...'

'Mijn god,' zei Riley, 'hij begint met Naismith. Ik kan niet wachten tot ik naar de universiteit ga.'

Naast me schoot Dave in de lach. Heather zei: 'Dat moet je niet zeggen. Volgend jaar eten we allemaal kantinevoedsel en zouden we willen dat we hier waren.'

'Maar daarvoor banen we ons etend een weg naar Texas,' zei Ellis. 'Hé, wisten jullie al dat ons reisfonds nu boven de duizend dollar is gekomen, dankzij Daves FrayBake-bonus!'

'Heb jij een bonus gekregen?' vroeg Riley aan hem.

'Ik ben drie keer op rij Werknemer van de Maand geworden,' zei hij trots. 'Dat is honderd dollar extra voor jou en mij.'

'Hebben jullie een reisfonds?' vroeg ik.

'We zijn al sinds afgelopen zomer aan het sparen,' legde Riley uit. 'Je weet wel, alles wat we bijverdienen en krijgen op verjaardagen en Kerstmis bewaren we voor benzine en hotels en...'

'Eten,' zei Ellis. 'Ik ben onze reis aan het plannen aan de hand van wegrestaurants van hier tot Austin. Ik wil in elke staat gepocheerde eieren eten.'

'Dat klinkt leuk,' zei ik tegen hem.

'Jullie moeten erover ophouden,' zei Heather terwijl ze een paar glazen op een plank zette. 'Of in elk geval als ik in de buurt ben.'

'Misschien kan je toch nog met ons mee,' zei Riley tegen haar.

'Dat is zeer onwaarschijnlijk. Tenzij ik de komende twaalf maanden ook Werknemer van de Maand wordt.'

'Maar dan moet je eerst een baan krijgen,' zei Ellis.

Heather keek hem aan. 'Jij moet toch weten dat ik al op verschillende plekken heb gesolliciteerd.'

'De FrayBake heeft altijd mensen nodig,' zei Dave vrolijk.

'Ik vind het daar niet helemaal pluis,' zei Heather. 'Het is er zo nep.'

'Maar ze betalen wel echt geld.'

Heather zuchtte en deed het kastje dicht. 'Ik ga mijn vader terugbetalen. Maar dat lukt niet op tijd voor de reis.'

'Geeft niks,' zei Riley, die in haar schouder kneep toen ze langsliep. 'We gaan deze zomer wel uitstapjes maken. Naar het strand en zo.'

'Ja, dat weet ik.'

'Jaaaa! Zo maak je een lay-up, jongen!' riep meneer Benson uit. Deb klapte beleefd en hield haar ogen gericht op het scherm, terwijl Rileys moeder, die in haar schommelstoel bij de open haard was gaan zitten, alleen maar haar hoofd schudde.

'Schiet op met dat spoelen,' zei Dave tegen Ellis, die knikte naar de waterkan in zijn hand. 'We missen alles.'

'Aan jullie hebben we ook niks. Maak dat je wegkomt,' zei Riley tegen hem. Zonder enig protest verlieten ze de keuken. Ze zuchtte. 'Het zijn net kinderen, ik meen het.'

'O, ja!' bulderde meneer Benson, alsof hij dit wilde bevestigen. 'Lekker puh, Loeb!'

'Woeoeoeh,' voegde Deb eraan toe, en ze klapte ironisch in haar handen, terwijl Dave en Ellis naast haar op de bank ploften.

'Pap!' zeurde Riley, die een hand voor haar ogen sloeg. Tegen mij zei ze: 'Je kan niet zeggen dat ik je niet heb gewaarschuwd voor deze gekte.'

'Ze zijn niet gek,' zei ik tegen haar. Ze liet verrast haar hand zakken. 'Ze zijn geweldig. Ik meen het. Jij hebt echt geluk met ze.'

'Vind je?' Ze lachte en keek weer naar haar vader, die met zijn vuist in de lucht sloeg.

'Ja. Bedankt voor de uitnodiging.'

'Graag gedaan. Bedankt voor de hulp.' Ze stak haar handen in het water, haalde er een kom uit die onder het sop zat en gaf hem aan mij om af te drogen. Terwijl ik dat deed, keek ik naar het raam voor me, waarin de televisie te zien was, en de beweging en het licht van de wedstrijd. De commentator liet bij elke actie van zich horen. Ik moest ineens aan mijn moeder denken en zou willen dat ze me nu kon zien, in een echt thuis met een gezin, precies zoals ze wilde. Het was weliswaar niet ons gezin, maar het was wel heel prettig.

12

'Oké,' zei Opal. 'Eerlijk zeggen: babyblauw of kalme wateren?'

'Waar is gewoon blauw gebleven?' vroeg Jason.

Ze keek naar de verfstalen in haar hand. 'Ik weet het niet. Dat is misschien te saai. En ze zijn allebei blauw.'

'Ik vind deze mooi,' zei Tracey, die de lichtere versie aanwees. 'Het lijkt op de zee.'

'Die andere ook,' zei Jason. 'Ik zie echt geen verschil.'

'In die andere zit meer wit. Tracey pakte de linkerverfstaal op en draaide hem om. 'Deze, babyblauw, heeft wat donkerdere tinten die lichter aflopen, maar het is meer een mengsel.'

Opal en Jason keken haar alleen maar aan toen ze de verfstaal weer omdraaide en hem teruglegde. 'Wat nou?' zei ze. 'Ik heb verstand van kunst.'

'Dat is wel duidelijk,' zei Jason. 'Erg indrukwekkend.'

'We hebben dus een stem voor babyblauw en iemand zonder mening. Misschien moet ik toch maar weer terug naar geel.' Opal zuchtte en pakte een stapeltje verfstalen op en liet ze door haar vingers glijden. Toen keek ze op en zag mij. 'Hé, Mclean! Kom eens hier en geef me je mening.'

Ik liep naar de bar en liet mijn rugzak op een stoel zakken. 'Waarover?'

'Welke kleur het nieuwe en verbeterde terras boven moet krijgen.'

'Ga je de bovenverdieping heropenen?' vroeg ik.

'Niet meteen. We hebben eerst de maquette nog, en dan

moet het restaurant nog een betere naam krijgen.' Ze legde de twee verfstalen naast elkaar. 'Maar nu Chuckles ons heeft gespaard, staat hij misschien wel open voor wat ideeën over uitbreiding en verbetering. Hij zou vanavond in de stad zijn en langskomen, dus ik wou hem wat van die ideeën mee-geven.'

'Ik zie het niet zo zitten om boven en beneden tafels te moeten bedienen,' zei Tracey.

'En dan moet je er nog iets op bedenken hoe je het eten warm kunt houden,' voegde Jason eraan toe.

'Waar is jullie gevoel voor avontuur? Of verandering? Dit zou echt heel goed voor het restaurant kunnen zijn. Een terugkeer naar de gloriedagen van weleer!' zei Opal. Ze keken haar alleen maar aan en toen zuchtte ze en richtte ze haar aandacht weer op mij. 'Goed, Mclean. Kies maar een kleur.'

Ik keek naar de twee opties. Twee kleuren blauw, ver-schillend en toch zo gelijk. Ik zag geen wit- of andere tin-ten en kende de termen niet die Tracey had gebruikt om de meest subtiele nuances te beschrijven. Maar tegenwoor-dig wist ik één ding zeker: ik wist wel heel goed wat ik mooi of leuk vond.

'Deze,' zei ik, terwijl ik mijn vinger op de rechterverfstaal legde. 'Die is perfect.'

Het was nu maart en mijn vader en ik waren al bijna twee maanden in Lakeview. Ergens anders zou in die acht weken het routinepatroon al in gang zijn gezet. Verhuizen, school, een naam en een meisje kiezen. Onze weinige noodzakelijke spullen uitpakken en ze op dezelfde manier neerzetten als in de vorige en de volgende stad. Met school beginnen, terwijl mijn vader uitzocht of zijn restaurant slij-merige sla had of heerlijke guacamole serveerde, en ik pro-beerde te besluiten of ik lid zou worden van clubs en de bijbehorende vrienden zou maken. Daarna bleven alleen de tekenen over waaruit ik kon opmaken wanneer ik me moest terugtrekken, de banden voorgoed moest doorsnijden en klaar moest zijn om te vertrekken.

Maar hier was alles anders. We waren wel op dezelfde manier aangekomen, maar sindsdien was alles veranderd. Ik had mijn eigen naam gebruikt en mijn vader begon afspraakjes te maken zonder dat er een vertrekdatum in zicht was. Tel daar het feit bij op dat ik op redelijk goede voet stond met mijn moeder, en je kon wel zeggen dat dit een geheel nieuwe situatie was.

Sinds ik had toegezegd om in de voorjaarsvakantie naar Colby te gaan en nog vier andere weekenden tussen april en juni, was er een soort wapenstilstand tussen mijn moeder en mij ontstaan. Zij had haar advocaat gebeld en haar verzoek om de omgangsregeling te herzien ingetrokken, en ik had het plan aan mijn vader verteld, die, op z'n zachtst gezegd, opgelucht was. Ik had de derde week van maart in mijn agenda omcirkeld met babyblauw of kalme wateren, en nu hadden mijn moeder en ik iets om over te praten dat niet een zwaarbeladen onderwerp was. En dat was best fijn.

'De zee is natuurlijk nog ijskoud,' zei ze de avond ervoor tegen mij toen ze me na het avondeten belde. 'Maar ik heb goede hoop dat de hottub en het verwarmde zwembad het doen, maar misschien is dat niet het geval. Ik hou je wel op de hoogte.'

'Heeft jullie huis een hottub en een zwembad?' vroeg ik haar.

'Eh... ja,' zei ze een beetje verlegen. 'Je kent Peter. Hij doet niets half. Maar blijkbaar heeft hij met dit huis een goede deal gesloten, door een faillissement of zoiets. Hoe dan ook, ik kan niet wachten tot je het ziet. Ik heb me uren het hoofd gebroken over de inrichting en de verbouwing. Het was een nachtmerrie om die kleuren uit te zoeken.'

'Dat zal best,' zei ik. 'Ik heb een vriendin die er nu mee bezig is. Ze wou dat ik haar hielp, maar al die kleuren blauw lijken op elkaar.'

'Dat is echt zo!' zei ze. 'Maar tegelijkertijd ook weer niet. Je moet ze overdag in het licht bekijken en in de namiddag en in fel licht... O, het is gekkenwerk. Maar ik ben heel blij met hoe het is geworden. Denk ik.'

Ik moest toegeven dat het gek was om zo'n... tja... gezellig gesprek met mijn moeder te hebben. Alsof het strand ineens weer een veilige plek was geworden om bij elkaar te zijn, en losstond van het conflict van haar huis of dit huis. En daarom bleven we praten en e-mailen met plannen over wat ze zouden doen als het regende, wat we voor het ontbijt wilden eten, of ik een kamer met uitzicht op zee wilde. Het was makkelijker, stukken makkelijker dan wat ik gewend was. Misschien was het zelfs wel oké.

In de tijd dat ik het aan het goedmaken was met mijn moeder, was mijn vader druk in de weer met Lindsay Baker. Voor zover ik wist, hadden ze al een paar keer samen geluncht, waarbij zij hem een kijkje in de andere plaatselijke restaurants had gegeven. Ook waren ze gaan dineren als hij weg kon bij de Luna Blu, al was dat maar zelden. Normaal gesproken wist ik wanneer mijn vader een volgend vertrek voorbereidde aan de hand van zijn betrokkenheid in een relatie, hoe raar dat ook klinkt. Telefoontjes en lunchafspraken betekenden dat ik door kon gaan met wat ik aan het doen was, dat er nog niets gebeurde. Maar als ik eenmaal elastiekjes in de badkamer vond die niet van mij waren of iemands yoghurt of suikervrije cola in de koelkast zag staan, dan wist ik dat het tijd werd om te stoppen met voorraden suiker en boter kopen en dat we gewoon de restjes moesten opmaken. Maar tot nu toe waren er nog geen aanwijzingen in die trant, niet dat ik wist, tenminste. Maar om eerlijk te zijn was ik zelf ook een beetje afgeleid.

Het gebeurde op de avond dat we bij de Rileys hadden gegeten, toen Ellis ons na de wedstrijd naar huis bracht. Deb was weer op de bijrijdersstoel gaan zitten, gewapend met een bord met restjes die mevrouw Benson had ingepakt voor haar moeder, over wie Deb namelijk had gezegd dat ze 's avonds moest overwerken. En zo zaten Dave en ik samen achterin. Toen Ellis op de zandweg reed, waren we allemaal stil, omdat we uitgeput waren van al het eten en de gesprekken en niet in de laatste plaats van de geweldige wedstrijd, die u in de laatste seconde had gewonnen door een jumpshot. Toen hij zijn richtingaanwijzer aanzette om af te slaan, was het getik het enige geluid in de auto.

Het had iets fijns om in het donker in een rijdende auto te zitten en stil te zijn. Het deed me zelfs denken aan de ritjes met mijn moeder terug van North Reddemane, met het gevoel van de zon nog op mijn huid, zand in mijn schoenen en mijn kleren vochtig doordat ik ze over mijn natte badpak had aangetrokken omdat ik tot op het allerlaatste moment had willen zwemmen. Als we moe waren van de radio of van het kletsen, dan was het prima om de rest van de reis alleen te zijn met je eigen gedachten. Als je zo vertrouwd bent met iemand, dan hoef je niet te praten.

Toen we de stad naderden, trok ik een been onder me. Naast me zat Dave uit het raam te kijken, en heel even bestudeerde ik zijn gezicht, dat nu en dan werd verlicht door de koplampen van tegenliggers. Ik dacht aan alle keren dat we samen waren geweest en dat ik dan dichter bij hem kwam en me dan weer terugtrok, terwijl hij bleef waar hij was. Hij was een soort constante factor in een wereld waar je die nauwelijks had. En toen hij daar zo naast mij zat, schoof ik naar hem toe en legde ik mijn hoofd op zijn schouder. Hij keek niet weg van het raam. Hij tilde alleen zijn hand op, aaide over mijn haar en liet hem daar rusten.

Het was iets kleins. Geen kus, eigenlijk niet eens echt contact. Maar juist omdat het dat allemaal niet was, betekende het heel veel. Ik was jarenlang op de vlucht geweest; ik vond niets enger dan met iemand samen te zijn en te zwijgen. Maar die keer op de donkere weg naar huis gebeurde dat toch.

Nadat we Deb hadden afgezet bij haar auto, stopte Ellis uiteindelijk voor mijn brievenbus. 'Laatste halte,' zei hij, en ik geeuwde en Dave wreef in zijn ogen. 'Het spijt me dat ik dit moment onderbreek.'

Ik kreeg een kleur en stapte uit op de stoep, en Dave volgde me. 'Bedankt voor de rit,' zei hij. 'De volgende keer rij ik.'

'Die auto is een gevaar op de weg,' zei Ellis. 'We zijn beter af in dit liefdesbusje.'

'Ja, maar hij moet het wel blijven doen tot onze reis,' zei Dave. 'Zorg je er goed voor?'

Ellis keek mij aan, knikte en drukte op een knop. De achterdeur gleed dicht, als een gordijn aan het einde van een voorstelling. 'Zal ik doen. Later!'

Dave en ik zwaaiden en toen reed Ellis weg, hobbelend over de verkeersdrempels. Toen we begonnen te lopen, pakte Dave mijn hand en liet hij zijn vingers tussen de mijne glijden. In een flits zag ik die avond in de schuilkelder weer voor me, toen hij ook mijn hand had gepakt om me terug te brengen in de wereld.

We spraken niet en om ons heen hoorden we de gebruikelijke buurtgeluiden: basgedreun, getoeter, iemands televisie. In het feesthuis hadden ze vast en zeker ook naar de wedstrijd gekeken. Ik zag mensen in het huis rondhangen, en de vuilnisbak op de veranda liep over van de lege blikjes bier. En toen zag ik ons onverlichte huis en uiteindelijk dat van Dave, waar de lampen wel brandden, en zijn moeder, die zichtbaar aan de keukentafel iets zat te lezen met een pen in haar hand.

'Zie ik je morgen?' vroeg Dave toen we bij onze achterdeuren waren aangekomen.

'Ik zie je morgen,' antwoordde ik. Toen kneep ik in zijn hand.

Toen ik binnen was, deed ik eerste het licht in de keuken aan. Vervolgens ging ik naar de tafel en zette mijn vaders iPod in de speakerdock; ik hoorde de bekende klanken van een nummer van Bob Dylan. Ik ging naar de huiskamer, deed daar het licht aan en deed in de gang naar mijn kamer hetzelfde. Het was wonderlijk wat een beetje licht en geluid met een huis en een leven konden doen. Hoe het kleinste beetje van beide alles kon veranderen. Na al die jaren op doorreis te zijn geweest, begon ik me nu eindelijk op mijn gemak te voelen.

Ik liet Opal achter om nog eens na te denken over de kleur geel en ik ging naar de zolder, waar Deb en Dave al hard aan het werk waren. Maar deze keer waren ze niet alleen. Aan de andere kant van het vertrek, naast de dozen met de onderdelen van de maquette, zaten Ellis, Riley en Heather op een rij stoelen. Ze waren allemaal verdiept in het lezen van een pak papier.

'Wat is er daar aan de hand?' vroeg ik aan Dave, terwijl Deb langsliep met een klembord in haar handen.

'Deb heeft ze zo laten schrikken dat ze stil zijn,' zei hij. 'En dat is niet makkelijk, geloof me maar.'

'Hoe heeft ze dat gedaan?'

'Met haar POW-pakket.'

Ik wachtte. Het was onderhand een regel geworden dat als je een van Debs afkortingen gebruikte, je die dan even uitlegde.

'Project Overzicht en Welkom,' zei Dave, die een dak op een huisje zette. 'Verplicht leesvoer voor je ook maar in de buurt van een sector mag komen.'

'Zo streng is het nou ook weer niet!' protesteerde Deb. Ik trok een wenkbrauw naar haar op, omdat ik dit betwijfelde. 'Echt niet. Alleen... kan je niet in een bestaand systeem meedraaien voor je jezelf eerst op de hoogte hebt gesteld van de processen. Dat zou stom zijn.'

'Natuurlijk,' zei Dave. 'God, Mclean.'

Ik gaf hem een por en hij greep mijn vinger, krulde zijn vinger om de mijne en hield me even zo vast. Ik lachte en zei toen: 'Maar Deb, hoe heb je het voor elkaar gekregen om onze werkkracht te verdubbelen? Ik heb je gisteravond niet eens ons project horen aanprijzen.'

'Ik hoefde ook niets aan te prijzen,' antwoordde ze, en ze vinkte iets af op het bovenste blaadje op haar klembord. 'De maquette sprak voor zichzelf. Toen ze hem zagen, wilden ze meedoen.'

'Wauw,' zei ik.

Ze ging weer weg, op haar pen klikkend. Naast me zei Dave, heel zachtjes: 'Maar misschien heb ik hun ook wel verteld dat hoe sneller dit voorbij is, hoe sneller ik meer uren kan werken bij de FrayBake en onze kas kan spekken. Op deze manier kunnen ze in de voorjaarsvakantie een handje meehelpen en kunnen we flink doorstoten.'

'Gaan jullie niets speciaals doen in de vakantie?'

Hij schudde zijn hoofd. 'Nee. We hebben er wel over nagedacht, maar we willen gewoon geld sparen voor de echte reis in de zomer. Ga jij wel iets doen?'

'Met mijn moeder,' zei ik. 'Naar het strand.'

'Bofferd.'

'Niet echt,' zei ik, terwijl ik naar mijn sector liep en die weer in me opnam. 'Ik zou liever hier zijn.'

'Weet je,' riep Heather over de zolder, 'toen jij me overhaalde om hieraan mee te doen, heb je niet gezegd dat het precies op school leek.'

'Het lijkt hier níét precies op school,' antwoordde Deb aan de andere kant van de maquette, waar ze almaar dingen afvinkte op haar lijst. 'Waarom zeg je dat?'

'Omdat we van jou iets moeten bestuderen,' zei Ellis.

'Als jullie je er gewoon op zouden storten, zou dat de hele srgt in de war sturen,' zei Deb tegen hem. 'Ik moet nu al de hele ewzt omgooien!'

'Wat?' vroeg Heather. 'Welke taal spreek jij?'

'Ze praat Debs,' zei ik. 'Voor je het weet spreek jij het ook.'

'Ik ben klaar,' zei Riley. Ze ging staan met haar pak papier in haar hand. 'Alle veertien punten en het overzicht van de afkortingen.'

'Mooi,' zei Heather, die ook opstond. 'Dan kan je ze aan mij uitleggen.'

'Het lijkt écht op school!' zei Ellis. Heather gaf hem een harde elleboogstoot. 'Hé, je moet niet boos worden op mij. Jij kunt je niet eens door het pow-pakket worstelen.'

'Je kan het mee naar huis nemen en dan kan je het vanavond nog doornemen,' zei Deb geruststellend tegen Heather.

'O, oké,' antwoordde Heather. 'Want het lijkt immers helemaal niet net op school.'

'Geweldig!' Deb klapte in haar handen en pakte daarna haar klembord weer op. 'Als jullie me allemaal willen volgen naar onze topsector, dan geef ik jullie een rondleiding.'

Ellis stond op en volgde Riley en Heather, die zich achter Deb aan sleepten. 'Is er ook nog iets te eten?' vroeg hij. 'Ik werk altijd beter als er iets te snacken valt.'

Dave snoof. Maar Deb negeerde dit, of ze hoorde het echt niet. 'Goed, als jullie er vertrouwen in hebben dat je het systeem begrijpt, krijgen jullie een eigen sector. Tot die tijd moeten jullie deze delen. Hij is relatief makkelijk, perfect voor beginnelingen...'

Terwijl zij aan het woord was, keek ik op naar Dave, die tegenover me aan het werk was. Zijn haar viel over zijn ogen toen hij een dak op een gebouw probeerde te zetten. 'Hé,' zei ik, en hij keek op. 'Weet je dat gebouw achter onze huizen? Dat leegstaat?'

'Ja. Wat is daarmee?'

'Het staat ook op de maquette, maar er staat niet bij wat het is. Dat merkte ik de vorige keer.' Ik trok het gebouw uit de stapel die ik naast me in elkaar had gezet en liet het aan hem zien. 'En daarom ben ik naar de bibliotheek gegaan om te kijken of ik het kon thuisbrengen.'

'Heb je dat gedaan?'

Ik knikte en besefte op dat moment hoe graag ik het aan hem wilde vertellen. Ik wist niet waarom dat zo belangrijk voor me was, behalve dat het op de een of andere manier geen toeval leek te zijn. Dat op het moment dat alles echt op zijn plaats leek te vallen, ik aan het deel van de maquette toe was gekomen dat mijn buurt voorstelde. Mijn huis en dat van Dave. Het feesthuis, de Luna Blu en de straat waar ik de bus nam. En in het midden dat lege gebouw, dat in al zijn anonimiteit des te meer opviel omdat het omgeven werd door duidelijk herkenbare dingen. Ik wilde het een gezicht, een naam geven. Iets meer dan twee verschoten letters op een dak en de honderden mogelijke dingen die het kon zijn.

Ik zette het gebouw op de juiste plek en het plakband zorgde ervoor dat het bleef staan. Ook de klik die erop volgde gaf dat aan. 'Ja,' zei ik, 'het was...'

'O mijn god! Moet je dit zien.' Ik draaide me om en zag Lindsay Baker, gekleed in een zwarte broek en een strakke rode trui. Ze lachte breed toen ze op de overloop verscheen. Mijn vader, die er duidelijk minder opgewonden uitzag, volgde haar op de voet. 'Ik had wel verwacht dat jullie vooruitgang zouden hebben geboekt, maar dit is echt indrukwekkend!'

Deb, die aan de andere kant van de maquette stond, straalde van blijdschap. Ik zei: 'We hebben een geweldige leider aangesteld en dat was een heel goede zet.'

'Ja, dat kan je wel zien,' zei Lindsay terwijl ze langs de maquette liep en goedkeurende geluiden maakte. Na een paar stappen pakte ze mijn vaders hand vast. 'Gus, heb je dit al gezien? Ik had geen idee dat het zo gedetailleerd was!'

'Het is gemaakt op basis van de meest recente satellietfoto's,' riep Deb. 'Het maquettebedrijf beroemt zich op zijn nauwkeurigheid. En wij proberen die natuurlijk waar te maken.'

Het raadslid knikte. 'Dat kan je goed zien.'

Deb kreeg een kleur van plezier en ik wist dat dit een bijzonder moment voor haar was en dat ik blij voor haar moest zijn. Maar ik was te zeer afgeleid door mijn vader, die werd meegetroond naar de verste hoek van de maquette en oogcontact met iedereen vermeed. Lunchafspraken en telefoontjes waren één ding, maar handjes vasthouden of andere vormen van openlijke affectie waren verboden terrein.

'Wauw,' zei Dave met lage stem. 'Je vader en Lindsay Baker? Zij is echt verslaafd aan de Frazier Bakery. Ze slaat daar koffie achterover alsof het vruchtensap is.'

Ik schudde mijn hoofd, hoewel ik niet in de positie verkeerde om iets te bevestigen of te ontkennen. 'Ik geloof niet dat het serieus is.'

'Gus?' riep Opal onder aan de trap. 'Ben je boven?'

'Ja,' antwoordde hij. 'Ik kom er...'

Maar hij kwam niet snel genoeg in beweging. Voor hij zijn hand maar kon terugtrekken – en iets zei me dat als Lindsay je eenmaal beethad, ze je niet snel losliet – stond Opal al op de overloop.

'De vleesleverancier hangt aan de telefoon,' zei ze, een beetje buiten adem van het traplopen. 'Hij zegt dat jij onze standaardbestelling hebt gewijzigd en wil weten of het nu per week wordt opgegeven in plaats van per maand. Ik heb hem gezegd dat hij zich vergiste, maar hij is...'

Ze viel ineens stil en ik volgde haar blik naar mijn vaders hand, die nog steeds die van het raadslid vasthield. 'Ik zal wel met hem praten,' zei mijn vader, die Lindsay losliet en naar de trap begon te lopen. Opal stond nog steeds voor zich uit te staren toen hij langs haar liep.

'Opal, ik ben ontzettend onder de indruk van wat ik hier te zien krijg!' zei Lindsay tegen haar. 'Je zal wel heel trots zijn op de vooruitgang die deze kids hebben geboekt.'

Opal knipperde met haar ogen, keek naar de maquette en toen naar ons. 'Jazeker,' zei ze. 'Het is geweldig.'

'Ik moet toegeven dat ik een beetje zenuwachtig was na mijn laatste bezoek.' Ze liet haar blik nog een keer over de maquette glijden. 'Niet dat ik geen vertrouwen in je had, maar op dat moment zag het er nogal ongestructureerd uit. Maar Mclean zegt dat er een nieuwe teamleider is...'

'Deb,' zei ik. Ik knikte naar haar en ze begon weer te stralen. 'Dit is voornamelijk aan Deb te danken.'

Ik voelde dat Opal mij aankeek; haar blik brandde op mijn gezicht en ik besefte te laat dat het precies het verkeerde moment was om de aandacht op mezelf te richten. 'Nou, Deb,' zei Lindsay, die breed lachend in haar richting keek, 'als dat waar is, kijk ik ernaar uit om je tijdens de onthulling flink wat lof toe te zwaaien.'

'O, dat klinkt geweldig!' zei Deb. Ze dacht even na en zei toen: 'Ik heb eigenlijk ook nog een paar ideeën over de beste manier om de maquette tentoon te stellen. Om optimaal indruk te maken. Misschien wilt u ze wel horen.'

'Natuurlijk,' zei Lindsay, op haar horloge kijkend. 'Jemig, ik moet terug naar mijn kantoor. Waarom loop je niet met me mee naar beneden als ik Gus nog even opzoek?'

Debs gezicht lichtte op. Ze pakte haar klembord en haastte zich naar Lindsay, die al de trap af liep. We keken allemaal toe hoe ze vertrokken en niemand zei iets. Toen de deur beneden dichtsloeg, wendde Opal zich tot mij.

'Mclean,' zei ze, 'wat... Wat is hier aan de hand?'

Ik schudde mijn hoofd. 'Ik weet het niet.'

Opal slikte en keek de kamer rond, alsof het nu pas tot haar doordrong dat we publiek hadden. Ze richtte haar aandacht op de maquette en nam hem helemaal in zich op. 'Ik had geen idee dat jullie al zoveel hadden gedaan,' zei ze. 'Ik moest in het algemeen maar eens gaan opletten.'

'Opal,' zei ik. 'Ga niet...'

'Ik moet het restaurant openen,' zei ze. 'Jongens, ga zo door. Het ziet er geweldig uit!'

Ze draaide zich om en verdween de trap af. We waren met de helft van het gezelschap achtergebleven, maar ineens leek het vertrek heel leeg.

'Ligt het aan mij,' zei Heather, 'of was dat ongemakkelijk?'

'Nee, dat ligt niet aan jou,' zei Dave.

Riley, die aan de andere kant stond, zei: 'Gaat het, Mclean?'

Ik wist het niet. Het enige wat me duidelijk was geworden, was dat alles ineens heel tijdelijk leek, mezelf inbegrepen. Ik keek weer naar de maquette. Daar was de hele wereld eenvoudig en klein, netjes en geordend, al was het maar omdat wij er geen van allen op stonden – geen mensen om de dingen ingewikkeld te maken.

Die middag, net als de meeste middagen, werkten we door tot zes uur. Dat was Opals regel, al denk ik dat mijn vader er ook iets mee te maken had. Maar het was ook wel logisch: het was al niet niks dat er tijdens het eerste openingsuur mensen boven bezig waren en rondliepen, maar later op de avond zou dat eigenlijk helemaal niet gaan.

Dave en ik liepen samen terug naar huis. Dat van hem was helemaal verlicht, zoals gebruikelijk, en ik zag dat zijn vader en moeder bezig waren in de keuken. Ons huis was donker, op het licht op de zijveranda na, dat we altijd vergaten uit te doen. Ik wist dat dit niet milieuvriendelijk was en moest eens een briefje bij de deur hangen om mezelf eraan te herinneren. Maar op dit soort momenten was ik blij dat de lamp brandde.

'Heb je plannen voor het eten?' vroeg Dave toen we op onze oprit liepen.

'Niet echt. Jij?'

'Tofoebrood.' Hij trok een gezicht voor ik kon reageren. 'Het is lekkerder dan het klinkt. Maar toch... niet echt heel lekker. Wat staat er bij jou op het menu?'

Ik dacht aan onze koelkast en dat ik al een paar dagen geen tijd had gehad om hem te bevoorraden. Eieren, wat brood, misschien wat broodbeleg. 'Ik denk dat ik een soort ontbijt ga maken.'

'Echt?' Hij zuchtte. 'Dat klinkt geweldig.'

'Moet je eens aan je moeder voorstellen.'

Hij schudde zijn hoofd. 'Die heeft iets tegen eieren.'

'Wat zeg je nou?'

'De korte versie is dat zij ze niet eet,' verklaarde hij. 'De langere versie heeft te maken met bepaalde allergieën in combinatie met ethische zaken.'

'O.'

'Ja, precies.'

We stonden nu bij de basket. Ik keek over zijn schouder naar de keuken, waar mevrouw Dobson-Wade in een wok stond te roeren terwijl Daves vader een glas wijn inschonk. 'Maar het is wel leuk dat jullie als gezin met elkaar aan tafel zitten. Ook al zijn eieren dan verboden.'

'Het zal wel,' zei hij. 'Maar meestal zitten we allemaal te lezen.'

'Wat?'

'Te lezen,' herhaalde hij. 'Iets wat je met boeken doet?'

'Zitten jullie bij elkaar aan tafel zonder iets te zeggen?'

'Ja. Ik bedoel, soms praten we wel. Maar we hebben allemaal dingen waar we in opgaan...' Hij maakte zijn zin niet af en leek in verlegenheid gebracht. 'Ik zei je toch dat ik vreemd ben? En mijn familie is dus ook vreemd. Maar dat had je zelf toch ook al ontdekt?'

'Vreemd,' zei ik, 'maar wel samen. Dat is niet zomaar iets.'

Nu keek hij naar mijn huis, die ene buitenlamp die brandde en de donkere keuken erachter. 'Ik denk het wel.'

Ik wilde naar binnen gaan. 'Veel plezier met je tofoebrood,' zei ik, en ik liep naar de trap van de veranda.

'Eet een extra ei voor mij.'

Ik maakte de deur open en deed onmiddellijk het licht in de keuken aan, gevolgd door dat in de huiskamer. Toen zette ik mijn vaders iPod in de speakerdock – hij was vanochtend blijkbaar in een Led Zeppelin-bui – brak een paar eieren in een schaal en deed er wat melk bij. Het brood uit de koelkast was een beetje oud. Niet beschimmeld, maar perfect om te roosteren. Vijf minuten later was mijn avondeten klaar.

Normaal gesproken at ik op de bank voor de televisie of met mijn laptop op schoot. Vanavond besloot ik echter om een servet onder mijn vork te leggen en aan de keukentafel te gaan zitten, toen ik hoorde dat er op de deur werd geklopt. Toen ik me omdraaide zag ik Dave en zijn vader staan.

'We hebben jouw televisie nodig,' legde Dave uit toen ik de deur opendeed. Ze stonden allebei met een bord in hun hand. Achter hen zag ik mevrouw Dobson-Wade in haar eentje in de eetkamer zitten. Met een boek.

'Mijn televisie?'

'De wedstrijd van Defriese tegen u is net begonnen,' zei meneer Wade. 'En onze televisie weigert om van kanaal te veranderen.'

'Waarschijnlijk omdat hij twintig jaar oud is,' voegde Dave eraan toe.

'Het is een heel goede televisie,' zei zijn vader, die zijn bril rechtzette met zijn vrije hand. 'We kijken er toch nauwelijks naar.'

'Behalve vanavond.' Dave keek me aan. 'Ik weet dat we heel wat van je vragen, maar kunnen we...'

Ik deed een stap achteruit en gebaarde met mijn hand. 'Natuurlijk.'

Ze kwamen binnen; hun bestek rammelde op hun bord. Ze liepen naar de huiskamer en gingen op de bank zitten. Ik zette de televisie aan en zapte langs de kanalen tot ik het gezicht van mijn stiefvader zag. De wedstrijd was al zo'n tien minuten bezig en Defriese stond met negen punten voor.

'Hoe is dat gebeurd?' vroeg meneer Wade zich hoofdschuddend af terwijl ik terug naar mijn bord liep en het meenam naar een stoel die naast de bank stond.

'Onze defensie is waardeloos,' antwoordde Dave. Toen snoof hij en keek me aan. 'O mijn god. Dat ruikt heerlijk.'

'Het is gewoon roerei, niets bijzonders.' Nu zat meneer Wade ook naar mijn bord te kijken. 'Ik... eh... Ik kan ook wel wat voor jullie maken, als je dat wilt.'

'O, nee, nee,' zei Daves vader. Hij wees naar zijn bord, waar een lichtbruin vierkantje naast wat broccoli lag en iets wat leek op bruine rijst. 'Wij hebben een heerlijk bordje eten bij ons. Dat we naar de televisie mogen komen kijken is al ruim voldoende.'

'Klopt,' zei Dave, terwijl er gefloten werd in de wedstrijd. Meneer Wade grijnsde. 'We zitten goed.'

Ik richtte mijn aandacht weer op het scherm. Na een paar minuten van spel dat snel heen en weer ging, werd er een overtreding op een U-speler gemaakt en werd de klok stilgezet. We keken naar een paar bierreclames en een nieuwsflits, en toen ging de wedstrijd weer verder. We zagen dat Peter iets zei tegen een van zijn spelers. Hij sloeg hem op de rug en de man liep het veld weer op. Toen Peter ging zitten, zag ik dat mijn moeder achter hem zat. Deze keer was de tweeling er niet bij; ze was alleen en zat met een ernstig gezicht naar de wedstrijd te kijken.

'Het is geen enkele moeite om roerei voor jullie te maken,' zei ik terwijl ik opsprong. 'Ik ben al klaar met eten en het is zo gebeurd.'

'Hé, Mclean, je hoeft echt niet...' begon Dave. Ik keek hem aan en blikte toen naar het scherm, waarop mijn moeder nog steeds te zien was. 'O. Ja. Dat lijkt me heel lekker. Graag.'

Het was makkelijker om naar de wedstrijd te luisteren dan ernaar te kijken en daarom brak ik de eieren, deed er melk bij en verhitte ik de pan. Ik wist niet hoe ze over geroosterd brood dachten. Bezwaren tegen gluten? Was tarwe ethisch verantwoord? Desondanks stopte ik gewoon wat sneetjes in het broodrooster. Terwijl ik stond te koken, kwam U terug en haalden ze hun achterstand in, hoewel ze wel een paar overtredingen maakten. Toen ik zo naar de reacties van Dave en zijn vader luisterde – gekreun, geklap en af en toe gejuich – en de geur van de eieren rook, was het alsof ik weer in Tyler was, in ons oude huis, en mijn oude leventje leidde. Ik nam dus de tijd.

Er waren nog vijf minuten over van deze helft toen ik in de huiskamer verscheen, balancerend met twee borden en een rol keukenpapier, die ik allemaal op de tafel voor Dave en zijn vader neerzette. Het was gewoon geroosterd brood met eieren, maar aan hun reactie te zien zou je denken dat ik een feestmaal had bereid.

'Lieve hemel,' fluisterde meneer Wade, die langzaam zijn half leeggegeten bord met de tofoe opzijschoof. 'Is dat... Is dat boter?'

'Ik geloof het wel,' zei Dave. 'Wauw. Moet je zien hoe luchtig en geel deze zijn!'

'Heel anders dan neieren,' viel zijn vader hem bij.

'Neieren?' vroeg ik.

'Niet-eieren,' legde Dave uit. 'Eivervangende producten. Dat is wat wij gebruiken.'

'Wat zit daar dan in?' vroeg ik aan meneer Wade, die een hapje nam. Hij deed zijn ogen dicht, kauwde langzaam en kreeg zo'n gelukzalige uitdrukking op zijn gezicht dat ik wegkeek.

'Niet-eieren,' zei Dave weer. Hij ademde uit. 'Dit is heerlijk, Mclean. Heel erg bedankt.'

'Ja, bedankt,' zei ook zijn vader, die nog een flinke hap op zijn vork schoof.

Ik lachte toen de wedstrijd weer verderging. De spelers kwamen onmiddellijk in beweging op het veld en U had op dat moment de bal. Toen ze langs de bank renden, zag ik Peter weer en mijn moeder erachter. Terwijl het team hun aanval opzette, keek ik hoe zij haar mobieltje pakte, het openklapte, een paar toetsen indrukte en het naar haar oor bracht.

Ik keek om, op zoek naar mijn tas, die op de grond lag bij de bank. En ja hoor: ik zag een lampje knipperen. Ik haalde mijn mobiel eruit. 'Hallo?'

'Hallo, schatje,' zei ze, boven de herrie om haar heen uit. 'Ik had net een ideetje voor ons reisje morgen. Heb je even?'

Dave en zijn vader barstten in gejuich uit. Hun borden ratelden op hun schoot toen u de bal had afgepakt en ermee over het veld rende. Daar waar mijn moeder zat, was de reactie duidelijk een stuk lauwer.

'Ik heb nu eigenlijk mensen over de vloer die bij me eten.'

'Echt waar?' Ze klonk heel verbaasd. 'O, nou, dan bel ik je later wel terug. Is dat goed?'

'Goed,' zei ik, terwijl ik naar Dave keek, die nog een hap van zijn geroosterde boterham nam en toen naar me lachte. Echte boter, echte boter. Alles echt. 'Tot straks.'

13

Die avond probeerde ik wakker te blijven tot mijn vader terugkwam, zodat ik hem kon vragen naar het gemeenteraadslid en wat ik tussen hen tweeën had gezien die dag, al wist ik niet of ik het antwoord wel wilde horen. Maar ik was druk bezig mijn koffer te pakken voor het strand en probeerde niet te denken aan alle keren dat ik op dezelfde manier kleren had opgevouwen en die in dezelfde koffer had gedaan. Toen dat klaar was, zette ik een pot koffie en ging ik op de bank zitten om te leren voor mijn laatste grote proefwerk voor de vakantie begon. Ik was ervan overtuigd dat die opgave en de cafeïne me zouden helpen om wakker te blijven tot mijn vader thuiskwam. Maar in plaats daarvan werd ik de volgende ochtend om zes uur wakker in een koude huiskamer, met mijn moeders quilt over me heen.

Ik kwam overeind en wreef in mijn ogen. Mijn vaders sleutels lagen op het schaaltje bij de deur en zijn jas had hij over een versleten leren stoel gegooid. Verderop in de gang kon ik het water horen lopen in zijn badkamer. Gewoon een standaardochtend. Hoopte ik.

Ik nam een douche en kleedde me aan, waarna ik een kom cornflakes pakte en nog een pot koffie zette. Ik was net een tweede kop aan het inschenken, toen ik geklop op de deur hoorde. Uit het raam kijkend, zag ik een grote zwarte auto bij de stoep geparkeerd staan. En dat kon maar één ding betekenen. En ja hoor: toen ik de deur opendeed, stond ik oog in oog met een groot grijs vlak van kasjmier. Ik keek nog verder omhoog, en omhoog, en daar was Chuckles. Opal had al gezegd dat hij terug was in de stad, maar een bezoek aan huis was wel een verrassing.

'Mclean,' zei hij lachend. 'Goedemorgen. Is je vader in de buurt?'

'Hij staat onder de douche,' zei ik tegen hem, en ik stapte naar achteren zodat hij naar binnen kon. Hij moest bukken om door de deur te komen, maar deed dat op zo'n natuurlijke manier dat het duidelijk was dat hij er wel aan gewend was. 'Hij zal zo wel komen. Wil je koffie?'

'Nee, dank je, ik heb al,' zei hij terwijl hij een reisbeker omhoogstak. 'Ik ben zo verwend door dit spul. Ik moet het nu zelfs meenemen als ik op reis ben. Je kan het nergens mee vergelijken.'

'Echt? Wat is het?'

'Een speciale blend, uit Kona, Hawaii, en de bonen zijn daar ook geroosterd. Ik doe daar de laatste tijd wat zaken en toen heb ik het ontdekt.' Hij draaide het deksel eraf en stak de beker naar mij uit. 'Ruik maar eens.'

Dat deed ik, al vond ik het wel een beetje raar. Maar het rook verrukkelijk. 'Wauw,' zei ik. 'Hawaii, hè?'

'Ben je daar weleens geweest?'

Ik schudde mijn hoofd. 'Ik zou dolgraag willen.'

'Echt?' zei hij, mij aankijkend terwijl ik de quilt opvouwde en weer over de armleuning van de bank legde. 'Dat is goed om te weten.'

Ik keek op en vroeg me af wat hij daarmee bedoelde, maar toen liep mijn vader de gang in, met natte haren, en hij trok een trui over zijn hoofd. 'Is het niet een beetje vroeg voor een huis-aan-huisverkoper?' vroeg hij.

'Geloof me, jij zal niet kunnen weerstaan wat ik aan je probeer te slijten,' zei Chuckles, die een slok van zijn koffie nam.

'Dat zeg je altijd.' Mijn vader pakte zijn sleutels en zijn telefoon. 'Ga je straks de stad weer uit?'

'Jep. Ik wou je alleen nog één keer lastigvallen.' Hij lachte naar me. 'Ik zei net tegen je dochter hoe geweldig deze Kona-koffie is.'

'Zullen we buiten verder praten?' vroeg mijn vader, die zijn jasje aantrok. 'Mclean, ik ben zo terug.'

'Leuk je weer gezien te hebben,' riep Chuckles terwijl hij weer gebukt de deur door liep, de veranda op. 'En *aloha*. Dat betekent "hallo en tot ziens" op Hawaii. Goed onthouden, oké? Het is nuttige informatie.'

'Oké,' antwoordde ik een beetje onzeker. 'Aloha.'

Mijn vader wierp hem een blik toe en toen viel de deur achter hen dicht. Ik keek hoe ze over het pad liepen. Door hun lengteverschil zagen ze eruit als een komisch duo. Net toen ze achter in de zwarte auto gingen zitten die bij de stoep geparkeerd stond, ging mijn telefoon over.

Ik haalde hem tevoorschijn en klapte hem open, met mijn ogen nog steeds op de auto gericht. 'Goedemorgen, mam,' zei ik.

'Goedemorgen!' zei ze. 'Heb je haast? Of kan ik je even spreken?'

'Dat kan wel.'

'Geweldig! Vandaag wordt een gekkenhuis, met inpakken en erheen rijden, en daarom wou ik even de tijd bevestigen en dat soort dingen, voor het echt losbarst.' Ze lachte. 'Gaat het nog lukken om vier uur, denk je?'

'Ik denk het wel,' zei ik. 'Ik ben hier op z'n laatst om kwart voor vier terug en ik heb alles al ingepakt.'

'Vergeet je badpak niet,' zei ze. 'Onze onderhoudsman belde gisteren en het is een feit: het zwembad en de hot-tub zijn allebei te gebruiken.'

'O god,' zei ik, en ik keek door de gang naar mijn koffer,

die bij het bed stond. 'Dat ben ik helemaal vergeten. Ik weet niet eens of ik nog wel een badpak heb.'

'We kunnen er wel een voor je kopen,' zei ze. 'Er zit een heel leuk kledingwinkeltje in Colby, waarvan mijn vriendin Heidi de eigenaar is. Daar kunnen we wel even langsgaan voor ze sluiten.' Op de achtergrond hoorde ik gebrul. 'O jee, Connor heeft net een bak cornflakes over Madison heen gegooid. Ik moet gaan. Zie ik je om vier uur?'

'Ja, tot dan,' zei ik.

Zij hing abrupt op. Het leek wel of ze altijd gehaast moest ophangen. Ik deed hetzelfde en stopte mijn mobiel weer in mijn zak. Ik draaide me om en zag dat mijn vader weer binnenkwam, en door het raam achter hem dat de auto van Chuckles optrok en wegreed.

'Nou,' zei ik terwijl de deur dichtviel, 'ik hoop dat dit een goed moment is om je te vertellen dat ik een nieuw badpak nodig heb.'

Hij stond ineens stil en trok een strak gezicht. 'O god. Heeft hij het je verteld? Ik had hem nog zo gevraagd om dat niet te doen. Hij kan verdomme nooit eens gewoon zijn mond houden.'

Ik keek hem alleen maar verward aan. 'Waar heb je het over?'

'Chuckles,' zei hij geïrriteerd. Toen keek hij mij aan. 'Die baan op Hawaii? Daar heeft hij je over verteld? Toch?'

Langzaam schudde ik mijn hoofd. 'Ik had het over mijn uitstapje vandaag. Mam heeft een zwembad.'

Hij blies zijn adem uit en wreef over zijn gezicht. 'O,' zei hij zacht.

We stonden een tijdje maar wat te staan en zeiden allebei niets. Koffie, Kona, aloha, om nog maar te zwijgen over het uitstel van executie dat de Luna Blu had gekregen en zijn afspraakjes met dat gemeenteraadslid. Plotseling viel alles op zijn plaats. 'Gaan we naar Hawaii?' vroeg ik uiteindelijk. 'Wanneer?'

'Er is nog niets officieel afgesproken,' antwoordde hij, en hij liep naar de bank en ging erop zitten. 'Het is sowieso een krankzinnig aanbod. Dat restaurant daar is nog niet eens open en het is nu al een zootje... Ik zou wel gek zijn om erop in te gaan.'

'Wanneer?' zei ik weer.

Hij slikte, bracht zijn hoofd iets naar achteren en bestudeerde het plafond. 'Vijf weken. Plus of min een paar dagen.'

Ik dacht onmiddellijk aan mijn moeder – hoe ik een nieuwe rechtszaak had voorkomen met mijn beloftes over dit reisje en de weekenden, en dat we sindsdien op betere voet met elkaar stonden. Hawaii kon net zo goed een heel andere wereld zijn.

'Jij zou niet mee hoeven gaan,' zei mijn vader nu, die me recht aankeek.

'Zou ik hier blijven?'

Hij fronste. 'Nou... nee. Ik dacht meer dat jij weer thuis naar je moeder kon gaan. Daar je schooljaar afmaken, eindexamen doen met je vrienden.'

Thuis. Toen hij het woord uitsprak, kreeg ik niets voor ogen. Geen beeld, geen voorstelling. 'Dus dat zijn de opties?' zei ik. 'Naar mam of naar Hawaii?'

'Mclean.' Hij schraapte zijn keel. 'Ik zei toch al dat er nog niets besloten is?'

Het was heel gek, want op dat moment, volkomen onverwacht, wist ik zeker dat ik in huilen zou uitbarsten. En niet gewoon huilen, maar huilen met hete, krankzinnige tranen die in je keel prikken en waarvan je ogen gaan branden, zoals je doet als je alleen bent en niemand je kan zien of horen, zelfs niet degene die er de reden van is. Zeker die niet.

'Daarom heb je nu verkering met dat raadslid,' zei ik langzaam.

'We zijn een paar keer met elkaar gaan eten. Meer niet.'

'Weet zij al van Hawaii?'

Hij knipperde met zijn ogen en keek me aan. 'Er valt niets te weten. Dat zei ik je al: er zijn nog geen concrete plannen gemaakt.'

'Behalve dat de maandelijkse vleesleveranties zijn omgezet naar een wekelijkse leverantie,' zei ik. Hij trok zijn wenkbrauwen op. 'Dat is geen goed teken. Het betekent dat jullie geen geld meer hebben, of geen tijd. Of allebei.'

Hij leunde nog wat meer achterover en schudde zijn hoofd. 'Er ontgaat jou ook niks.'

'Ik herhaal alleen wat jij me in Petree hebt verteld,' zei ik. 'Of in Montford Falls.'

'Petree,' antwoordde hij. 'In Montford waren er wel tijd en geld. Daarom hebben ze het daar gered.'

'En de Luna Blu gaat het niet redden,' zei ik langzaam.

'Waarschijnlijk niet.' Hij wreef weer over zijn gezicht, liet zijn hand zakken en keek me aan. 'Maar ik meende wat ik zei. Je kan niet je spullen pakken en aan het andere eind van de wereld gaan wonen als je zo dicht op je eindexamen zit. Je moeder zou het nooit goedvinden.'

'Maar dat heeft zij niet te beslissen.'

'Waarom wil je niet naar huis?' vroeg hij.

'Omdat het mijn huis niet meer is,' zei ik. 'Dat is het al drie jaar niet meer. En ja, mam en ik kunnen nu beter met elkaar opschieten, maar dat betekent nog niet dat ik bij haar wil wonen.'

Mijn vader streek door zijn haar, het teken dat hij moe en gefrustreerd was. 'Ik moet naar het restaurant,' zei hij, en hij stond op. 'Denk er alleen over na, goed? We kunnen er vanavond verder over praten.'

'Mam komt me om vier uur ophalen om naar het strand te gaan,' zei ik.

'Als je terug bent, dan. We hoeven nog helemaal niets te beslissen.' Hij liep naar de gang.

Ik zei: 'Ik kan niet meer teruggaan. Je begrijpt het niet. Ik ben niet...'

Hij stond stil, draaide zich om en keek me aan. Hij wachtte tot ik mijn zin zou afmaken en ik besefte dat ik dat niet kon. Mijn gedachten gingen alle kanten op: ik ben niet meer dat meisje, maar ik weet niet wie ik wel ben. En elke gedachte leidde alleen maar tot meer complicaties en uitleg.

Ineens ging mijn vaders telefoon over, die op de tafel lag. Maar hij nam niet op en bleef me alleen maar aankijken. 'Je bent niet wat?' vroeg hij.

'Niets,' zei ik, en ik knikte naar zijn telefoon. 'Laat maar zitten.'

'Blijf hier. Ik wil er nog over doorpraten,' zei hij terwijl hij zijn mobiel oppakte en openklapte. 'Gus Sweet. Ja, hallo... Nee... Ik ben al onderweg...'

Ik keek hoe hij zich al pratend omdraaide en door de gang naar zijn slaapkamer liep. Zo gauw hij uit het zicht verdwenen was, pakte ik mijn rugzak en maakte ik dat ik wegkwam.

De lucht was scherp en helder, en ik voelde hoe mijn longen zich ermee vulden als met water toen ik diep inademde en om het huis liep om de weg af te snijden naar de bushalte. Het gras was nat onder mijn voeten en mijn wangen prikten toen ik langs het gebouw achter ons liep. De vorst hield het nog in zijn greep en het zag er nog verlatener uit dan anders.

Ik zag de bushalte al en bleef staan, boog me voorover, legde mijn handen op mijn benen en probeerde op adem te komen en mijn tranen weg te slikken. Ik voelde de kou om me heen: die trok door mijn schoenzolen heen en hing in de lucht en om het lege, verlaten gebouw naast me. Ik draaide me om, haalde adem en keek in een van de ramen die nog heel waren naar mijn spiegelbeeld. Ik had een wilde, verloren blik in mijn ogen en heel even herkende ik mezelf niet eens meer. Alsof het huis naar mij keek en ik een vreemdeling was. Ik had geen thuis, geen overzicht en geen idee waar ik was, alleen van waar ik misschien naartoe ging.

'Mclean! Wacht even!'

Ik beet op mijn lip toen ik Daves stem achter me hoorde. Tussen het leren door en het werken aan extra studiepunten die ik nog nodig had op deze laatste dag voor de rapportvergaderingen, was het me gelukt om de hele schooldag iedereen te ontlopen. Tot nu.

'Hé,' zei ik terwijl hij aan kwam rennen en met me meeliep.

'Waar heb jij de hele dag gezeten?' vroeg hij. 'Ik dacht dat je aan het spijbelen was.'

'Ik had toetsen,' zei ik toen we met de rest van de menigte door de hoofdingang liepen. 'En nog wat andere dingen.'

'O. Want jij gaat straks weg.'

'Wat?'

'Naar het strand? Vandaag, met je moeder?' Hij keek me aan en kneep zijn ogen half dicht. 'Toch?'

'O ja,' zei ik, en ik schudde mijn hoofd. 'Sorry. Ik ben een beetje afgeleid. Over de reis en alles.'

'Snap ik,' zei hij, maar hij wendde zijn blik niet van me af, ook al bleef ik recht voor me uit kijken. 'Maar... ga je meteen weg of kom je nog even naar het restaurant?'

'Eh...' zei ik terwijl mijn telefoon zoemde in mijn zak. Ik

haalde hem eruit en keek op het schermpje. Het was een sms-bericht van mijn vader. Er stond: KOM HIER LANGS VOOR JE GAAT. Was dit een vraag of een soort bevel? 'Ik ga er zelfs nu naartoe.'

'Cool. Rij met mij mee.'

Op dat moment wilde ik alles behalve met hem alleen zijn. Maar omdat ik er niet onderuit kon, volgde ik hem naar het parkeerterrein en ging ik naast hem in de Volvo zitten. Nadat hij drie keer niet had willen starten, lukte het Dave eindelijk om hem aan de praat te krijgen en naar de uitrit te rijden.

'Ik heb zitten denken...' zei hij toen hij afsloeg op de hoofdweg terwijl de uitlaat ratelde.

'O ja?'

Hij knikte. 'Jij moet echt eens een keer met mij uitgaan.'

Ik knipperde. 'Wát zeg je?'

'Je weet wel. Jij en ik, naar een restaurant of een film. Samen.' Hij keek naar het verkeer en schakelde. 'Is dat soms een nieuw concept voor jou? Als dat zo is, wil ik het graag met je doornemen.'

'Wil jij met mij naar de film?' vroeg ik.

'Nou, niet echt,' zei hij. 'Wat ik echt wil is dat jij mijn vriendin bent. Maar ik dacht dat als ik dat zou zeggen, ik je bang zou maken.'

Ik voelde dat mijn hart een sprongetje maakte. 'Ben jij altijd zo direct met dit soort dingen?'

'Nee,' zei hij. We sloegen rechts af en reden over de heuvel die naar het centrum leidde, en ik kon de hoge gebouwen van het ziekenhuis en de klokkentoren van de universiteit al zien. 'Maar ik had het gevoel dat je haast hebt, omdat je weggaat en zo, en daarom heb ik het recht voor zijn raap gezegd.'

'Ik blijf maar een week weg,' zei ik zacht.

'Dat is waar,' zei hij, terwijl de motor moeite had om de heuvel op te komen. 'Maar ik wou dit al een tijdje doen en had geen zin om nog langer te wachten.'

'Echt?' vroeg ik. Hij knikte. 'Sinds wanneer dan?'

Hij dacht even na. 'Vanaf de dag dat je mij met die basketbal had geraakt.'

'Vond je dat aantrekkelijk?'

'Niet echt,' antwoordde hij. 'Het was meer gênant en ongemakkelijk, maar toch had het wel iets... Het was een soort schone lei. Geen pose of doen alsof. Het was... echt.'

We waren nu in het centrum en reden langs de FrayBake. De Luna Blu lag een paar straten verderop. 'Echt,' herhaalde ik.

'Ja. Ik bedoel, het is onmogelijk om nog te doen alsof als de ander je heeft gezien zoals je liever niet gezien wilt worden. Dan is er geen weg meer terug.'

'Tja,' zei ik. 'Dat is misschien wel zo.'

Hij reed het terrein van de Luna Blu op en parkeerde naast een Volkswagen. We stapten uit en liepen naar de keukeningang. 'Nou,' zei hij, 'ik wil niet opdringerig of wanhopig klinken, maar je hebt nog niet echt geantwoord...'

'Ho! Wacht even!' hoorde ik een stem achter ons roepen. Ik draaide me om en zag dat Ellis zijn busje naast de Volvo parkeerde. Even later kwam hij op ons af gerend met zijn sleutels bungelend in zijn hand. 'Ben ik even blij jullie te zien. Ik dacht al dat ik laat was.'

Dave keek op zijn horloge. 'Dat klopt ook.'

'Twee minuten maar,' zei ik tegen hem. 'Ik denk niet dat Deb ons gaat slaan.'

'Dat weet je maar nooit.' Hij trok de achterdeur open. Toen Ellis naar binnen dook en ik hem volgde, zei hij: 'We hebben het wél over Deb!'

'Jongens, ik moet hier even naar binnen. Ik zie jullie zo,'

zei ik toen we langs de gesloten deur van mijn vaders kantoor liepen.

'O-o,' zei Ellis. 'Nu moeten we Deb onder ogen komen zonder haar.'

'Maar nu kunnen we zeggen dat het haar schuld was dat we laat zijn,' zei Dave. Tegen mij voegde hij er nog aan toe: 'Neem de tijd!'

Ik trok een gezicht en toen waren ze verdwenen achter de deur naar het restaurant, die met een klap dichtviel. Ik bracht mijn oor naar de deur van mijn vaders kamer: ik hoorde hem met lage stem praten.

'Ik zou nu niet aankloppen,' zei iemand, en toen ik me omdraaide zag ik door de gang dat Jason met een klembord in zijn hand in een smal kamertje stond dat werd gebruikt voor de opslag van conservenblikken en andere etenswaren. 'Je vader zei dat hij tot nader order niet gestoord wil worden.'

'Echt?' vroeg ik, en ik keek weer naar de deur. 'Heeft hij gezegd waar het over ging?'

'Dat heb ik niet gevraagd.' Hij knikte en vinkte iets af op zijn lijst. 'Maar ze zitten er al een tijdje.'

Ik wilde bijna vragen met wie mijn vader daar zat, maar besloot om die vraag in te slikken. In plaats daarvan deed ik een stap achteruit, bedankte hem en liep ik naar de zolder.

Het restaurant was leeg en stil. Alleen de bierkoeling zoemde en de ventilator die boven de bar hing tikte omdat hij op een veel te hoge stand stond. Aan het einde van de bar bleef ik staan en keek naar de rij tafels die netjes waren gedekt en stonden te wachten op de opening. Een soort schone lei, had Dave al gezegd. Ook al begon elke avond hetzelfde, toch kon er altijd iets onverwachts gebeuren.

Het was opvallend stil toen ik de trap op liep naar de zolderkamer en ik vroeg me af of Dave en de anderen weg waren gegaan. Vanaf de overloop zag ik dat ze zich allemaal om Deb hadden verzameld, die met haar rug naar me toe op een van de tafels zat met haar laptop op schoot. Ik kon niet zien wat er op het beeldscherm stond, maar iedereen keek ernaar.

'Het moet een grap zijn,' zei ze. 'Of gewoon toeval.'

'Het spijt me, maar ze lijken wel heel erg op elkaar. Moet je die zien en dan die.' Heather wees naar het scherm. 'Het is hetzelfde meisje.'

'Maar wel met andere namen,' mompelde Riley.

'Andere voornamen,' zei Heather. 'Ik zei toch al: hetzelfde meisje.'

'Wat is er aan de hand?' vroeg ik.

Deb sprong op van schrik, klapte haar laptop dicht en draaide zich om. 'Niks. Ik was alleen...'

'... een Ume.com-pagina aan het maken voor de maquette en die aan onze accounts te linken,' maakte Heather haar zin af. Ze klapte de laptop weer open. 'Kan jij je onze verbazing voorstellen toen we jouw e-mailadres erin zetten en er vijf profielen van je opdoken?'

'Heather...' zei Riley met lage stem.

'Wat nou? Vreemd, tien minuten geleden waren we het er nog met elkaar over eens.' Ze keek naar mij, terwijl Dave en Ellis hun blik op de computer richtten. 'Ben je soms een gespleten persoonlijkheid?'

Ik voelde dat ik een droge mond kreeg, omdat de volle omvang van wat ze hadden ontdekt eindelijk tot me doordrong. Ik stapte naar voren en liet mijn ogen over het scherm glijden en over de lijst met namen. Vijf meisjes, vijf profielen, vier foto's. BETH SWEET. LIZBET SWEET. ELIZA SWEET. MCLEAN SWEET. En bovenaan alleen een naam en verder niets voor Liz Sweet. Verder was ik niet gekomen.

'Mclean?' zei Deb zacht. Ik keek haar aan en was me er

sterk van bewust dat Dave een paar stappen naast me nog steeds naar het scherm staarde. 'Hoe zit dit?'

Ik slikte. Ze waren allemaal heel eerlijk en open tegen mij geweest. Dave over zijn vroegere misstappen, Riley over haar rotvriendjes, Ellis over de Liefdesbus en Deb... tja, over alles. Zelfs Heather had haar huis aangewezen en het over haar vader gehad, de Loeb-supporter die bang was voor moderne techniek. Ze hadden dus alle reden om alles wat ik hun had verteld in twijfel te trekken. Ook al was het allemaal waar, dacht ik toen ik naar Dave keek.

'Ik...' begon ik, maar er kwamen geen woorden. Er kwam helemaal niets, alleen gehap naar adem, en toen liep ik terug naar de trap en versnelde ik mijn pas. Ik schoot door het restaurant, langs Tracey, die bij de bar de menukaarten aan het opstapelen was.

'Hé!' riep ze, vaag zichtbaar vanuit mijn ooghoek. 'Waar is de brand?'

Ik negeerde dit terwijl ik verder beende, door de deur en door de gang naar de achteruitgang. Ik wilde net de deur openduwen en legde mijn hand al op de dunne hordeur, toen ik achter me Opal uit mijn vaders kantoor hoorde komen.

'Je had het tegen me moeten zeggen,' zei ze over haar schouder. Ze keek heel boos en had rode wangen. 'Je hebt me gewoon aan het lijntje gehouden, alsof ik gek ben. Terwijl ik dacht dat alles in orde was gekomen.'

'Ik wist het niet zeker,' zei mijn vader.

'Maar je wist iets!' Ze bleef staan en draaide zich abrupt naar hem om. 'En je wist hoe ik over dit restaurant en het personeel denk. Je wist het, en je zei niets!'

'Opal...' zei mijn vader, maar ze had zich alweer omgedraaid, liep weg en duwde de deur naar het restaurant bruusk open voor ze erdoorheen liep. Mijn vader keek haar zuchtend en met hangende schouders na. Toen zag hij mij. 'Mclean. Wanneer...'

'Het is dus officieel,' kapte ik hem af. 'We vertrekken dus weer?'

'We moeten erover praten,' antwoordde hij terwijl hij dichterbij kwam. 'We moeten het goed doorspreken.'

'Ik wil mee,' zei ik. 'Ik wil overal naartoe. Ik wil nu gaan.'

'Nu?' Hij kneep ongerust zijn ogen tot spleetjes. 'Waar heb je het over? Wat is er aan de hand?'

Ik schudde mijn hoofd en liep naar de deur. 'Ik moet naar huis. Mam... Ze wacht op me.'

'Hé, wacht heel even,' zei hij. 'Praat met me.'

Dat was wat iedereen wilde. Mijn moeder, mijn vader, mijn vrienden boven en alle mensen op de plekken die ik had achtergelaten. Maar praten was niet de oplossing. Iets doen, dát telde. En ik was in beweging. Nu, weer, altijd.

14

'Weet je zeker dat het gaat?' vroeg mam, die een blik op me wierp. 'Niet te warm? Te koud?'

Ik keek naar het dashboard met een heleboel knoppen voor de stoelverwarming, de gewone verwarming, de ventilatie en om de vochtigheid te regelen. Peters suv, een van de grootste die ik ooit had gezien, was niet zozeer een auto als wel een leefruimte op wielen. 'Alles is oké.'

'Mooi,' zei ze. 'Maar als je iets wilt bijstellen, moet je dat vooral doen.'

We zaten minder dan een uur op de weg en het gesprek was alleen nog maar gegaan over het weer en het strand. De auto stond op de cruisecontrol en ik had het gevoel dat ik zelf ook op de automatische piloot stond, terwijl ik de chaos van vanmiddag kilometer na kilometer achter me liet.

Ik had gelijk gehad: toen ik thuiskwam, stond mijn moeder al te wachten en gaf ze vruchtendrankjes aan de tweeling, die op de enorme achterbank naast elkaar in hun autostoeltjes zat. 'Hallo!' riep ze naar me, zwaaiend met een plastic rietje. 'Ben je klaar voor onze reis?'

'Ja,' zei ik. 'Ik moet alleen mijn spullen nog pakken.'

Binnen plensde ik wat water in mijn gezicht en probeerde ik te kalmeren. Ik kon alleen nog maar denken aan iedereen die om de laptop had gestaan met al die versies van mij die ze aan het bestuderen waren. De schaamte die ik voelde was als koorts, warm en koud en zweterig, alles tegelijk, en daar kon geen knop om dingen bij te stellen tegenop.

'Ik zat te denken,' zei mijn moeder nu, terwijl ze snel in de achteruitkijkspiegel naar de tweeling keek, die lag te slapen, 'dat we naar het huis kunnen gaan en uitladen, en dan misschien snel nog even naar de boulevard kunnen. Er zit daar een goed restaurantje, waar we iets kunnen eten voor we een badpak gaan kopen. Klinkt dat goed?'

'Jazeker.'

Ze lachte en kneep even in mijn knie. 'Ik ben zo blij dat je er bent, Mclean. Bedankt dat je bent gekomen.'

Ik knikte en zei niets, terwijl mijn mobieltje in mijn zak zoemde. Ik had de ringtone afgezet nadat ik in de eerste twintig minuten van onze reis telefoontjes van mijn vader, Riley en Deb had afgebroken. Het was ironisch, hilarisch of allebei dat ik nu telefoontjes van anderen ontweek om met mijn moeder te praten. Maar niks leek meer gewoon te zijn.

Na een tijd werd de snelweg een tweebaansweg en veranderden de bomen van grote eiken in de naaldbomen die je langs de kust vindt. Ik moest steeds denken aan onze vroegere reisjes naar het strand in de Super Shitty, toen die nieuwer en van haar was. Zij reed en ik zorgde voor leuke radiozenders en voor voldoende koffie en suikervrije cola. Af en toe gingen we ons te buiten aan tijdschriften, die ik hardop voorlas, en gaf ik ons lesjes in make-up en dieettips als de radiostations wegvielen. Nu, in Peters gigantische auto/vrachtwagen/ruimteschip, hadden we een ingebouwd koelvak dat vol stond met drankjes en een satellietradio met meer dan driehonderd stations om uit te kiezen en nooit ook maar de minste ruis bij de ontvangst. En dat nog afgezien van het gezelschap dat we hadden in de vorm van twee peuters. Het landschap was het enige wat niet was veranderd.

Ik had om een heleboel redenen opgezien tegen deze reis, niet in de laatste plaats omdat ik drie uur achter elkaar met mijn moeder in de auto zou zitten en ik wel met haar zou moeten praten. Maar ze verraste me omdat ze, net als ik, genoegen nam met periodes van stilte. Ik werd er na een tijdje een beetje ongemakkelijk van.

'Het spijt me dat ik niet veel zeg,' zei ik toen we anderhalf uur onderweg waren. 'Ik geloof dat ik gewoon heel moe ben.'

'O, dat geeft niks,' zei ze. 'Om eerlijk te zijn ben ik zelf ook doodop. En met die twee kleintjes krijg ik niet veel rust. Dit is...' Ze keek me even aan. 'Dit is fijn.'

'Ja,' zei ik, terwijl mijn telefoon weer zoemde. Ik haalde hem tevoorschijn, negeerde het scherm en zette hem helemaal uit, waarna ik hem weer in mijn zak liet glijden. 'Dat is het ook.'

Het begon net donker te worden toen we over de brug naar Colby reden, en het water onder ons was donker en uitgestrekt. Tegen die tijd was de tweeling wakker en chagrijnig en moesten we, tot mijn grote verdriet, Beatlesliedjes opzetten, gezongen door Elmo, om grote ruzies op de achterbank te voorkomen.

'Mclean,' zei mijn moeder, die achter zich een luiertas pakte, volgestouwd met babydoekjes, luiers en andere voorraden, 'kun jij kijken of er iets te eten voor hen in zit? We zijn er over een minuut of tien, maar als ze iet te eten hebben raken ze niet helemaal van de kook.'

'Natuurlijk,' zei ik, en ik graaide wat rond in de tas tot ik een zak vond met de bekende zoute crackers in de vorm van visjes. Ik maakte hem open en draaide me om naar de tweeling. 'Hebben jullie honger?'

'Visje!' riep Connor, wijzend naar de zak.

'Klopt,' zei ik, en ik nam er een handje uit en gaf dat aan ze. Madison, die aan een drinkbeker zoog, stak ook haar hand uit en ik gaf haar een even grote portie. 'Het avondeten voor kampioenen.'

Mijn moeder zette haar richtingaanwijzer aan en sloeg links af op een weg die door het centrum van de stad liep. Ik kon me niet veel van Colby herinneren, behalve dat het er de laatste keer dat ik er was nieuwer had uitgezien dan North Reddemane, vol met half afgebouwde huizen en overal bouwgrond. Nu, jaren later, leek het meer af, met alle dingen die je verwacht te vinden in een typische strandplaats: surfwinkels, kledingwinkels, hotels en fietsverhuurbedrijfjes. Toen we langs de boulevard reden, werden de huizen en de percelen groter en groter, van twee-onder-één-kapwoningen en vierkante weekendhuisjes tot gebouwen die er meer uitzagen als herenhuizen op het strand, grote bouwwerken in felle kleuren geschilderd en met zwembaden ervoor. De tweeling zat in koor te zeuren. Elmo zong met piepstem '*Baby you can drive my car*' terwijl mijn moeder afsloeg op een oprit en voor de brede veranda van een groen huis parkeerde.

'Daar zijn we dan!' zei ze, en ze keek om naar de tweeling. 'Zie je dat, het strandhuis?'

Ik zag het ook. Sterker nog: ik geloof dat mijn mond ervan openviel. 'Mam!' zei ik toen ze de sleutel uit het contact haalde en het portier openduwde. 'O mijn god!'

'Het is niet zo groot als het eruitziet,' zei ze, en ze stapte uit. Achter me gaf Madison een gil waar Elmo jaloers op zou zijn. 'Ik meen het.'

Ik zat alleen maar te kijken naar het grote groene huis dat voor me oprees. Het had pilaren, twee verdiepingen en een garage onder de grond en – dat kon je door de ramen zien – uitzicht op zee.

'Mama, ik honger,' zeurde Connor terwijl mijn moeder zijn gordel losmaakte. 'Wil macaroni met kaas!'

'Macaroni met kaas!' viel Madison hem bij, die met haar drinkbeker zwaaide.

'Oké, oké,' zei mijn moeder tegen ze. 'Laten we eerst naar binnen gaan.'

Ze zette Connor op haar heup en liep naar de andere kant van de auto om Madison er ook uit te halen en haar op haar andere heup te zetten. Nadat ze zowel de luiertas als haar handtas had omgehangen, liep ze naar de trap van de veranda; ze zag eruit als een sherpa die de Mount Everest beklom.

'Mam,' zei ik toen ik uit de auto stapte en achter haar aan ging. 'God. Laat mij ook wat dragen.'

'O, schatje, dat zou geweldig zijn,' zei ze over haar schouder. Ik stak mijn hand uit naar de luiertas en de handtas, maar hield ineens Madison vast, die onmiddellijk haar armen om mijn nek en haar mollige beentjes om mijn middel had geslagen. Ze rook naar babydoekjes en zweet, en ze liet een visje in mijn shirt vallen. 'Nu moet ik alleen nog mijn sleutels vinden... Hier. Oké. We kunnen naar binnen.'

Ze duwde met haar heup een deur wijder open, stapte naar binnen en stak haar hand uit naar een lichtknop, terwijl ik haar volgde. De gang werd onmiddellijk verlicht en ik zag gele muren die vol hingen met strandtafereeltjes.

'Dit zijn de keuken en de huiskamer,' zei mijn moeder terwijl we naar de trap liepen. Connor hing schuin op haar heup en Madison hield me met haar ene hand vast en had de andere in haar mond gestoken. 'De grote slaapkamer is daar en de rest van de slaapkamers is op de eerste en tweede verdieping.'

'Is dit een huis met twee verdiepingen?'

'Eh... ja,' zei ze, en ze keek om terwijl ze op nog een knopje drukte en de brede, open keuken werd verlicht. In de hoek stond een gigantisch grote koelkast, groter en veel nieuwer dan die in de Luna Blu. 'Nou, het zijn er eigenlijk drie. Als je de zolder meerekent, die is omgebouwd tot spelletjesvertrek. Maar dat was eigenlijk gewoon een ongebruikte zolderruimte.'

Ik hoorde een trillend geluid, een melodietje dat ik herkende, maar niet kon plaatsen. Mijn moeder, nog steeds met Connor op haar heup, stak haar hand in haar tas en haalde haar mobieltje eruit. Ik zei: 'Is dat...?'

'Het Defriese-lied,' vulde ze zelf aan. 'Peter heeft het er voor me op gezet. Ik had eerst ABBA, maar hij stond erop.'

Ik zei niets en keek alleen maar naar een rij grote ramen die uitkeken op zee. Mijn moeder bracht haar telefoon naar haar oor, zakte door haar knieën en liet Connor los, die onmiddellijk naar de koelkast rende en er met zijn handen op ging slaan. Ik probeerde Madison ook neer te zetten, maar zij hield mij alleen maar zo mogelijk nog steviger vast.

'Hallo? O, hallo, schat. Ja, we zijn net aangekomen. Alles ging goed.' Mijn moeder keek naar Connor alsof ze overwoog om hem een standje te geven. Maar het moment was al voorbij, omdat hij op volle snelheid door de kamer rende. 'We gaan een beetje uitpakken en daarna naar de Last Chance. Heb jij al gegeten? ... Goed zo.'

Ik liep naar het dichtstbijzijnde raam, terwijl Madison met een van mijn haarlokken speelde. Ik keek naar het terras. Daaronder zag ik een zwembad, waarvan de ene helft te zien en de andere helft bedekt was.

'Ik bel je als we weer terug zijn,' ging mijn moeder verder, die in haar tas graaide. 'Dat weet ik. Ik ook. Het is niet hetzelfde zonder jou. Oké, ik hou van je. Tot straks.'

Connor rende langs ons heen en stootte tegen mijn heup. 'Strand!' riep hij, en zijn hoge kinderstem galmde door de grote kamer.

'Je krijgt de groeten van Peter,' zei mijn moeder tegen mij, en ze liet haar telefoon in haar tas glijden. 'We slapen bijna nooit apart, als het aan ons ligt. Ik zeg hem steeds dat de meeste stellen vaak los van elkaar reizen, maar hij maakt zich toch zorgen.'

'Maakt hij zich zorgen? Waarover?'

'O, over van alles en nog wat,' zei ze. 'Hij vindt het veel fijner als we allemaal bij elkaar zijn. Ik ga nu de spullen uit de auto halen en dan kunnen we gaan. Zou jij even op de tweeling willen letten? Uitladen gaat makkelijker zonder die twee.'

'Natuurlijk,' zei ik, terwijl Connor de andere kant op rende en nu zijn handen met gespreide vingers tegen het glas van een rij deuren legde die naar buiten leidden. Ze lachte dankbaar naar me en liep terug naar de auto. Even later hoorde ik een garagedeur krakend opengaan en zag ik dat de SUV onder het huis verdween.

En zo bleef ik achter in die krankzinnig grote huiskamer met mijn halfbroer en -zus, van wie er eentje als een verwoestende tornado bijna alle glazen oppervlakten binnen zijn handbereik had besmeurd. 'Connor!' riep ik naar hem terwijl hij met zijn kleine vuistjes tegen de ramen beukte. 'Hé!'

Hij draaide zich om en keek me aan, en ik besefte dat ik geen idee had wat ik tegen hem moest zeggen. Of met hem moest doen. Beneden hoorde ik een portier dichtslaan.

'Zullen we naar het water gaan?' zei ik, en ik probeerde Madison weer neer te zetten. Het lukte weer niet. Daarom liep ik dan maar met haar op mijn heup door de kamer, maakte de achterdeur open en stak mijn hand uit naar Connor. Hij pakte hem stevig vast en we gingen naar buiten.

Het was donker en de wind was koud, maar het strand was nog steeds heel mooi. We hadden het helemaal voor onszelf, op een paar pick-ups na die helemaal aan het eind geparkeerd stonden met de koplampen aan en ervoor hengels die in het zand gestoken waren. Zo gauw we op het zand liepen, maakte Connor zich los en rende hij naar een plas water een paar meter verderop. Ik ging achter hem aan. Hij boog voorover om voorzichtig het stilstaande, ondiepe water met zijn handje aan te raken. 'Koud,' zei hij tegen mij.

'Vast wel,' zei ik.

Ik keek naar het huis en zag mijn moeder langs de rij ramen lopen met grote stoffen tassen met boodschappen erin; overal om haar heen brandde licht. De huizen ernaast waren donker en blijkbaar niet bewoond.

'Koud,' herhaalde Madison, die haar hoofd in mijn oksel verborg. 'Naar binnen gaan.'

'Zo meteen,' antwoordde ik, en ik keek weer om naar de zee. Zelfs 's avonds kon je het schuim van de beukende golven zien, die op het strand rolden en zich weer terugtrokken. Ik stond daar naast Connor, die nog steeds met het plasje water bezig was, en keek hoe de wind met zijn pluizige haar speelde. Toen keek ik naar boven, naar de lucht. Mijn moeder had hier duidelijk geen telescoop nodig. Het leek wel alsof je de sterren kon aanraken, en ze hoefde niet haar best te doen om ze te vinden. Ze had alles tot haar beschikking en ook al wist ik dat dat fijn voor haar was, en zelfs voor Connor en Maddie, toch werd ik er ook verdrietig van, al snapte ik niet waarom.

'Mclean?' hoorde ik mijn moeder roepen. Toen ik me omdraaide zag ik haar bij de geopende schuifdeuren staan met een hand op haar heup. 'Ben je op het strand?'

Het was heel gek, maar heel even wilde ik niets zeggen, zodat ze me zou komen zoeken. Maar net zo snel liet ik die gedachte los en zette ik mijn hand tegen mijn mond om over het gebrul van de golven uit te komen.

'Ja,' riep ik terug. 'We komen eraan!'

Nadat we snel een hapje hadden gegeten in een plaatselijk restaurantje – de tweeling kon geen tien seconden stilzitten in hun kinderstoelen – liepen we in de kou over de boulevard naar de boetiek waar mijn moeder het over had gehad, die dicht bleek te zijn.

'Het is nog winter en daarom gaan ze om vijf uur dicht,' zei ze terwijl ze naar het bordje op de deur keek.

'Het geeft niks,' zei ik tegen haar. 'Ik ga waarschijnlijk toch niet zwemmen.'

'Dan gaan we morgen meteen langs om een badpak te kopen,' zei ze. 'Beloofd.'

Toen we weer in het huis waren, laadden we de rest van de spullen uit de auto en gebruikten we de lift (de lift!) om de bagage naar de tweede verdieping te brengen. Ik kreeg een kamer met een koraalrode sprei op bed, rieten meubels en een bordje boven de spiegel met daarop in grote letters STRAND. Het rook er naar verf en ik had er een prachtig uitzicht op zee. 'Weet je het zeker?' vroeg ik aan mijn moeder toen we in de kamer stonden en de tweeling op het bed klom. 'Ik heb niet zo'n groot bed nodig.'

'Alle bedden zijn zo groot,' zei ze, een beetje in verlegenheid gebracht. 'Behalve die van de tweeling, dan. Zij slapen aan de andere kant van het huis, zodat ze jou niet bij het krieken van de dag wakker maken.'

'Ik sta altijd vrij vroeg op,' zei ik.

'Om vijf uur?'

'Wat zeg je?' Ik keek haar aan en ze knikte. 'Nu snap ik waarom je zo moe bent.'

'Het is uitputtend,' gaf ze toe, en om dit te bevestigen sprongen Connor en Maddie voor onze neus vol overgave op het bed. 'Maar ze zijn maar één keer klein en het gaat allemaal zo snel. Het lijkt wel gisteren dat jij ook zo klein was, ik meen het. Al was ik toen jij een baby was zo bezorgd over het werk en het restaurant... dat ik het gevoel heb dat ik veel heb gemist.'

'Je was er altijd,' zei ik tegen haar. Ze keek me verrast aan. 'Papa was altijd in de Mariposa.'

'Ja. Maar toch zou ik sommige dingen anders hebben gedaan als ik de kans had gekregen.' Ze klapte in haar handen. 'Goed, Maddie en Connor! We gaan in bad! Kom mee!'

Ze liep naar het bed en nam de tweeling ondanks hun protest mee en duwde ze naar de deur. Ze stonden in de gang toen Maddie omkeek naar mij en zei: 'Clien mee?'

Ik keek naar mijn moeder. 'Wat zei ze?'

'Mclean ook mee?' vertaalde ze, en ze woelde door Maddies haar toen Connor al de andere kant op vloog. 'Mclean gaat even uitrusten, oké? We zien haar nog wel voor jullie naar bed gaan.'

Maddie keek me aan. 'Maar heb jij geen hulp nodig?' vroeg ik.

'Nee, hoor. Het gaat wel.' Ze lachte en toen waren ze weg. Het geluid van hun voetstappen op het tapijt stierf langzaam weg. Hoe lang was die gang eigenlijk? Lieve hemel.

Nadat ik een paar minuten naar het uitzicht had staan kijken, ging ik weer naar beneden, waar ik de hele verdieping voor mezelf alleen had. Ik liep naar de weelderige rode bank, waarin ik wegzonk. Ik voelde me een paar minuten lang heel dom omdat ik er maar niet achter kwam hoe ik de flatscreentelevisie die boven de open haard hing aan moest krijgen. Ik zapte een tijdje langs de zenders en zette hem weer uit. Toen zat ik gewoon te luisteren naar de geluiden van de zee.

Na een tijdje haalde ik mijn mobieltje uit mijn zak en zette het aan. Ik had drie ingesproken berichten.

'Mclean, met je vader. We moeten praten. Ik heb de hele

avond mijn telefoon binnen handbereik in de keuken. Bel me.'

Deze keer was het echt geen vraag; het was een bevel. Ik luisterde naar het volgende bericht.

'Mclean? Met Deb. Zeg, het spijt me heel erg van dat Ume.com-gedoe vandaag. Ik wou niet... Ik wist het niet. Wat ik eigenlijk wil zeggen, is dat ik vanavond bereikbaar ben als je met me wilt praten. Oké. Dag.'

Ik slikte en drukte op OPSLAAN. Een piep, en toen hoorde ik Rileys stem.

'Hé, Mclean. Met Riley. Ik wou even van me laten horen... Dat was best wel heftig, daarnet, toch? Deb heeft een soort zenuwinzinking gekregen. Ze denkt dat jij boos op haar bent. Dus misschien kan je haar even bellen of zoiets. Ik hoop dat het goed met je gaat.'

Best wel heftig, dacht ik, en ik drukte op EINDIGEN en legde de telefoon naast me neer. Zo kon je het ook noemen. Ik had geen idee hoe lang ze al naar die pagina op Ume hadden gekeken, en of ze ook mijn andere profielen hadden gelezen of alleen de foto's hadden gezien. Nu ik erover nadacht kon ik me nauwelijks meer herinneren wat er stond. Ik vroeg het me sterk genoeg af om van de bank te komen, naar de garage te gaan om mijn laptop te pakken en het uit te zoeken.

Ik deed het licht bij de deur aan, liep naar de SUV en pakte mijn tas van de voorbank. Ik sloeg net het portier dicht, toen ik naar de andere kant van de lege plek naast Peters auto keek. Daar stond nog een auto geparkeerd, naast een rek gevuld met strandstoelen en speeltjes voor in het zwembad. Er lag een hoes overheen, maar ik voelde dat er iets heel bekends onder zat en daarom ging ik ernaartoe en tilde ik een puntje van de hoes op. En ja hoor, het was Super Shitty.

O mijn god, dacht ik, en ik trok de hoes er helemaal af. Eronder vandaan kwamen de vale rode motorkap, de stoffige voorruit en het versleten stuur. Ik had bijna zeker geweten dat mijn moeder de auto had verkocht of naar de sloop had gebracht. Maar hier stond hij dan, wonder boven wonder, precies zoals ik hem had achtergelaten. Ik liep naar de bestuurderskant en reikte naar de greep en piepend zwaaide het portier open. Ik gleed achter het stuur – de bekende stoel kraakte een beetje onder me – en ik keek in de achteruitkijkspiegel. Er hing een gert aan.

Ik stak mijn hand uit en raakte de rij rode kralen afgewisseld met schelpen aan. Ik kon me mijn laatste trip naar North Reddemane niet meer herinneren, en ook niet wanneer die was geweest. Toen ik daarover na zat te denken zag ik in de spiegel het opbergrek dat achter me tegen de garagemuur aan stond. Het was gevuld met plastic bakken en vanwaar ik zat, kon ik er minstens drie zien waar MCLEAN op stond.

Ik draaide me om, liet mijn hand zakken en keek nog een keer. Mijn moeder had al gezegd dat ze hier spullen had opgeslagen vanwege al die extra ruimte, maar ik had geen idee dat ze het over mijn spullen had gehad. Ik wilde net uitstappen, maar toen stak ik weer mijn hand uit om de gert los te maken en bij me te steken.

Toen ik de kast van dichtbij bekeek, leek het wel of Daves vader ermee aan de slag was geweest: elke doos was duidelijk gelabeld. Ik ging op mijn hurken zitten en trok de eerste MCLEAN-doos eruit en maakte hem open. Er zaten kleren in: oude spijkerbroeken, T-shirts en een paar jassen. Terwijl ik er snel doorheen ging, besefte ik dat ze een mengeling waren van alles wat ik in mijn moeders huis had laten liggen als ik daar in de vakanties en weekenden was, een allegaartje van onze talloze verhuizingen. Versleten cheerleadersschoenen die van Eliza Sweet waren geweest, de schattige roze poloshirts waar Beth Sweet van hield. Hoe dichter ik bij de bodem kwam, hoe ouder de spullen werden, tot ik bij mijn Mclean-kleren was, alsof ik iets opgroef.

De tweede doos was zwaarder en toen ik die opendeed, zag ik waarom: hij zat vol met boeken. Romans van mijn boekenplanken en aantekenboeken vol met mijn krabbels, en handtekeningen, en nog een paar fotoboeken en jaarboeken. Ik pakte het bovenste op, waar in blokletters WESTCOTT HIGH SCHOOL op stond. Ik sloeg het niet open en ook de andere boeken niet, maar deed de doos dicht en zette hem terug.

De volgende doos was zo licht dat ik zelfs dacht dat hij leeg was. Maar er zat een quilt in die ik herkende als de quilt die ze me had gegeven op de dag dat mijn vader en ik verhuisden naar Montford Falls. Ik wist dat ik hem toen had meegenomen en dus moest ik hem een keer, zonder dat ik het besefte, bij haar hebben achtergelaten, samen met wat kleren en schoenen. Anders dan de quilt op onze bank in de huiskamer, voelde deze nieuw, stijf en ongebruikt aan met de netjes aan elkaar gestikte vierkantjes. Ik legde hem terug en schoof de doos weer op de plank bij de andere dozen.

Het was heel gek om een deel van mijn verleden terug te vinden op een plek die niet bij mij hoorde. Een plek ergens weggestopt op de onderste plank onder de grond, net als Daves schuilkelder. Ik ging weer staan, liet de gert in mijn zak glijden en bedekte de Super Shitty weer, waarna ik mijn tas pakte en naar boven ging.

Mijn moeder was nog steeds druk bezig met de tweeling toen ik op een van de tien bij elkaar passende leren barkrukken aan het gigantische keukeneiland ging zitten en mijn computer opstartte. Toen hij de gebruikelijke set-up doorliep, durfde ik voor het eerst in uren aan Dave te denken. Het was gewoon te moeilijk, te beschamend om aan de uitdrukking op zijn gezicht te denken – een mengeling van verbaasdheid, bedachtzaamheid en teleurstelling – toen hij net als de anderen naar de profielen had gekeken. Een schone lei, had hij gezegd over het moment dat ik hem met de bal omver had gegooid. Echt. Nu wist hij wel beter.

Ik opende mijn browser, klikte op Ume.com en typte mijn e-mailadres in het zoekvak. Binnen tien seconden zag ik dezelfde lijst voor me die zij ook hadden gezien: Liz Sweet, de nieuwste en spaarzaamste bovenaan, tot Mclean helemaal onderaan – de profielen die ik al die jaren geleden in Tyler had aangemaakt. Ik klikte er net op, toen ik achter me de deurbel hoorde.

Ik stond op en liep naar de trap. 'Mam!' riep ik, maar ik kreeg geen antwoord, al was dat in een huis van deze omvang niet zo vreemd.

De deurbel klonk weer en daarom liep ik naar de deur en keek ik door het raam. Ik zag een lange, knappe blonde vrouw in een spijkerbroek en een gebreide kabeltrui op de deurmat staan. Ze hield een boodschappentas in haar hand. Ze had een kleuter met bruin krullend haar van de leeftijd van Maddie en Connor op haar heup. Toen ik de deur opendeed, lachte ze naar me.

'Jij moet Mclean zijn. Ik ben Heidi,' zei ze, en ze stak haar vrije hand uit. Toen ik die had geschud, gaf ze de boodschappentas aan mij. 'Dit is voor jou.'

Ik trok mijn wenkbrauwen op en keek erin. 'Badpakken,' legde ze uit. Ik zag inderdaad iets zwarts en iets in roze. 'Ik wist niet wat je leuk zou vinden en daarom heb ik er een paar meegenomen. Als je ze vreselijk vindt, heb ik er nog veel meer in de winkel liggen.'

'De winkel?'

'Clementine's?' zei ze terwijl het kleine meisje dat haar hoofd op haar moeders schouder had gelegd mij aankeek. 'Dat boetiekje, op de boulevard.'

'O, ja,' zei ik. 'Daar waren we net.'

'Dat heb ik gehoord.' Ze lachte en keek naar haar kind. 'Thisbe en ik kunnen er niet tegen dat er iemand in de buurt van een verwarmd zwembad en een hottub geen badpak heeft. Dat druist tegen alles in waar we in geloven.'

'Juist,' zei ik. 'Nou... bedankt.'

'Geen probleem.' Ze boog zich een beetje scheef naar rechts om langs me heen te kijken. 'Bovendien... was het een goed excuus om hiernaartoe te gaan en Katherine te zien, want ik kan niet wachten tot het feestje van morgen. Het is eeuwen geleden dat ik haar heb gezien! Is ze in de buurt?'

Feestje? dacht ik. Hardop zei ik: 'Ze is boven de tweeling in bad aan het doen.'

'Geweldig. Dan ren ik snel even de trap op om haar gedag te zeggen, goed?' Ik deed een stap achteruit toen ze binnenkwam en ze de peuter op haar heup heen en weer schudde en haar aan het lachen maakte toen ze de trap op liepen. Ik hoorde hoe ze de volgende trap nam, gevolgd door luid gegil en gelach toen zij en mijn moeder waren verenigd.

Ik ging terug naar de computer en gleed weer op de kruk. Boven hoorde ik mijn moeder en Heidi met snelle en hoge stemmen kletsen en toen ik naar mijn alter ego's keek, besefte ik dat mijn moeder er nu ook een had. Katie Sweet was weg, maar Katherine Hamilton was een koningin in een paleis aan zee, met nieuwe vrienden en fris geverfde muren, een nieuw leven. Het enige wat niet op zijn plek leek te zijn, was die auto die onder de grond stond, bedekt met een hoes, en ik.

Mijn telefoon ging over. Ik keek erop en zag mijn vaders nummer. Zodra ik had opgenomen, begon hij te praten.

'Jij moet nooit meer op die manier weglopen,' begon hij, zonder gedag of iets aardigs te zeggen. 'En je neemt op als ik je bel. Weet je wel hoe ongerust ik was?'

'Er is niks met me aan de hand,' zei ik, verrast door het vleugje irritatie dat ik voelde toen ik zijn stem hoorde. 'Je weet toch dat ik bij mam ben?'

'Ik weet dat jij en ik dingen te bespreken hebben en dat ik ze wilde bespreken voor jij wegging,' zei hij.

'Wat valt er te zeggen?' vroeg ik aan hem. 'We verhuizen blijkbaar naar Hawaii.'

'Ik zou een baan kunnen aannemen op Hawaii,' corrigeerde hij me. 'Niemand heeft het erover dat jij ook mee moet.'

'Wat is het alternatief? Terug naar Tyler? Je weet wel dat ik dat niet kan.'

Hij was even stil. Op de achtergrond hoorde ik stemmen – waarschijnlijk die van Jason en Leo die de bestellingen naar elkaar riepen. 'Ik wil hierover praten. Zonder ruzie. Als ik niet tot over mijn oren in de restaurantdrukte zit.'

'Jij hebt mij gebeld,' zei ik tegen hem.

'Pas op, jij,' zei hij waarschuwend.

Ik zei al niets meer.

'Morgenochtend ga ik je meteen bellen, als we allebei een nachtje hebben kunnen slapen. Tot die tijd worden er geen beslissingen genomen. Goed?'

'Goed.' Ik keek naar de zee. 'Geen beslissingen.'

We hingen op en ik sloot mijn browser, waarmee al die Sweet-meisjes weer verdwenen. Toen liep ik de trap op en volgde ik het geluid van de stemmen van mijn moeder en Heidi. Ik liep langs de ene na de andere slaapkamer en voelde het nieuwe tapijt onder mijn voeten voor ik hen zag achter een deur die half openstond.

'... om eerlijk te zijn, had ik er niet echt goed over nagedacht,' zei mijn moeder. 'En nu Peter er niet is, is het des te gecompliceerder. Ik denk dat ik te veel hooi op mijn vork heb genomen, ook al dacht ik dat ik dit graag wilde.'

'Je redt het wel,' zei Heidi. 'Het huis is af, je hebt de reis overleefd. Nu hoef je alleen nog maar achterover te leunen en ervan te genieten.'

'Dat is makkelijker gezegd dan gedaan,' zei mijn moeder. Toen was ze even stil. Ik hoorde alleen gespetter van water en het gebrabbel van de kinderen. Toen zei ze: 'Het was vroeger altijd heel leuk. Maar ik ben hier nog maar een paar uur en ik ben al... Ik weet het niet. Ik voel me er niet echt goed bij.'

'Morgen zal alles er anders uitzien, als je lekker hebt geslapen,' zei Heidi.

'Ja, vast wel,' stemde mijn moeder in, hoewel ze niet erg overtuigd klonk. 'Ik hoop maar dat het geen vergissing was.'

'Waarom zou het een vergissing zijn?'

'Omdat ik niet had beseft...' Ze maakte haar zin weer niet af. 'Alles is zo anders nu. Daar had ik niet aan gedacht. Maar het is wel zo.'

Ik stapte weg van de deur en werd verrast door een plotselinge steek die door mijn borst schoot en het bloed naar mijn gezicht stuwde. O mijn god, dacht ik. Bij alle verhuizingen en al die afstand was er altijd één constante geweest, en dat was dat mijn moeder me bij zich wilde hebben. Ten goede of ten kwade – meestal ten kwade – daar had ik geen seconde aan getwijfeld. Maar wat als ik het mis had gehad? Als dit nieuwe leven precies dat was: gloednieuw, net als dit prachtige huis, en zij het fris wilde houden, zonder bagage? Katie Sweet moest het stellen met een humeurig, afstandelijk oudste kind. Katherine Hamilton niet.

Ik draaide me om en liep door de brede gang naar een onbekende trap in een huis dat ik niet kende. Ik was ineens bang dat niets me meer bekend voorkwam. Ikzelf ook niet. Ik pakte mijn computer, stak hem in mijn tas en nam met twee treden tegelijk de trap naar de garage. Ik had een brok in mijn keel toen ik de garagedeur opendeed en achter Peters suv naar Super Shitty liep. Ik trok de hoes eraf en gooide mijn tas op de passagiersstoel en besefte toen dat ik de sleutel niet meer had. Ik zat even na te denken, en ineens schoot me iets te binnen. Ik tastte onder de mat en even later voelde ik kartels en haalde ik mijn extra sleutels tevoorschijn. Die hadden al die tijd op me gewacht.

De motor sloeg wonder boven wonder aan en toen hij warmdraaide, deed ik de achterklep open. Het was niet makkelijk om alle drie de dozen in de kleine bagageruimte te stoppen, maar het lukte me toch. Toen vond ik de knop om de garagedeur open te maken en stapte ik weer in de auto.

Het was donker op straat en er was geen auto te zien toen ik de straat op draaide. Ik had geen idee waar ik was, maar ik wist wel waar ik heen wilde. Ik zette mijn richtingaanwijzer aan en sloeg rechts af, richting North Reddemane.

15

Vijfentwintig minuten later maakte ik de deur van kamer 811 in het Poseidon open en tastte ik langs de muur naar de lichtknop. Toen ik hem had gevonden viel mijn omgeving, die me pijnlijk bekend voorkwam, op zijn plek. De verkleurde sprei, een schilderij van schelpen boven het bed en de vage geur van schimmel die in de lucht hing.

De hele rit hiernaartoe had ik over het stuur gehangen en goed naar de weg gekeken, omdat ik me zorgen maakte dat alles wat ik me kon herinneren schoongepoetst en verdwenen zou zijn. Ik schrok toen ik zag dat restaurant Shrimpboat's dichtgetimmerd was, maar over de volgende heuvel zag ik Gert's en hun bord met daarop 24 UUR OPEN. Het Poseidon lag er vlak achter, precies zoals ik het me herinnerde.

Ik dacht dat de manager misschien vragen zou stellen, gezien mijn leeftijd en het tijdstip, maar ze keek me nauwelijks aan toen ze mijn geld aannam en daarna de sleutel naar me toe schoof. 'De ijsmachine staat aan het eind van het gebouw,' liet ze me weten, waarna ze zich weer tot haar kruiswoordpuzzel wendde. 'De frisdrankautomaat accepteert alleen biljetten, geen munten.'

Ik bedankte haar en parkeerde mijn auto voor mijn kamer. Het kostte maar een paar minuten om de dozen naar de deur te slepen en nog een paar minuten om ze binnen neer te zetten. Daar was ik dan. Ik ging even op het bed zitten, keek om me heen en hoorde de golfslag van de zee. Toen begon ik te huilen.

Alles was een zootje. Verhuizen, doorrennen, veranderen: ik kon het allemaal niet meer rechtbreien en ik wilde het ook niet eens meer. Ik was alleen zo ontzettend moe, moe genoeg om onder die oude sprei te kruipen en dagen achter elkaar te slapen. Niemand wist waar ik was, geen sterveling, en terwijl ik dacht dat dit was wat ik wilde, besefte ik in die stille kamer dat ik er doodsbenauwd van werd.

Ik veegde mijn ogen af en ademde schokkend in. Ik wist dat ik terug moest naar mijn moeder, dat ze ongerust zou zijn en dat het er morgen allemaal zonniger uit zou zien. Maar het strandhuis was geen thuis, en dat was Tyler of Petree of Westcott, Montford Falls of zelfs Lakeview ook niet. Ik had nergens een vaste plek en ik had niemand.

Ik pakte mijn telefoon. Mijn schouders schokten en ik keek naar de oplichtende toetsen. Er schoot een vaag rijtje gezichten door mijn hoofd: mijn vrienden in Tyler, de meisjes van mijn cheerleadersteam in Montford Falls, de groep toneeltechnici met wie ik in Petree backstage rondhing. En toen dacht ik aan Michael, de surfer, en vervolgens aan Riley en Deb. Ik kende genoeg mensen om elke minuut van de dag mee te vullen en toch had ik niemand die mijn twee uur 's nachts was. De enige die daar naar mijn idee voor in aanmerking kwam, wilde waarschijnlijk niet eens meer met me praten.

Met wratten en al, dacht ik, denkend aan de zwarte cirkel op Daves pols. Ik keek naar mijn eigen pols, naar de oude gert die ik om had gedaan toen ik bij mijn moeders huis was weggereden. We hadden nu allebei een cirkel om onze pols, heel verschillend en toch heel belangrijk. Ik wist dat ik veel fouten had gemaakt en nog meer geheimen had. Maar ik wilde niet alleen zijn. Niet om twee uur 's nachts en niet nu.

Ik draaide langzaam het nummer omdat ik niet nog een

fout wilde maken. Het toestel ging twee keer over en toen nam hij op.

'Ja,' zei ik, na zijn hallo.

'Mclean?' vroeg hij. 'Ben jij dat?'

'Ja,' zei ik, en ik slikte en keek door mijn open deur naar de zee. 'Het antwoord is ja.'

'Het antwoord...' zei hij langzaam.

'Je vroeg me of ik met je uit wou gaan. Ik denk dat je je nu wel hebt bedacht, maar je moet weten dat het antwoord ja was. Het is altijd ja geweest als het om jou ging.'

Hij was even stil. 'Waar ben je?'

Ik begon weer te huilen en mijn stem stokte. Hij zei dat ik moest kalmeren. Hij zei dat alles in orde zou komen. En toen zei hij dat hij eraan kwam.

Toen we hadden opgehangen, ging ik naar de badkamer, waste mijn gezicht en pakte een ruwe handdoek om me af te drogen. Ik was heel moe, en toch wist ik dat ik wakker moest blijven om alles uit te leggen als hij zou komen, hoe laat dan ook. Ik ging op het bed zitten, schopte mijn schoenen uit en reikte naar de afstandsbediening. Maar toen zag ik de dozen ineens staan en liet ik de televisie voor wat hij was.

Ik sleepte de zware doos naar het bed, deed hem open en begon de inhoud op bed uit te stallen. De boeken, de foto's, ingelijst en in fotoalbums, de jaarboeken, al mijn notitieblokken en oude dagboeken, allemaal in een kring als de cijfers op een klok met mezelf in het midden.

Ik pakte een losse foto van mij en mijn moeder van toen ik op de basisschool zat en we naar een optocht stonden te kijken. Ernaast lag een ingelijste foto van haar bruiloft met Peter. Zij in het wit, hij in een donkere smoking. Ik was het bruidsmeisje en stond voor hen. Een derde foto: de tweeling als baby, die sliep tijdens een sessie bij de fotograaf, met hun kleine vingertjes in elkaar verstrengeld. Foto's in lijstjes van messing en hout, lijsten met magneten achterop en versierd met schelpen. Ik had geen idee dat ik er zoveel had, tot nu, en toen ik ze op mijn bed uitstalde, naast de sprei, keek ik vooral naar mijn eigen gezicht en herkende ik al mijn verschillende persoonlijkheden.

Bij de optocht zag je mij toen alles nog koek en ei was: mijn ouders nog bij elkaar, mijn leven intact. Bij de trouwerij slaapwandelde ik, met een neplach en vermoeide ogen. Op een van de eerste foto's met de tweeling erop, genomen op vakantie na de verhuizing, zag je geverfd haar en make-up en kleren die mij lieten weten wie ik was terwijl de camera klikte. Ik herkende Eliza's paardenstaart en T-shirt met de mascotte van de school erop, Lizbeths dikke, donkere eyeliner en zwarte coltrui, Beths frisse bloesje en geruite rok. Ik keek naar mezelf in de spiegel aan de andere kant van de kamer met al die foto's om me heen. Mijn haar was langer dan het in tijden was geweest en het viel op mijn schouders. Ik droeg een spijkerbroek en een wit T-shirt met een zwarte trui erover. Kleine gouden oorringetjes in mijn oren en die ene gert om mijn pols. Geen make-up, geen personage, geen kostuum. Gewoon ik – op dit moment althans.

Ik keek naar de stapel aantekenboeken en hun omslagen, versierd met mijn krullende handschrift, stomme handtekeningen en tekeningetjes die ik er tijdens saaie lessen op had gezet. Ik pakte er een tussenuit, sloeg het open bij een lege bladzijde en nam weer de kring van foto's en mijn geschiedenis om me heen in me op. Toen reikte ik naar het nachtkastje, en pakte de pen van het hotel en begon te schrijven.

In Montford Falls, de eerste plek waarheen ik verhuisde toen ik vertrok, noemde ik mezelf Eliza. In de buurt waar we woonden was het een en al gelukkige gezinnen, als uit een oude televisie-serie.

Ik hield op met schrijven en las wat ik had opgeschreven en keek toen naar buiten. Er reed een auto langzaam voorbij; zijn koplampen verlichtten de lege straat. Ik sloeg de bladzijde om.

In de volgende plaats, Petree, was iedereen rijk. Ik was Lizbeth en we woonden in een hoge flat die helemaal was ingericht met donker hout en metaalkleurige huishoudelijke apparatuur. Het leek op een woning die je in tijdschriften zag; zelfs de lift maakte geen geluid.

Ik geeuwde en strekte toen mijn vingers. Het was nu halftwee.

Toen we naar Westcott verhuisden, hadden we een huis aan het strand, heel zonnig en warm, en kon ik het hele jaar door teenslippers dragen. Op de eerste dag stelde ik mezelf voor als Beth.

Ik voelde mijn vermoeidheid. De heftigheid van deze lange, lange dag drukte zwaar op me. Wakker blijven, dacht ik, hier blijven.

In Lakeview had het huis een basket. Ik zou Liz Sweet zijn.

De laatste keer dat ik nog weet dat ik op de klok keek, was om kwart over twee geweest. Het volgende wat ik wist, was dat ik wakker werd, dat de kamer nauwelijks verlicht was en dat er iemand op mijn deur stond te kloppen.

Ik ging zitten en wachtte even, tot ik me weer herinnerde waar ik was. Toen schoof ik wat foto's opzij, gleed van het bed en liep naar de deur. Ik trok hem open omdat ik zo graag Daves gezicht wilde zien.

Maar het was hem niet. Het was mijn moeder, en mijn vader stond pal achter haar. Ze keken me aan en blikten toen naar de kamer achter me met gezichten die er net zo moe uitzagen als het mijne. 'O, Mclean,' zei mijn moeder, die haar hand naar haar mond bracht. 'Godzijdank. Daar ben je dan.'

Daar ben je dan. Alsof ik zoek was en nu was teruggevonden. Ze deed haar mond open om nog iets te zeggen, maar nu nam mijn vader ook ineens het woord, en het werd me op dat moment allemaal te veel om naar hen te luisteren. Ik deed alleen een stap naar voren, en toen voelde ik hun armen om me heen.

Ik huilde toen mijn moeder me vasthield. Mijn vader leidde ons naar binnen, naar het bed, en deed de deur zachtjes achter ons dicht. Mijn moeder schoof de foto's opzij en mijn vader de aantekenboeken, terwijl ik ging liggen en me op haar schoot nestelde en mijn ogen sloot. Ik was ontzettend moe, en terwijl zij over mijn haar streek, hoorde ik hen zachtjes met elkaar praten. Even later hoorde ik ook een ander geluid, in de verte, maar wel even herkenbaar als de golven buiten. Het was het geluid van bladzijden die werden omgeslagen, de ene na de andere, van een verhaal dat eindelijk wordt verteld.

16

'Wauw,' zei ik. 'Jullie maakten geen grapje. Jullie hebben me echt niet nodig gehad.'

Deb draaide zich om. Toen ze me zag, begon ze breed te lachen. 'Mclean! Je bent terug!'

Ik knikte en probeerde een lach te onderdrukken toen ze op haar sokken naar me toe rende. Gedeeltelijk omdat dit voor haar doen een nogal uitbundige reactie was, maar ook vanwege de woorden die in mijn afwezigheid op een poster achter haar op de muur waren gehangen. GEEN SCHOENEN! stond er. NIET VLOEKEN! NEE, ECHT NIET.

'Wat een goede poster,' zei ik tegen haar toen ze me omhelsde.

'Ik heb het echt zonder visuele middelen geprobeerd,' zei ze, kijkend naar de poster. 'Maar er zaten allemaal vieze vegen op de straten! En hoe dichter we bij de deadline komen, hoe chagrijniger iedereen wordt. Maar dit is een gezamenlijke activiteit. We moeten het schoon houden, zowel letterlijk als figuurlijk.'

'Het ziet er geweldig uit.' Dat was waar. Er waren nog een paar lege plekken aan de randen van de maquette en ik zag dat de landschapsinrichting en de kleinere details nog moesten gebeuren, maar voor het eerst zag hij er compleet uit, met al die gebouwen die over het hele oppervlak verspreid stonden zonder grote gaten die nog gevuld moesten worden. 'Jullie zijn hier vast elke dag de hele dag geweest.'

'Bijna wel.' Ze zette haar handen op haar heupen en keek met een kritische blik met me mee. 'We moesten wel, omdat de deadline is veranderd en alles.'

'Veranderd?' vroeg ik.

'Tja, omdat het restaurant dichtgaat,' antwoordde ze, en ze boog zich voorover om een stofje van een dak af te vegen. Even later keek ze naar mij op. 'O god, dat wist je zeker niet, dat van het restaurant? Ik dacht namelijk dat jij vanwege je vader...'

'Ik wist het wel. Het geeft niks.'

Ze ademde zichtbaar opgelucht uit en boog zich weer over de maquette om een gebouw een beetje rechter te zetten. '1 mei was altijd al ambitieus, als ik eerlijk ben. Ik probeerde optimistisch te blijven, maar stiekem had ik zo mijn twijfels. En toen kwam Opal hier afgelopen weekend om te zeggen dat we op de een of andere manier in de tweede week van april de boel moeten ontruimen, omdat het pand wordt verkocht. Ik viel bijna flauw van schrik. Ik moest tellen.'

Ik knipperde met mijn ogen omdat ik niet wist of ik het goed had verstaan, terwijl zij langs de maquette liep en haar vinger over een kruispunt liet glijden. 'Tellen?'

'Tot tien,' legde ze uit toen ze weer rechtop stond. 'Dat doe ik in plaats van in paniek raken. Idealiter. Maar soms heb ik ook wel tot twintig of zelfs vijftig moeten gaan om kalm te worden.'

'Aha.'

'En toen,' zei ze, terwijl ze nog een stap zette voor ze hurkte om een kerktoren aan te passen, 'raakten we Dave kwijt, wat echt niet te geloven was, zeker omdat jij weg was. Toen moest ik flink doortellen en mijn ademhaling regelen.'

'Wat?' vroeg ik.

'Mijn ademhaling,' legde ze uit. 'Je weet wel: diep inademen en diep uitademen en voor je zien hoe je de stress ermee kwijtraakt...'

'Nee,' onderbrak ik haar. 'Dave. Wat bedoel je met dat jullie Dave zijn kwijtgeraakt?'

'Vanwege dat hele huisarrestgedoe,' zei ze. Toen ik alleen maar verward keek, wierp ze me een blik toe. 'Met zijn ouders. Daar wist je toch van?'

Ik schudde mijn hoofd. Om eerlijk te zijn was ik zo verlegen geweest om hem te bellen, helemaal omdat hij nooit meer was gekomen, dat ik niet eens meer had geprobeerd om hem te bereiken, ook al wist ik dat ik dat had moeten doen. 'Wat... Wat is er gebeurd?'

'Nou, ik heb niet alle smeuïge details gehoord,' antwoordde ze terwijl ze opstond en haar rug strekte. 'Het enige wat ik weet is dat ze hem vorige week op een avond betrapten toen hij er met de auto vandoor ging en dat er toen een scène ontstond en dat hij min of meer voor onbepaalde tijd huisarrest heeft gekregen.'

'Wauw,' zei ik.

'O, en die reis naar Austin gaat niet door. Voor hem niet.'

Ik voelde dat ik met mijn ogen knipperde. 'O mijn god. Dat is afschuwelijk.'

Ze knikte verdrietig. 'Ja. Ik zeg het je: het is een en al drama geweest hier. Ik hoop dat we dit kunnen afmaken zonder nog meer rampen.'

Ik zette een stap achteruit en leunde tegen een tafel, terwijl zij naar de andere kant van de maquette liep. Dat was er dus gebeurd met Dave. Ik had de hele tijd gedacht dat hij zich had bedacht, maar uiteindelijk bleek dat het helemaal buiten hem om was gegaan. 'Is hij hier helemaal niet meer geweest?'

Deb keek me over haar schouder aan. 'Jawel, maar alleen

de afgelopen paar dagen af en toe een uurtje. Ze houden hem erg kort, vind ik.'

Arme Dave. Na al die tijd dat hij al braaf aan het lijntje had meegelopen, zijn tijd had uitgezeten. En nu, door mijn toedoen, was hij weer terug bij af. Ik voelde me misselijk.

'Zijn ouders kunnen die reis niet van hem afpakken,' zei ik na een tijdje. 'Ik bedoel, ze kunnen het misschien overwegen, of...'

'Dat zei ik ook, maar volgens Riley is het onwaarschijnlijk dat het nog doorgaat.' Ze hurkte, leunde op haar hielen en drukte een los huisje vast tot het klikte. 'Ze hadden al bedacht om een deel van het fonds te gebruiken om Heathers schuld van de auto af te betalen, zodat zij mee kan. Ze hebben er zelfs over vergaderd.'

'Vergaderd,' herhaalde ik.

'Hier, terwijl we aan het werk waren. Dat was pas multitasken.' Ze lachte trots. 'Ik voelde me vereerd dat ik er getuige van mocht zijn.'

Terwijl ze zich weer over de maquette boog en naar een rijtje huizen keek, stond ik daar maar wat te staan. Ik vond het ongelofelijk dat ik de afgelopen week in Colby alles wat mij te doen stond als een puzzel in elkaar had gelegd, terwijl al Daves plannen, die altijd glashelder waren geweest, in duigen waren gevallen. Ik dacht dat hij me had laten stikken, maar het was juist precies andersom.

Toen ik die ochtend in het Poseidon voor de tweede keer wakker was geworden, was ik alleen. Ik ging zitten en keek om me heen: het aantekenboek waarin ik had geschreven was nu dicht en lag op het nachtkastje, en alle foto's en jaarboeken lagen netjes op elkaar gestapeld op een stoel. De voordeur stond op een kier en de wind floot door de hordeur erachter. Ik ging staan, wreef in mijn ogen en liep ernaartoe. Buiten op de treetjes zaten mijn vader en moeder.

'Ik voel me de slechtste ouder aller tijden,' zei ze. 'Al die dingen, die verschillende meisjes... Ik had geen idee.'

'Jij kunt tenminste nog zeggen dat je ver weg zat, maar het gebeurde allemaal onder míjn neus,' antwoordde hij.

Mijn moeder was even stil en keek naar haar kop koffie. 'Jij hebt je best gedaan. Meer kan je niet doen. Dat is het enige wat een mens kan doen. Toch?'

Mijn vader knikte en keek naar de weg. Het was zo lang geleden dat ik hen zo had gezien, met z'n tweetjes, dat ik het even goed in me wilde opnemen. Mijn vader wreef over zijn gezicht terwijl mijn moeder haar mok met twee handen vasthield en haar hoofd een beetje schuin hield toen ze iets zei. Van een afstandje kon je niet zien wat er allemaal was gebeurd en veranderd. Je zou denken dat ze vrienden waren.

Mijn moeder draaide zich om en zag me. 'Schatje,' zei ze. 'Je bent wakker.'

'Wat doen jullie hier?' vroeg ik.

Mijn vader ging staan. 'Je bent midden in de nacht bij je moeders huis weggegaan. Dacht je nou echt dat we niet ongerust zouden zijn?'

'Ik had wat tijd nodig,' zei ik zachtjes, terwijl hij dichterbij kwam en de deur opentrok. Toen hij binnen was, legde hij zijn armen om me heen, hield me stevig vast en kuste mijn kruin.

'Laat me nooit meer zo schrikken,' zei hij, waarna hij doorliep om mijn moeder ook binnen te laten. 'Ik meen het.'

Ik knikte zonder iets te zeggen terwijl de deur achter haar dichtviel. En toen waren we met z'n drieën in de kamer. Ik ging op het bed zitten. Mijn moeder nam een slok koffie en pakte de stoel bij de airconditioning, die ratelde. Mijn vader, die bij het raam stond, bleef daar staan.

'Nou,' zei hij na een tijdje. 'Ik denk dat we maar eens moeten praten.'

'Jullie hebben mijn aantekenboek gelezen,' zei ik.

'Ja.' Mijn moeder zuchtte en streek een lok uit haar gezicht. 'Ik weet dat het eigenlijk privé is... maar we zitten met heel veel vragen. En jij wou die niet echt beantwoorden.'

Ik keek naar mijn handen en vlocht mijn vingers in elkaar.

'Ik besefte niet...' Mijn vader zweeg en schraapte zijn keel. Toen keek hij naar mijn moeder, waarna hij zei: 'Die verschillende namen. Ik dacht dat het gewoon... namen waren.'

God, wat was dit moeilijk. Ik slikte. 'Zo is het ook begonnen,' zei ik. 'Maar toen liep het uit de hand.'

'Je kan niet gelukkig zijn geweest,' zei hij, 'als je het gevoel had dat je dat moest doen.'

'Het ging niet om gelukkig of ongelukkig zijn. Ik wou mezelf niet meer zijn.'

Weer wisselden ze een blik met elkaar. Mijn moeder zei langzaam: 'Ik denk dat we geen van beiden beseften hoe moeilijk de scheiding voor jou was. Het...'

Ze keek naar mijn vader. 'Het spijt ons,' maakte hij haar zin voor haar af.

Het was zo stil dat mijn ademhaling heel hard in mijn oren klonk. Buiten beukten de golven op het strand en trokken weer terug naar zee. Ik dacht eraan dat alles telkens opnieuw weer werd weggespoeld. We maken er vaak maar een zootje van in dit leven, zowel per ongeluk als expres. Maar als je de oppervlakte schoonveegt, wordt het er niet echt schoner van. Het maskeert alleen wat eronder zit. Pas als je diep graaft, ondergronds gaat, kun je zien wie je werkelijk bent.

Toen ik hierover nadacht, keek ik naar mijn moeder. 'Hoe wist je dat ik hier was?'

'Jouw vriend heeft het ons verteld,' zei mijn vader.

'Mijn vriend?'

'Die jongen...' Hij keek naar mijn moeder.

'Dave,' zei ze.

'Dave?'

Ze zette haar koffie bij haar voeten op de grond. 'Toen ik besefte dat jij weg was, dat je de auto had gepakt... raakte ik helemaal in paniek. Ik belde Gus en hij kwam vanuit het restaurant hierheen, om me te helpen je te zoeken.'

'Ik ben eerst langs huis gegaan om wat spullen te pakken,' zei mijn vader. 'En net toen ik wou vertrekken, kwam Dave langs. Hij vertelde me waar ik je kon vinden.'

'Hij was ook heel erg ongerust.' Mijn moeder legde haar hand op mijn schouder. 'Hij zei dat je overstuur was toen je vertrok en dat je huilde toen je hem belde...'

Ze deed er het zwijgen toe en schraapte haar keel. Mijn vader zei: 'Ik wou dat je het gevoel had dat je een van ons kon bellen. Wat er ook aan de hand is, je weet toch dat wij van je houden, Mclean? Wat er ook gebeurt?'

Met wratten en al, dacht ik terwijl ik naar het aantekenboek, de stapel foto's en jaarboeken keek. Ik slikte en zei toen: 'Toen ik erachter was gekomen van Hawaii en toen hier kwam en alles zo anders was, het huis...' Mijn moeders gezicht vertrok en ze keek naar haar handen. 'Ik hoorde je met Heidi praten. Over dat het niet was zoals je had verwacht met mij erbij.'

'Hè?'

Ik slikte. 'Je zei dat je dacht dat je wou dat ik meekwam, maar...'

Ze keek me alleen maar aan, duidelijk in de war. Toen ineens blies ze haar adem uit en legde ze haar hand op haar borst. 'O god! Schatje, ik had het niet over jou toen ik dat zei. Ik had het over het feest.'

'Het feest?'

'Om naar het ECC-toernooi te kijken,' zei ze. Dat was een afkorting die ik maar al te goed kende: Eastern College Conference, waartoe ook de Defriese en de U behoorden. 'Ik heb het de afgelopen paar jaar hier gehouden, als ik niet met Peter meeging. Het was een tijd geleden al voor deze week gepland, maar toen we hier eenmaal waren, besefte ik dat ik er helemaal niets mee te maken wou hebben. Ik wou alleen... dat wij met z'n tweetjes waren. Dat bedoelde ik ermee.'

Dat was dus het feest waar Heidi het over had. 'Ik nam aan...' Ik zei even niets meer, en toen: 'Ik voelde me ineens zo verloren. Dit was de enige plek die vertrouwd was.'

'Dit hier?' vroeg mijn vader terwijl hij de kamer rond-keek.

'We hebben het hier heel vaak heel leuk gehad,' zei mijn moeder tegen hem. 'Hier logeerden we altijd als we uitstap-jes naar het strand maakten.'

'Weet je dat nog?' vroeg ik.

'Natuurlijk! Hoe zou ik dat kunnen vergeten?' Ze schudde haar hoofd. 'Begrijp me niet verkeerd, ik ben dol op Colby. En Peter heeft gelijk: er is hier niet veel meer te doen. Maar soms rij ik nog hiernaartoe. Ik vind het uitzicht zo mooi.'

Ik keek naar haar. 'Ik ook.'

'Al moet ik zeggen,' voegde ze eraan toe, 'dat ik me niet kan herinneren dat het hier vroeger zo muf rook.'

'Ik wel,' zei ik, en ze lachte en kneep in mijn schouder.

Heel even zaten we daar en zei niemand iets. Toen keek mijn vader naar mijn moeder, waarna hij zei: 'Je moeder en ik vinden dat we moeten praten over wat er hierna gaat gebeuren.'

'Dat snap ik,' zei ik.

'Maar misschien kunnen we praten en eten. Ik weet niet hoe het met jullie zit, maar ik rammel van de honger.'

'Goed idee,' zei mijn moeder. Ze keek op haar horloge. 'De Last Chance gaat om zeven uur open. Dat is over tien minuten.'

'De Last Chance?'

'Het beste restaurant aan de kust,' zei ze, en toen stond ze op. 'Hun spek is om je vingers bij af te likken.'

'Ik ben al om,' zei mijn vader. 'Laten we gaan.'

Maar voor we vertrokken, hielpen ze mijn dozen in te pakken en stopten we allemaal de boeken en foto's erin. Het leek wel een ritueel, iets heiligs om al die spullen weer terug te doen, en toen ik de deksels er weer op deed en ze dichtdrukte, klonk dat net zoals wanneer je een gebouw op de maquette duwde: *klik.*

Toen we het parkeerterrein op liepen, waaide er een harde, koude wind. De lucht was grijs en de zon, die nauwelijks zichtbaar was, kwam in de verte op. Toen mijn moeder haar sleutels tevoorschijn haalde, vroeg ik aan haar: 'Waar is de tweeling? Moet je niet naar ze toe?'

'Maak je geen zorgen,' zei ze. 'Heidi heeft Amanda en Erika, twee van haar oppassen, gebeld. Zij hebben het onder controle. Wij hebben alle tijd van de wereld.'

Alle tijd van de wereld, dacht ik toen we op de hoofdweg afsloegen en mijn vader ons volgde in zijn auto – bestond dat maar. In werkelijkheid waren er deadlines en drukke banen en het begin en het einde van een schooljaar, en de tijd liep elke seconde af. Toen we langs Gert's reden, het verlichte bord met 24 UUR OPEN nog steeds aan, keek ik naar mijn armband en draaide eraan. Misschien had ik al die tijd niet eens nodig. Gewoon een paar uur, een stevig ontbijt en een kans om met de twee mensen te praten die me het best kenden, wie ik ook was.

Wij kwamen als eersten aan in de Last Chance, net toen een blonde vrouw met een schort voor slaperig de deur van het slot deed. 'Jullie zijn vroeg op,' zei ze tegen mijn moeder. 'Hadden de kinderen een slechte nacht?'

Mijn moeder knikte en ik voelde haar ogen op mij gericht toen ze zei: 'Ja, zoiets.'

We pakten onze menukaarten en draaiden ons koffiekopje om toen de serveerster eraan kwam met de pot. In de keuken, achter de toonbank, hoorde ik een grillplaat sissen en een radio spelen; de muziek werd onderbroken door het belletje van de kassa toen een andere serveerster de la opendeed en daarna weer sloot. Het was allemaal zo vertrouwd, als een plek die ik goed kende, ook al was ik hier nog nooit geweest. Ik keek naar mijn moeder naast me en mijn vader tegenover ons. Ze zaten allebei hun menukaart te lezen, hier met mij, alleen wij drietjes, voor één keer. Ik dacht dat ik geen thuis meer had, maar hier en nu besefte ik dat ik het mis had. Thuis was niet een huis of een stad op een plattegrond; het was overal waar de mensen die van je hielden waren, waar je bij elkaar was. Niet één plek, maar een moment, en vervolgens nog meer momenten, die je als stenen op elkaar stapelt tot er een stevig scherm staat dat je de rest van je hele leven met je mee kunt nemen, waar je ook heen gaat.

We praatten die ochtend veel met elkaar terwijl we ontbeten en vele koppen koffie dronken. En we bleven praten toen we weer thuis waren en mijn vader en ik op het strand gingen wandelen, terwijl mijn moeder bij de tweeling bleef. We hadden nog geen grote besluiten genomen, behalve dat ik die week in Colby zou blijven, zoals gepland, en dat we die tijd zouden gebruiken om na te denken over hoe het verder moest.

Na veel gesprekken, in levenden lijve met mijn moeder

en aan de telefoon met mijn vader, werd er besloten dat Hawaii geen optie was, althans niet voor mij; op dat punt vormden ze één front. Dat betekende uiteindelijk dat ik mijn middelbareschoolcarrière zou beëindigen op dezelfde school waar ik hem was begonnen, namelijk in Tyler. Ik was daar, op z'n zachtst gezegd, niet echt blij mee, maar ik begreep eindelijk dat het mijn enige optie was. Ik probeerde het te zien als dat ik de cirkel rondmaakte. Ik was vertrokken en daardoor was ik gebarsten. Door terug te komen kon ik mezelf weer heel maken. In de herfst zou ik opnieuw beginnen. Maar dan zou ik een van de vele eerstejaars zijn die dat ook allemaal deden.

Ik had een groot deel van die week aan zee nagedacht over de afgelopen twee jaar en ik had mijn jaarboeken en foto's doorgenomen. Ik had ook veel met mijn moeder opgetrokken en ik had me vergist door aan te nemen dat zij zichzelf ook helemaal opnieuw had uitgevonden toen ze Katie Sweet had achtergelaten voor Katherine Hamilton. Ze had weliswaar een nieuw gezin en een nieuwe look, ze had een groot strandhuis en leefde in een heel andere wereld als de vrouw van een basketbaltrainer, maar toch ving ik af en toe een glimp op van degene die ik vroeger had gekend.

Ik voelde een geruststellende vertrouwdheid, een soort déjà vu, wanneer ik naar haar keek als ze met Connor en Maddie op de grond blokkentorens zat te bouwen of hun voorlas en ze allebei knus op haar schoot zaten. Of toen ik haar iPod aanzette, die op de hippe draagbare stereo stond, en ik merkte dat ze daar grotendeels dezelfde muziek op had staan als mijn vader: Steve Earl en Led Zeppelin, weliswaar afgewisseld door Elmo en slaapliedjes.

En dan nog het feit dat ze elke avond, als de tweeling in bed lag, allereerst een glas wijn meenam naar de veranda om naar de sterren te kijken. En ondanks de hightechkeuken, dusdanig uitgerust dat je er vijfsterrenmaaltijden kon bereiden, was ik verrast en blij om te zien dat ze bij de basis was gebleven en voor stoofpotten of kipgerechten nog altijd begon met een blik champignoncrèmesoep. Maar het grootste bewijs was de quilt.

Ik had hem naar mijn kamer gebracht, samen met de rest van de spullen in de dozen, toen we terugkwamen uit het Poseidon. Een paar avonden later, toen de temperatuur ineens kelderde, haalde ik hem tevoorschijn en sloeg hem om me heen. Toen ik de volgende ochtend mijn tanden stond te poetsen, stak ik mijn hoofd om de deur van de badkamer en zag ik mijn moeder bij mijn bed staan. Ze hield een punt van de quilt in haar hand, die ik aan het voeteneind van mijn bed had gelegd.

'Ik dacht altijd dat deze ingepakt in de garage stond,' zei ze toen ze me zag.

'Dat klopt,' zei ik, 'maar ik heb hem gevonden, samen met de foto's en de jaarboeken.'

'O.' Ze streek over een vierkantje. 'Nou, ik ben blij dat hij wordt gebruikt.'

'Dat kun je wel zeggen,' zei ik. 'Gisteravond was hij een godsgeschenk. De tweeling had duidelijk veel warme kleren toen ze baby waren.'

Ze keek me aan. 'De tweeling?'

'Die vierkantjes zijn toch van hun babykleertjes?'

'Nee,' zei ze. 'Ik... Ik dacht dat je het wist. Ze zijn van jou.'

'Van mij?'

Ze knikte en stak de punt die ze vasthield omhoog. 'Dit stukje katoen? Dat was van de deken waar je in zat toen je uit het ziekenhuis kwam. En dit geborduurde stuk, dit rode, was een deel van je eerste kerstjurk.'

Ik kwam dichterbij staan en keek eens goed naar de quilt. 'Ik had geen idee.'

Ze pakte nog een vierkantje en liet haar vingers erover- heen glijden. 'O, wat hou ik toch van dit stukje spijkerstof! Het was van de allerliefste tuinbroek ooit. Jij had hem aan toen jij je eerste stapjes zette.'

'Ik kan gewoon niet geloven dat jij al die spullen zo lang hebt bewaard,' zei ik.

'O, ik kon ze niet wegdoen.' Ze lachte en zuchtte. 'Maar toen ging jij weg en leek het een goede manier om iets van mezelf aan je mee te geven.'

Ik dacht aan haar en hoe ze zorgvuldig al die vierkant- jes aan elkaar had genaaid. Hoeveel tijd het wel niet moest hebben gekost, zeker met de tweeling. 'Het spijt me, mam,' zei ik.

Ze keek verrast naar me op. 'Waar heb je spijt van?'

'Ik weet het niet,' zei ik. 'Gewoon... dat ik je er niet voor heb bedankt, denk ik.'

'O, lieve hemel, Mclean,' zei ze hoofdschuddend. 'Ik weet zeker dat je dat wel hebt gedaan. Ik was die dag dat jij ver- trok een wrak, emotioneel. Ik kan me er nauwelijks nog iets van herinneren, behalve dat jij vertrok en dat ik dat niet wilde.'

'Kan je me over de rest vertellen?' vroeg ik, en ik pakte zelf een hoekje op van een stukje roze katoen.

'Echt?' Ik knikte. 'Nou, goed dan. Even kijken. Dat stukje daar was van de maillot die je voor je eerste voorstelling aanhad. Ik denk dat je vijf was. Je droeg vleugeltjes en...'

We stonden daar een hele tijd en zij ging van vierkant naar vierkant met een uitleg erbij. Al die kleine stukjes van wie ik ooit ben geweest, met haar als mijn geheugen, aan elkaar genaaid tot iets tastbaars dat ik kon vasthouden. Er was een reden dat ik de quilt had gevonden, die avond dat ik was weg- gelopen. Hij lag op mij te wachten. Je verleden is altijd je verleden. Ook als je het vergeet, zal het jou altijd onthouden.

Nu, in Lakeview, keek ik naar de maquette, waar Deb in de uiterste hoek een paar gebouwen bijstelde, en ik besefte dat ik, net als mijn moeder met haar quilts, er een geschiedenis in zag die iemand anders zou ontgaan. De sectoren iets links van het midden waren een beetje slordig en ongelijk. Daar waren Jason, Tracey, Dave en ik weken geleden, toen het raadslid langskwam, begonnen. De dichtbebouwde wijken waar ik uren aan had gewerkt, één huisje per keer. Traceys oude bank naast de groenteboer waar ze niet meer mocht komen, en dat lege gebouw, ongemarkeerd en onopvallend, behalve voor mij. En daaromheen de delen die niet op de kaart stonden en nog ontdekt moesten worden.

Als de quilt mijn verleden was, dan was deze maquette mijn huidige leven. En toen ik ernaar keek, zag ik niet alleen mezelf in al die stukjes en beetjes, maar ook alles wat en iedereen die ik in de afgelopen paar maanden had leren kennen. Maar hoofdzakelijk zag ik Dave.

Hij had zijn stempel achtergelaten op de rijtjeshuizen, zo nauwkeurig, zoveel netter op rij dan die van mij. En op de gebouwen in het stadscentrum, die hij uit zijn hoofd kende en allemaal kon opnoemen zonder op de kaart te hoeven kijken. En op de ingewikkelde kruispunten waarover hij zich had ontfermd omdat hij volhield dat alleen hij, als voormalige maquettebouwer, die verantwoordelijkheid aankon. Hij zat boven op elk stukje dat hij of ik had toegevoegd tijdens onze lange middagen samen op zolder, waar we, pratend of zwijgend, de wereld om ons heen nabouwden.

'Begrijp ik het goed,' zei ik tegen Deb, die naar de tafel liep waar ze plasticzakken uitzocht met stukken straatversiering erin, 'dat de nieuwe deadline in de tweede week van april is? Wanneer is dat? Over vier weken of zo?'

'Zesentwintig dagen,' antwoordde ze. 'Vijfentwintigenhalf, als je het precies wilt weten.'

'Maar moet je zien wat jullie hebben bereikt!' zei ik. 'Het is al bijna klaar.'

'Was dat maar waar,' verzuchtte ze. 'Ik bedoel... ja, de meeste gebouwen zijn klaar en er zijn nog maar een paar sectoren die gedaan moeten worden. Maar dan hebben we nog de straatdetails. Om nog maar te zwijgen over de reparaties. Heather heeft gisteren met haar laars een hele flat tegen de grond gewerkt.' Ze knipte met haar vinger. 'En weg was-ie.'

'Ze heeft dus deze hele vakantie meegeholpen?' vroeg ik.

'Nou, meegeholpen is een groot woord,' antwoordde Deb. Ze dacht even na en zei toen: 'Dat neem ik terug. Ze is heel goed met details. Zij heeft die hele bosrand daar rechtsboven in de hoek gemaakt. Het zijn de grotere dingen waar ze moeite mee heeft. Of die ze kapotmaakt.'

'Daar kan ik over meepraten,' zei ik, meer tegen mezelf dan tegen haar. Ik voelde dat ze naar me keek en daarom voegde ik eraan toe: 'Het spijt me, het is een lange week geweest.'

'Ik weet het.' Ze pakte een zak met kleine plastic stukjes en liep toen naar me toe. 'Hoor eens, Mclean, over dat Ume.com-gedoe...'

'Laat maar zitten,' zei ik.

'Dat kan ik niet,' zei ze zacht. Ze keek op. 'Ik wil alleen... Ik wil dat je weet dat ik je begrijp. Waarom je dat hebt gedaan. Al die verhuizingen... Dat kan niet makkelijk zijn geweest.'

'Maar ik had er beter mee om kunnen gaan,' zei ik. 'Dat snap ik nu.'

Ze knikte en deed toen de zak open. Toen ik erin keek, zag ik dat hij gevuld was met kleine figuurtjes: lopend, staand, rennend, zittend. Het waren er wel een paar honderd, allemaal door elkaar gegooid. 'Wat moet hiermee gebeuren? Gaan we ze zomaar ergens neerzetten, of is er een systeem voor?'

'Dat is eerlijk gezegd een onderwerp van gesprek geweest,' zei ze terwijl ze een handjevol uit de tas haalde.

'Echt?'

'Ja,' zei ze. 'In de handleiding staat er niets over; ik denk omdat mensen optioneel zijn. Sommige steden laten ze helemaal weg en kiezen alleen voor de gebouwen. Dat is minder rommelig.'

Ik keek naar de maquette. 'Dat snap ik wel. Maar dan zou het wel een beetje leeg zijn.'

'Mee eens. Een stad heeft inwoners nodig,' zei ze. 'Dus ik dacht dat we maar een sectorensysteem moesten maken, zoals we met de gebouwen hebben gedaan, met een bepaald aantal figuurtjes per gebied. En we moeten ervoor zorgen dat ze verschillende activiteiten doen, zodat er geen herhaling is.'

'Activiteiten?'

'Nou, het is niet leuk om alle fietsers aan één kant te hebben en alle mensen die de hond uitlaten aan de andere,' zei ze. 'Dat zou verkeerd zijn.'

'Natuurlijk,' gaf ik haar gelijk.

'Maar andere mensen,' ging ze verder, en ze schraapte haar keel, 'vinden dat als je de figuurtjes organiseert, je het leven eruit haalt. Zij vinden dat we de figuren juist willekeurig moeten neerzetten, als afspiegeling van hoe de echte wereld eruitziet, omdat dat juist de bedoeling is van deze maquette.'

Ik trok mijn wenkbrauwen op. 'Dus dat heeft Riley gezegd?'

'Hè?' vroeg ze. 'O, nee. Riley is het helemaal eens met de

gelijke verdeling over de sectoren. Het was Dave. Hij is...
eh... nogal onbuigzaam.'

'Je meent het.'

'God, ja,' antwoordde ze. 'Om eerlijk te zijn is het een
beetje een strijdpunt geweest tussen ons. Maar ik moet zijn
mening respecteren, want dit is een gezamenlijke inspan-
ning. Dus we werken nog aan een compromis.'

Ik knielde bij de maquette en bestudeerde een doodlopende straat, tot ik voelde dat ze wegliep en haar aandacht
op iets anders richtte. Een compromis, dacht ik, en het
schoot me te binnen dat Dave er eentje met zijn ouders had
gesloten en ik met mijn moeder. Het was dat geven-en-ne-
mengedoe waar hij het over had gehad, de regels die altijd
veranderden. Maar wat gebeurde er als je alle regels volgde
en je nog steeds niet kreeg wat je wilde? Dat klopte niet.

'Maar,' zei Deb nu, die helemaal aan het linkeruiteinde
van de maquette neerknielde, 'het restaurant gaat dus dicht.
Betekent dat... dat jullie naar Australië verhuizen? Dat is
het gerucht in het roddelcircuit, dat je vader daar een baan
heeft gekregen.'

Dat was een typische restaurantroddel, en zoals altijd
was die uit zijn verband getrokken. 'Het is Hawaii,' zei ik
tegen haar. 'En ik ga niet met hem mee.'

'Blijf je hier?'

'Nee, dat gaat niet,' zei ik.

Ze draaide zich om en liep naar het andere uiteinde, naar
de bosrand die Heather had gedaan. Ze beet op haar lip
toen ze zich eroverheen boog en een paar bomen rechter
zette. Uiteindelijk zei ze: 'Eerlijk gezegd... vind ik het een
klotestreek.'

'Zo!' zei ik. Voor Deb waren dit heel krachtige woorden.
'Het spijt me.'

'Mij ook!' Ze keek op en ze had een rood gezicht gekregen. 'Ik bedoel, het is al erg genoeg dat je weggaat, maar je had ons niet eens verteld dat het eraan zat te komen! Zou je gewoon zomaar verdwenen zijn?'

'Nee,' zei ik, alhoewel ik niet helemaal zeker wist of dat waar was. 'Ik eh... Ik wist niet waar ik heen zou gaan en wanneer. En toen met dat hele Ume.com-gedoe...'

'Ik begrijp het. Dat was krankzinnig.' Ze deed een stap naar me toe. 'Maar even serieus, Mclean. Je moet me beloven dat je niet zomaar weggaat. Ik ben niet zoals jij. Ik heb niet een heleboel vrienden. Dus jij moet afscheid nemen en je moet contact houden, waar je ook heen gaat. Goed?'

Ik knikte. Ze was erg emotioneel, bijna in tranen. Dit was precies wat ik met al die snelle vertrekken wilde vermijden: verwikkelingen van een afscheid en alle bagage die dat met zich meebracht. Maar nu ik naar Deb keek, besefte ik wat ik allemaal nog meer had opgegeven: weten dat iemand me zou missen. 'Zeggen we geen gedag meer?' had Michael in Westcott op mijn Ume.com-pagina gezet. Ik wist bijna zeker dat ik het antwoord daarop had. Het zat ook in een eigen doos en probeerde vergeten te worden tot ik het echt nodig had. Nu dus.

'Goed dan,' zei Deb met een gespannen stem. Ze haalde adem, blies uit en liet haar armen langs haar lichaam zakken. 'Maar als je het niet erg vindt, ik denk echt dat we met deze laatste twee sectoren aan de slag moeten voor we straks vertrekken.'

'Mee eens,' antwoordde ik, opgelucht dat ik iets concreets kon doen. Ik volgde haar naar de andere tafel, waar de laatste in elkaar gezette huizen en gebouwen stonden, gemarkeerd en helemaal klaar voor de maquette. Deb pakte een setje, ik een ander, en we liepen naar de uiterste rechterhoek, het einde van de molen. Toen ik me naar voren boog en het plakband van de onderkant van een benzinestation af trok, zei ik: 'Ik ben blij dat er nog iets over was. Ik was bang dat alles af zou zijn als ik weer terug was.'

'Dat was ook bijna zo,' zei ze, en ze duwde een huis vast op haar sector. 'Maar ik had deze voor je bewaard.'

Ik hield op met wat ik aan het doen was. 'Echt waar?'

'Ja.' Ze zette een huis neer, duwde tot het klikte en toen keek ze mij aan. 'Jij was er van het begin af aan bij, zelfs voordat ik erbij kwam. Het is niet meer dan logisch dat jij ook een aandeel hebt in de afronding.'

Ik keek weer naar mijn sector. 'Dank je,' zei ik tegen Deb toen ik het plakband van een klein gebouw trok. Er waren er nog maar een paar over.

'Graag gedaan,' antwoordde ze. En toen maakten we, zij aan zij, zonder een woord te zeggen de klus af.

Toen ik wegging uit het restaurant, was het net een halfuur geopend en was mijn vader nog steeds niet verschenen. Opal evenmin.

'Het is net een zinkend schip,' antwoordde Tracey, die achter de bar stond, nadat ik haar had gevraagd of zij hen had gezien. 'De ratten springen als eerste van boord.'

'Opal is geen rat,' zei ik, en ik besefte te laat dat ik daarmee min of meer impliceerde dat mijn vader dat wel was. 'Zij wist hier allemaal niets van.'

'Maar ze heeft ook niet voor ons gevochten,' zei ze, een glas afdrogend. 'Ze wordt min of meer vermist sinds de aankondiging van de sluiting en de verkoop van het pand. Ze is nu vast haar cv aan het oppoetsen.'

'Wat bedoel je daarmee?'

'Nou, ik kan het niet met zekerheid zeggen,' zei ze, en ze zette haar glas neer, 'maar het gerucht gaat dat ze veel telefoongesprekken voert achter gesloten deuren, waarin

de woorden "verplaatsing" en "hoger management" hoogstwaarschijnlijk vaak vallen.'

'Denk je echt dat Opal zomaar zou vertrekken? Ze is dol
op deze stad.'

'Geld doet wonderen,' antwoordde ze schouderophalend.
Er liepen een paar klanten langs, die een barkruk naar achteren schoven en gingen zitten. Tracey legde menukaarten
voor hen neer en zei: 'Welkom in de Luna Blu. Wilt u onze
specialiteiten van de dag horen?'

Ik zwaaide haar afwezig gedag en ging op weg naar de
keuken en de achterdeur. Toen ik langs het kantoor liep,
keek ik naar binnen: het bureau was keurig opgeruimd, de
stoel was aangeschoven en er was geen spoor te bekennen
van mijn vaders gebruikelijke troep. Zo te zien was hij al
weg.

Buiten liep ik door de steeg en sloeg ik af naar mijn
straat. Toen mijn moeder me eerder op de dag had afgezet,
was het huis leeg geweest, maar nu het ditmaal in zicht
kwam, zag ik dat er licht brandde en dat mijn vaders auto
op de oprit stond.

Ik stapte net op de stoep, toen ik een klap hoorde. Ik
keek in de richting van het geluid en daar was Dave, die
door de keukendeur liep met een kartonnen doos onder
zijn arm. Hij zette een zwarte gebreide muts op en begon
de trap af te lopen. Hij zag mij niet. Mijn eerste impuls
was om snel naar binnen te gaan en hem en een confron-
tatie of conversatie te ontlopen. Maar toen keek ik naar de
lucht en zag ik onmiddellijk een heldere driehoek van
sterren, en op dat moment dacht ik aan mijn moeder op
de veranda van het grote strandhuis. Er was een heleboel
veranderd, maar toch kende ze die sterren nog steeds, en
dat deel van haar verleden, ons verleden, had ze met zich
meegenomen. Ik kon niet meer wegrennen. Dat had ik

geleerd. Dus ook al was het niet makkelijk, ik bleef waar ik was.

'Dave.'

Hij draaide zich verschrikt om en ik zag de verbazing op zijn gezicht toen het tot hem doordrong dat ik het was. 'Hé,' zei hij. Hij kwam niet dichterbij en ik deed dat ook niet; er was een afstand van wel vijf meter tussen ons. 'Ik wist niet dat je er al was.'

'Ik ben een paar uur geleden teruggekomen.'

'O.' Hij nam de doos onder zijn andere arm. 'Ik wou net... eh... even naar de maquette gaan.'

Ik zette aarzelend een paar stappen naar hem toe. 'Je hebt dus even verlof?'

'Ja. Zoiets.'

Ik keek naar mijn handen en ademde in. 'Hoor eens, over die avond dat ik je belde... Ik had echt geen idee dat jij daardoor in de problemen kwam. God, ik voel me er vreselijk door.'

'Niet doen,' zei hij.

Ik keek hem aan. 'Als ik je niet had gebeld, zou je niet geprobeerd hebben om weg te glippen.'

'Geprobeerd hebben...' zei hij.

'En dan zou je daarbij niet gesnapt zijn,' ging ik verder, 'en zou je geen huisarrest hebben gekregen en was je leven niet min of meer geruïneerd.'

Hij was even stil. 'Jij hebt mijn leven niet geruïneerd. Het enige wat jij hebt gedaan is een vriend bellen.'

'Misschien kan ik met je ouders praten. Hun uitleggen wat er is gebeurd...'

'Mclean,' zei hij, me onderbrekend. 'Nee. Echt, dat hoeft niet. Ik heb er vrede mee. Er komen wel andere reizen en zomers.'

'Misschien wel, maar het is nog steeds niet eerlijk.'

Hij haalde zijn schouders op. 'Het leven ís niet eerlijk. Als dat wel zo was, zou jij niet weer hoeven te verhuizen.'

'Dat heb je dus al gehoord?'

'Ik hoorde dat het Tasmanië wordt,' zei hij, 'maar ik heb zo het gevoel dat dat niet klopt.'

Ik lachte. 'Het is Hawaii, maar ik ga niet mee. Ik ga weer bij mijn moeder wonen om het schooljaar af te maken.'

'O,' zei hij. 'Ja, dat klinkt wel logisch.'

'Voor zover iets logisch kan klinken.' Er viel weer een stilte. Hij had niet veel tijd en ik wist dat ik hem moest laten gaan. Toch zei ik: 'De maquette ziet er geweldig uit. Jullie moeten wel heel hard hebben gewerkt.'

'Vooral Deb,' antwoordde hij. 'Die is redelijk getikt. Ik probeer alleen om haar niet voor de voeten te lopen.'

Ik lachte. 'Ze heeft me over jullie discussie over de figuurtjes verteld.'

'De figuurtjes.' Hij kreunde. 'Ze kan het gewoon niet aan mij overlaten. Daarom ga ik er stiekem met mijn spullen naartoe als ik weet dat zij er niet is. Anders zit ze maar in mijn nek te hijgen en me gek te maken.'

'Jouw spullen?' vroeg ik.

Hij kwam iets dichterbij staan en hield de doos open, zodat ik erin kon kijken. 'Geen grappen over modeltreintjes, graag,' zei hij. 'Dit is een serieuze zaak.'

Ik keek in de doos. Ik zag een heleboel kleine potjes verf in verschillende kleuren en een stapeltje kwasten ernaast. Ook een pluk watten, wattenstaafjes, terpentine en een paar kleine gereedschappen zoals een pincet, een schaar en een vergrootglas.

'Wauw,' zei ik. 'Wat ben je precies van plan?'

'Gewoon een beetje leven erin brengen,' antwoordde hij. Ik keek naar hem op en beet op mijn lip. 'Maak je niet druk, ze heeft het goedgekeurd. Het meeste in elk geval.'

Ik lachte. 'Ik kan nauwelijks geloven dat de maquette echt bijna af is. Het lijkt wel of we gisteren pas dat eerste huis hebben neergezet.'

'De tijd vliegt.' Hij keek me aan. 'Wanneer vertrek je?'

'Ik begin volgend weekend met het verhuizen van mijn spullen.'

'Zo snel al?' Ik knikte. 'Wauw. Jij draait er niet omheen.'

'Als ik toch naar een andere school moet...' – ik zuchtte – 'kan ik dat net zo goed meteen doen.'

Hij knikte en zei niets meer. Er reed een auto langs.

'Maar ik moet zeggen,' ging ik verder, 'dat het een rotstreek is dat ik uiteindelijk maar tussen twee dingen kon kiezen. Voorwaarts gaan, naar Hawaii en weer opnieuw beginnen, of achterwaarts gaan, terug naar mijn oude leven, dat eigenlijk niet eens meer bestaat.'

'Je hebt een derde optie nodig,' zei hij.

'Ja, dat vind ik eigenlijk ook.'

Hij knikte en dacht hierover na. 'Het is mijn ervaring dat die zich niet meteen aandient. Je moet er echt goed naar zoeken.'

'En wanneer gebeurt dat dan?'

Hij haalde zijn schouders op. 'Als je er klaar voor bent om hem te zien, denk ik.'

Ik zag in een flits de opbergdozen voor me, in mijn moeders garage aan het strand, achter de Super Shitty. 'Dat is wel heel vaag,' zei ik tegen hem.

'Graag gedaan.'

Ik lachte en hij lachte naar me terug. 'Je moet gaan,' zei ik. 'Voor Deb besluit om een avondbezoekje te brengen omdat ze niet kan slapen vanwege haar gepieker over de maquette.'

'Jij maakt er een grapje over,' zei Dave, 'maar dat zou zomaar kunnen gebeuren. Ik zie je, Mclean.'

'Ja,' antwoordde ik. 'Ik zie je.'

Hij draaide zich om en wilde naar de weg lopen, maar ik zette een stap naar voren om de afstand tussen ons te verkleine en kuste hem op zijn wang. Ik zag dat ik hem verbaasde, maar hij trok zich niet terug. Toen ik weer naar achteren stapte, zei ik: 'Dank je.'

'Waarvoor?'

'Dat je er bent,' zei ik.

Hij knikte en met zijn vrije hand kneep hij in het langslopen in mijn schouder. Ik draaide me om en keek hoe hij de straat overstak en door de steeg naar de heldere verlichting van de Luna Blu liep. Ik draaide me om naar mijn eigen huis, haalde diep adem en liep naar de deur.

Ik stak net mijn hand uit naar de deurknop, toen me twee dingen duidelijk werden: mijn vader was thuis en hij was niet alleen. Binnen hoorde ik zijn gesmoorde stem en een hogere stem die reageerde. Maar het licht was gedimd en toen ik daar zo stond, merkte ik dat er in hun gesprek steeds langere stiltes vielen en er maar een paar woorden werden gezegd of er werd gelachen.

O mijn god, dacht ik terwijl ik me tegen de deur liet vallen en even van de wijs was gebracht omdat ik hem al zoenend met Lindsay en haar grote witte tanden voor me zag. Bah.

Ik ging rechtop staan en klopte hard op de deur voor ik hem opendeed. Wat ik in werkelijkheid zag, kon ik maar moeilijk geloven: mijn vader en Opal op de bank, zijn arm om haar schouders en zij met haar voeten op zijn schoot. Ze hadden allebei een kleur en het bovenste knoopje van haar bloes was open.

'O mijn god,' zei ik, en mijn stem klonk ongelofelijk hard in dat kleine vertrek.

Opal sprong op en wilde haar knoopje vastmaken, terwijl

ze achteroverviel en tegen de muur achter haar botste. Mijn vader ging rechtop op de bank zitten. Hij schraapte zijn keel en legde een rij kussens recht, alsof het decor er op dit moment ook maar iets toe deed. 'Mclean,' zei hij. 'Wanneer ben jij teruggekomen?'

'Ik dacht... Ik dacht dat jij iets had met dat raadslid?' vroeg ik. Toen keek ik naar Opal, die een pluk haar achter haar oor streek en knalrood zag. 'Ik dacht dat jij zo'n hekel aan hem had.'

'Nou zeg!' zei mijn vader.

'Een hekel is wel erg sterk uitgedrukt,' antwoordde Opal.

Ik keek naar hem en toen naar haar, en weer terug naar mijn vader. 'Je kan dit niet doen. Dit is gestoord.'

'Nou,' zei Opal, die haar keel schraapte, 'ook dat is erg sterk uitgedrukt.'

'Jij wilt dit helemaal niet,' zei ik tegen haar. 'Hij vertrekt. Wist je dat? Naar Hawaii.'

'Mclean!' zei mijn vader.

'Nee,' zei ik tegen hem. 'Het was één ding toen het Lindsay, of Sherry in Petree, of Lisa in Montford Falls, of Emily in Westcott was.' Opal trok haar wenkbrauwen op naar mijn vader toen hij weer een kussentje verschoof. 'Maar jou vind ik leuk, Opal. Jij bent lief voor mij geweest. En je moet weten wat er gaat gebeuren. Hij zal gewoon verdwijnen, en jij blijft hier en je belt hem en je vraagt je af waarom hij niet terugbelt, en...'

'Mclean,' herhaalde mijn vader. 'Hou op!'

'Nee,' zei ik, 'hou jíj op. Je moet dit niet doen.'

'Dat doe ik ook niet,' zei hij.

Ik stond daar maar en wist niet wat ik moest zeggen. Ik zag Opal vanuit mijn ooghoeken, die mij stond aan te kijken, maar ik hield mijn ogen op mijn vader gericht. Heel even dan. Want toen wendde ik mijn blik een beetje af en merkte ik ineens de keuken achter op. Ik zag boodschappentassen op het aanrecht staan en er stonden wat kastdeurtjes open, waardoor ik blikjes en dozen op de planken zag. Bij de snij-plank lagen tomaten en pasta, en ik zag een nieuwe braad-pan die schoon op het afdruiprek stond te wachten om ge-bruikt te worden.

'Wat is hier aan de hand?' vroeg ik terwijl ik mijn blik weer op hem richtte.

Hij lachte naar me en keek toen naar Opal. 'Kom zitten,' zei hij. 'Dan brengen we je op de hoogte.'

17

'O, nee!' zei Deb. 'Wat is er met mijn EWZT-schema gebeurd? Heeft iemand het gezien?'

'Nee,' zei Heather, gebogen over een hoek van de maquette waar ze struiken in een park plakte. 'Misschien ben je het verloren.'

'Heather, hou op,' zei Riley. 'Deb, het moet hier ergens zijn. Waar heb je het voor het laatst gezien?'

'Als ik dat wist, zou ik het niet kwijt zijn,' zei Deb, die naar de tafel liep, waar ze door stapeltjes papieren zocht. 'Dit is een ramp! Ik kan dit vanavond niet afmaken zonder het EWZT!'

'O, o,' zei Ellis, aan de andere kant van de maquette. 'Bereid je voor op DUHD.'

Ik keek op van de plek waar ik wat stoeptegels vastplakte. 'DUHD?'

'Deb die Uit Haar Dak gaat,' legde Heather uit.

'Dat heb ik gehoord!' riep Deb. 'En als je het weten wilt: dat is niet eens een goede afkorting. Je kan er niet zomaar een verzinnen.'

'Ik vond DUHD wel goed gevonden,' reageerde Ellis.

'Hoe laat is het?' vroeg Deb terwijl ze rondkeek. 'Iemand?'

'Jij hebt een horloge om,' zei Heather tegen haar.

'Het is twee minuten over halftien,' zei Riley. 'Dat betekent...'

'Achtentwintig minuten!' gilde Deb. 'Achtentwintig minuten voor we hier echt weg moeten zijn. Opals bevel.'

'Ik dacht dat Opal hier niet eens meer werkte,' zei Riley.

'Dat klopt,' zei Deb, 'want ze is de eigenaar van het pand, dus zij bepaalt de regels.'

Ik pakte nog een struik en zette hem voorzichtig neer. 'Het is nu nog niet van haar,' zei ik. 'En zelfs als dat wel zo was, bezit ze maar een deel. De Melmans en een paar andere partners zijn eigenaar van de rest.'

'De Melmans?' vroeg Riley.

'De vorige eigenaren,' zei ik. 'Zij zijn dit restaurant lang geleden begonnen.'

Ik keek de zolder rond en herinnerde me de keer dat Opal me over de geschiedenis van het restaurant had verteld. De afgelopen twee weken was er wat de Luna Blu betreft veel veranderd. Ten eerste was mijn vader officieel voor het volgende project op Hawaii aangesteld, terwijl Opal haar ontslag had ingediend, zodat ze haar handen vrij had om het pand te kopen als Chuckles het op de markt had gezet. Dat deed hij voor een zeer redelijke prijs, in ruil voor twee dingen: een flink aandeel en de terugkeer van de broodjes op het menu. Deze overeenkomst was uitgewerkt tijdens een heel lange maaltijd bij ons thuis, met de biefstuk van Hawaii en twee flessen heel goede rode wijn. Wat de Melmans betreft, Opals vroegere bazen, die kwamen kort daarna weer in beeld, toen ze naar Florida was afgereisd met een businessplan en een aanbod dat ze niet konden weigeren. Het bleek dat zij hun gepensioneerde leven een beetje saai vonden: ze misten de opwinding die het reilen en zeilen van een zaak met zich meebrengt. Met hun geld, een starterslening van de bank en de vriendenprijs die Chuckles voor het pand vroeg, zou Opal haar eigen restaurant krijgen. Maar eerst moest de Luna Blu sluiten.

Daar was niemand gelukkig mee. De afgelopen week hadden we boven heel hard gewerkt en was het beneden in het restaurant heel druk geweest, vol met buurtbewoners die het nieuws hadden gehoord en een laatste maaltijd kwamen nuttigen. Ik had zelf verwacht dat de tent in elkaar zou storten toen mijn vader en Opal er niet waren, maar verrassend genoeg liep alles best goed onder het duoleiderschap van Jason en Tracey. Mijn vader sprak verschillende keren zijn verbazing uit door op te merken dat hij Tracey altijd had aangezien voor iemand die als eerste het zinkende schip zou verlaten. Maar door haar inzet had ze nu waarschijnlijk een aanstelling als manager binnengesleept in Opals nieuwe restaurant, mocht ze dat willen.

'Hier is het!' zei Deb, die een stuk papier bij de overloop van de grond raapte en het omhoogstak. 'Godzijdank. Goed, even kijken wat we moeten doen... De inrichting van de straten vordert, de verkeersborden zijn... Help, waar zijn de verkeersborden?'

'Die ben ik hier aan het doen,' zei Ellis tegen haar. 'Haal gewoon even diep adem, alsjeblieft.'

'Dan hebben we alleen de bewoners van de stad nog over,' zei Deb, buiten adem. Ze keek om zich heen. 'Ik zag hier gisteren een laatste zak die nog niet gedaan was. Wat is daarmee gebeurd?'

'Ik kan niet deze bomen erop zetten en tegelijkertijd vragen beantwoorden,' zei Heather.

'O, godsamme,' zei Ellis. 'Leer toch eens te multitasken.'

'Waar zijn die figuurtjes?' vroeg Deb. 'Ik zweer het je, gisteren waren ze gewoon...'

'Dave heeft ze er vast op gezet,' zei Riley tegen haar. 'Hij was gisteravond weer hier.'

Deb draaide zich om en keek haar aan. 'Is dat zo?'

Riley knikte. 'Toen ik hier om zes uur wegging, kwam

hij net aan. Hij zei dat hij de puntjes op de i kwam zetten.'

'Ik heb hem om zeven uur ge-sms't,' zei Ellis, 'en toen was hij nog hier.

Ik keek terwijl Deb naar de maquette liep en haar ogen er langzaam overheen liet glijden, van links naar rechts. 'Ik zie geen grote verschillen,' zei ze. 'Niet iets wat een paar uur in beslag heeft genomen.'

'Misschien werkt hij heel langzaam,' zei Heather.

'Nee, je praat over jezelf,' zei Ellis tegen haar.

'Achttien minuten!' zei Deb, en ze klapte in haar handen. 'Mensen, dit is een ernstige zaak. Als je meer werk hebt dan je in achttien minuten kan afmaken, moet je dat nu zeggen. Want dit is de tijd om af te ronden. Iemand? Niemand?'

Ik schudde mijn hoofd: ik had nog een handjevol struiken die erop moesten. Maar iedereen werd stil toen we doorwerkten en de minuten wegtikten. We wisten dat ze beneden ook aan het aftellen waren: vanaf tien uur zou het ook voor hen afgelopen zijn. Het leek wel alsof het daar de laatste weken om had gedraaid: verandering en afsluiting. Maar er lagen nieuwe beginnen in het verschiet.

Mijn vader en ik hadden wederom onze spullen in dozen gepakt, maar deze keer werden ze opgeslagen en niet in een boedelbak gezet. Wat Hawaii betreft had mijn vader alleen een koffer nodig. Het plan was dat hij er de hele zomer zou blijven en zou helpen om het restaurant van Chuckles uit het slop te trekken, waarna hij weer op tijd terug zou zijn om mijn moeder te helpen met de voorbereidingen voor mijn opleiding aan de universiteit van mijn keuze. Dan zou hij naar Lakeview komen, waar hij als kok zou werken in Opals nieuwe restaurant tot hij zou besluiten wat hij daarna wilde gaan doen. Hun relatie, die blijkbaar was begonnen op de avond dat hij haar had verteld dat het restaurant zou sluiten en hij haar tot haar huis achterna was gerend, waar ze verder hadden gesproken, was nieuw. Ze hadden al te stellen gekregen met de ongemakkelijkheid dat mijn vader het uit had gemaakt met Lindsay Baker (Opal kwam even niet meer op de sportschool) en nu stond de scheiding door Hawaii voor de deur. Ze waren geen van beiden zo naïef om te denken dat ze het zeker zouden gaan redden. Maar de wetenschap dat hij iemand had naar wie hij terug kon komen, was voor mij een hele geruststelling. Ik wenste hun in elk geval het beste.

Zelf had ik ook mijn spullen gepakt en ze in dezelfde dozen gestopt om de reis terug naar Tyler te maken. Het zou niet makkelijk zijn om te vertrekken, helemaal omdat er nog maar zo weinig van het schooljaar over was. Iedereen had het over de laatste plannen: de afronding van de maquette, het eindexamen, de reis naar Austin, ook al waren Ellis, Riley en Heather er minder enthousiast over sinds Dave niet meer mee mocht. Dave had zich een beetje gedrukt, waarschijnlijk omdat hij niet anders kon. Hij ging naar zijn bijbaantje, naar school, naar zijn lessen aan de universiteit en weer naar huis. Hij mocht zijn auto niet gebruiken; die stond geparkeerd onder de basket, en daarom spendeerde hij zijn schaarse vrije tijd aan de maquette. Maar nu had hij dat blijkbaar liever alleen gedaan en kwam hij af en toe een uurtje als hij wist dat de rest al weg was.

Hij mocht dan zelf afwezig zijn, zijn werk had duidelijk sporen achtergelaten. De afgelopen week waren er langzaam maar zeker mensen op de maquette verschenen. Hij had ze er niet volgens het sectoren- of molensysteem of iets dergelijks op gezet. In plaats daarvan namen ze in aantal toe, alsof ze uit zichzelf de stad aan het bevolken waren. Elk

figuurtje – mannen, vrouwen, kinderen, mensen met honden, fietsers, politieagenten – was heel nauwgezet en met
grote zorg toegevoegd. Heel vaak stond ik thuis voor het
raam te kijken naar de achterkant van de Luna Blu en
vroeg ik me af of hij daar zat, gebogen over die kleine wereld waaraan hij elke keer een nieuw figuurtje toevoegde.
Ik overwoog vaak me bij hem aan te sluiten, maar het leek
wel alsof hij met een heilige taak bezig was, waarbij hij
alleen moest zijn. En daarom liet ik hem met rust.

'Vijf minuten!' riep Deb, en ze ging snel achter mij staan
met het EWZT-schema in haar hand. Ik keek over de maquette heen naar Riley, die met gefronste wenkbrauwen
een kruispunt bijstelde, en toen naar Heather, die leunend
op haar hielen haar bomen zat te bewonderen. Ellis, links
van mij, klikte net een stopbord vast.

'Eén minuut!' hoorde ik Deb zeggen, en ik haalde diep
adem toen ik naar de hele maquette keek en naar de gezichten van mijn vrienden die eromheen zaten. Terwijl de
tijd wegtikte, zaten we daar allemaal zonder iets te zeggen,
en toen hoorden we het personeel beneden aftellen. Stemmen die in koor het einde van iets afkondigden en het
begin van iets anders aankondigden.

'Vijf!' Ik keek naar de laatste struik die ik erop had gezet
en raakte hem met mijn vinger aan.

'Vier!' Ik keek naar Riley, die naar me lachte.

'Drie!' Deb kwam naast me staan, bijtend op haar lip.

'Twee!' Beneden was iemand al aan het applaudisseren.

En in die ene seconde vlak voor het einde keek ik weer
naar de maquette, omdat ik nog een laatste ding wilde zien.
Toen ik het ontdekte, zag ik ook nog iets anders. Maar toen
was iedereen al aan het juichen en in beweging gekomen.
Eén.

'Waar ga je naartoe?' riep mijn vader me na toen ik de hoek omsloeg. 'Je mist het feest.'

'Ik ben zo terug,' zei ik tegen hem.

Hij knikte en draaide zich weer om naar de bar, waar al het personeel en sommige toegewijde vaste klanten van de Luna Blu zich samen met Deb, Riley, Heather en Ellis hadden verzameld en de laatste voorraad gefrituurde augurken zaten te verorberen. Opal was er ook en ze stond met een rood en blij gezicht bier te schenken.

Toen ik de trap naar de zolder op liep, kon ik nog steeds iedereen horen praten en lachen; achter me rezen hun stemmen op. Maar eenmaal op de overloop was het stil, bijna vredig, en lag de maquette in zijn volle glorie voor mijn voeten. Door alle opwinding hiervoor had ik de kans niet gekregen om hem nog een keer goed te bekijken. Ik wilde op dat moment alleen zijn en rustig de tijd nemen.

Ik boog me over mijn eigen buurt en keek goed naar de figuurtjes. Op het eerste gezicht leek het of ze op dezelfde manier als in andere sectoren waren neergezet: willekeurig, in groepjes of juist alleen. Maar toen zag ik dat ene figuurtje achter mijn huis dat wegliep van de achterdeur. En nog een: een meisje dat aan de zijkant van het huis door de tuin rende, waar de heg eigenlijk stond, terwijl iemand in uniform haar achtervolgde met een zaklamp. Er waren drie mensen onder de basket, van wie er eentje op de grond lag.

Ik haalde diep adem en kwam nog dichterbij. Twee mensen zaten op de stoep tussen het huis van Dave en dat van ons: een paar centimeter verderop liepen er twee door de smalle steeg naar de achterdeur van de Luna Blu. Er stond een stelletje op de oprit, met de gezichten naar elkaar toe. En bij het lege gebouw, het oude hotel, waren twee kelderdeuren toegevoegd, die openstonden, met een figuurtje ervoor. Of het naar beneden ging of juist net boven was gekomen, was niet duidelijk, maar de kelder zelf was een zwart vierkantje. Maar ik wist wat eronder zat.

Hij had me overal neergezet. Elke plek waar ik was geweest, met of zonder hem, van de eerste keer dat we elkaar hadden gesproken tot en met het laatste gesprek. Het was er allemaal, net zo nauwgezet en echt als de gebouwen en de straten eromheen. Ik slikte moeizaam en raakte toen het meisje aan dat door de heg dook. Niet Beth Sweet. Nog niemand op dat moment. Maar op weg naar iemand. Naar mij.

Ik stond op, draaide me om en liep de trap af, terug naar de bar. Iedereen was druk in gesprek en het was een oorverdovend lawaai. De geur van gefrituurde augurken hing in de lucht toen ik door de achterdeur liep. Ik hoorde dat Riley me riep, maar draaide me niet om. Buiten trok ik mijn trui strakker om me heen en door de steeg rende ik naar onze straat.

Het licht brandde in Daves huis toen ik de oprit op rende. Zijn Volvo stond al een volle week op dezelfde plek geparkeerd, recht onder de basket. Ik keek er even naar en moest denken aan de eerste dag, toen mijn vader en ik op de plek ernaast hadden geparkeerd. Ik keek naar de basket en zijn uitgerekte cirkelschaduw die op de voorruit en de bestuurdersplek van de Volvo viel. Een lege beker van de Frazier Bakery stond in de houder, een paar cd-hoesjes lagen opgestapeld op de stoel ernaast. En midden op het dashboard lag een gert.

Wat? Onmogelijk, dacht ik toen ik dichterbij kwam en door het raam gluurde. Op dezelfde manier gevlochten, dezelfde bungelende schelpen. Maar om zeker te zijn, deed ik het portier open, stak ik mijn hand uit om hem te pakken en draaide ik hem om. Op de achterkant stond heel klein met een Sharpie-pen GS geschreven.

'Handen omhoog!'

Er flitste een zaklamp aan en mijn blikveld werd verlicht. Ik stak mijn hand in de lucht en zag sterretjes toen ik voetstappen dichterbij hoorde komen. Even later klikte het licht uit en daar was Dave. Hij keek naar mij en toen naar de gert.

'Als je op zoek bent naar een auto die je kan stelen,' zei hij, 'dan denk ik dat je wel betere kunt vinden.'

'Je bent toen wel gekomen,' zei ik zacht, weer naar de gert kijkend. Ik draaide me om en keek hem recht in zijn gezicht. 'Jij was die avond in het Poseidon. Terwijl ik de hele tijd dacht dat...'

Hij liet de zaklamp in zijn zak glijden en zei niets.

'Waarom heb je niks tegen me gezegd?' vroeg ik aan hem. 'Ik begrijp het niet.'

Hij zuchtte, keek naar zijn huis en liep toen over de oprit naar de straat. Ik ging naast hem lopen, met de gert nog steeds in mijn hand. 'Ik zag je vader toen ik vertrok. Hij was in paniek... Daarom vertelde ik hem wat ik wist. Toen ging ik weer naar binnen. Maar ik moest steeds denken aan hoe je me had gebeld, dat dat niets voor jou was, net als al die versies van je die ik die dag op de Ume.com-pagina had gezien.'

Ik kromp in elkaar in het donker. We waren nu bij de steeg gekomen.

'Maar ik ging toch, om me ervan te verzekeren dat het goed met je ging. Ik reed erheen, vond het hotel en parkeerde. Maar toen ik op jouw deur wou kloppen, zag ik je door het raam. Je lag op het bed met je moeder en je vader, en dat was... Jij was met de mensen die je op dat moment nodig had. Je gezin.'

Mijn gezin. Wat een raar begrip. 'En toen ging je weer weg,' zei ik.

'Pas nadat ik was gestopt bij de enige winkel die open was,' zei hij, knikkend naar mijn hand. 'Ik kon het niet weerstaan. Maar ik kan bijna niet geloven dat je het herkende.'

Ik lachte. 'Het is een gert. Mijn moeder en ik kochten er altijd een als we er waren.'

'Een gert. Dat vind ik leuk.' We sloegen de hoek om, naar de Luna Blu. 'Ik reed dus terug. En mijn ouders stonden op me te wachten. De rest van het verhaal ken je.'

Ik slikte en voelde weer een brok in mijn keel. Toen we door de gang liepen, hoorde ik de herrie en het gelach aanzwellen. Het was warm toen Dave de deur openduwde en wij het restaurant binnen liepen.

'Daar is hij!' riep Ellis uit. 'Hoe heb je dat voor elkaar gekregen?'

'Goed gedrag,' zei Dave tegen hem. 'Wat heb ik gemist?'

'Alleen het einde van alles,' zei Tracey aan de andere kant van de bar, terwijl Leo, zoals te verwachten was, naast haar de ene na de andere gefrituurde augurk in zijn mond stak. Ik vond haar altijd zo cynisch, en daarom was ik heel verbaasd om te zien dat ze haar rode ogen bette met een theedoek.

'Het is geen gewoon einde,' zei Opal tegen haar. 'Het is ook een begin.'

'Ik haat elk begin,' antwoordde Tracey snuffend. 'Die zijn te nieuw.'

Ik keek naar Dave, die aan het einde van de bar naast Ellis was gaan zitten. Riley zat naast hem, en daarnaast Heather en Deb. Hun stoelen vormden een driehoek en ze hadden hun hoofden bij elkaar gestoken om over de herrie heen te kunnen praten, terwijl Opal aan de andere kant van de tap Tracey omhelsde. Ik keek hen allemaal aan en blikte toen naar mijn vader, die aan het uiteinde van de bar ook het hele tafereel in zich op stond te nemen. Toen hij mij zag, lachte hij, en ik dacht aan alle plekken waar we waren geweest en dat hij mijn enige constante factor was, mijn poolster. Ik wilde hem niet verlaten, net zomin als deze plek. Maar ik had geen keus.

Ik draaide me weg van de bar, sloeg snel de hoek om en ging weer naar boven, naar de maquette. Ik liep erheen, stond ernaar te kijken en probeerde mezelf te plaatsen in het geheel. Na een tijdje hoorde ik voetstappen achter me, en zelfs voor ik me omdraaide, wist ik dat het Dave was. Hij stond boven aan de trap naar mij te kijken, terwijl het feestrumoer achter hem opsteeg.

'Dit is echt fantastisch,' zei ik tegen hem. 'Ik kan gewoon niet geloven dat jij dat hebt gedaan.'

'We hebben het met z'n allen gedaan,' zei hij.

'Niet de maquette.' Ik slikte. 'De mensen.'

Hij lachte. 'Zie je wel dat je veel leert van modeltreinen?'

Ik schudde mijn hoofd. 'Ik weet dat je een grapje maakt... maar dit is het aardigste wat iemand ooit voor me heeft gedaan. Ik meen het.'

Dave kwam dichterbij en liet zijn handen in zijn zakken glijden. In het felle licht zag hij er schoon en helder uit. Echt.

'Jij hebt al die dingen gedaan,' zei hij na een tijdje. 'En ik heb het alleen maar gedocumenteerd.'

Ik voelde de tranen in mijn ogen prikken toen ik weer naar de maquette keek, naar dat meisje en die jongen op de stoep. Voor altijd samen op die plek.

'Je moet naar beneden gaan,' zei hij. 'Je vader heeft me naar boven gestuurd om je te halen. Ze willen een toost uitbrengen of zoiets.'

Ik knikte en draaide me om om hem te volgen. 'Dit is dus wat je bedoelde?'

'Waarmee?'

'Dat je beter moet kijken,' zei ik toen hij de trap af liep.

'Ja, min of meer,' zei hij. 'Hé, doe je het licht uit als je naar beneden gaat?'

Ik keek nog een keer heel goed naar de maquette, die helemaal klaar was en er in zijn volle glorie bij lag, voordat ik mijn hand naar de lichtknop uitstak en het licht uitdeed. In het begin zag ik daar in het donker alleen de straatverlichting die door het raam viel en de vloer verlichtte. Maar toen zag ik ineens nog iets. Iets kleins dat glom, precies op de plek die ik al eerder had bestudeerd. Ik liep erheen en liet mijn blik glijden over de Luna Blu, mijn huis en dat van Dave. Maar het was het gebouw erachter, het lege hotel, dat heel vaag licht gaf door het ene woordje dat er met fluorescerende verf op geschilderd was. Misschien was het niet zoals het in het echte leven was. Maar dit ene woord zei alles: BLIJF.

Ik draaide me om, keek naar het trapgat en het licht onder aan de trap. Ik had geen idee of Dave al beneden was bij alle anderen toen ik naar de overloop rende en de trapleuning vastgreep om achter hem aan te gaan. Maar na één stap stonden we al oog in oog met elkaar. Hij was er al de hele tijd.

'Is dat wat er op het dak van dat gebouw stond?' vroeg ik.

Ik voelde zijn warme adem, de warmte van zijn huid. Zo dicht stonden we naast elkaar. 'Geen idee,' antwoordde hij. 'Maar alles is mogelijk.'

Ik glimlachte. Beneden werd er gelachen en gejuicht en vierden ze de laatste avond op deze heilige plek. Ik wist dat we ons zo meteen bij hen zouden voegen om met z'n allen de tent te sluiten. Maar nu ging ik eerst nog even dichter tegen Dave aan staan en bracht ik mijn lippen naar de zijne. Hij legde zijn armen om mij heen en toen hij me ook kuste, voelde ik dat er iets vanbinnen openging, alsof er een nieuw leven begon. Ik wist nog niet wat voor soort meisje dat zou worden, of waar het leven haar zou brengen. Maar ik zou mijn ogen openhouden, en als het zover was, zou ik het weten.

18

'O, shit,' zei Opal, die een paar lege borden met een klap neerzette. 'DHIL!'

'Is de hel nu al losgebroken?' vroeg ik. We zijn pas een kwartier open.'

'Ja, maar we hebben maar één serveerster, en die serveerster is Tracey,' zei ze door het raam, en ze stak twee bestellingen op de prikker tussen ons in. 'We zitten nu al in de problemen.'

Ze ging er weer vandoor, zachtjes vloekend, terwijl ik de bestelbonnen pakte en ze bekeek. 'Bestellingen,' zei ik tegen Jason, die op de voorbereidingstafel de *Wall Street Journal* zat te lezen.

'Doe jij ze maar,' zei hij terwijl hij op de grond sprong.

'Weet je het zeker? We lopen al achter.'

'Als je in de keuken staat, moet je leren om bestellingen door te geven,' zei hij, en hij liep naar het gasfornuis met de grillplaten dat achter me stond. 'Ga je gang.'

Ik keek naar de bovenste bon. 'Broodje mediterrane kip,' zei ik. 'Portie friet. Kleine salade erbij.'

'Goed,' zei hij. 'Maak dan nu die salade. Ik doe de kip en de friet.'

Ik knikte, draaide me naar werktafel en pakte een klein bord van de plank boven mijn hoofd. Ondanks het feit dat ik in restaurants was opgegroeid, was het helemaal nieuw voor me om er in een te werken. Maar er was geen plek waar ik liever wilde zijn.

Een week geleden zat ik met de rest van mijn klas bij de diploma-uitreiking en wapperde ik mijn gezicht koelte toe met een klam programmaboekje, terwijl de sprekers maar doordreunden en alle vrienden en familie op hun stoelen zaten te wiebelen. Toen we allemaal opstonden, onze zwarte hoed pakten en die in de lucht gooiden, stak er ineens een bries op, die al die hoeden en kwasten als vogels liet vliegen. Daarop draaide ik me om en zocht ik naar de gezichten van mijn vrienden. Als eerste zag ik Heather, en zij lachte.

Ja, ik zou eigenlijk terug naar Tyler zijn gegaan. Maar dingen veranderen. En soms veranderen mensen ook, en dat is niet per se iets slechts. Dat hoopte ik tenminste die zaterdag dat de Luna Blu dichtging en mijn moeder langskwam om me te helpen mijn spullen in te laden. Mijn vader en Opal waren er ook en we liepen allemaal kletsend heen en weer van mijn kamer naar Peters gigantische suv. Opal en mijn moeder konden het meteen goed met elkaar vinden en ik moest toegeven dat dat me verbaasde. Maar zo gauw Opal erachter was gekomen dat mijn moeder altijd de boekhouding van de Mariposa had gedaan, begon ze haar uit te horen over hoe ze de dingen het best kon aanpakken in haar eigen nieuwe restaurant. Voor ik het wist, zaten ze aan de keukentafel met een blocnote tussen hen in terwijl mijn vader en ik de klus afmaakten.

'Word jij daar niet zenuwachtig van?' vroeg ik aan hem toen we mijn kussen en laptop naar de auto brachten en langs hen heen liepen. Mijn moeder zei iets over loonstrookjes, terwijl Opal knikkend dingen opschreef.

'Nee,' zei hij. 'Om eerlijk te zijn heeft je moeder dat restaurant twee jaar langer in leven weten te houden. Zonder haar hadden we veel eerder moeten sluiten.'

Ik keek naar hem over de motorkap van de suv heen. 'Echt?'

'Ja. Je moeder weet wat ze doet.'

Ik zat hier later over na te denken, toen ik eindelijk alles had ingepakt en we klaar waren om te vertrekken. Ik had de avond ervoor al afscheid genomen van Deb, Riley, Ellis en Heather, met een afscheidsdiner dat Rileys moeder bij hen thuis voor mij had gegeven. Mijn afscheid van Dave was wat meer privé geweest, in het uurtje dat hij toegewezen kreeg nadat ik thuis was gekomen. We zaten op de treetjes van de schuilkelder, met onze handen in elkaar verstrengeld, en maakten plannen. Voor het volgende weekend, voor een uitstapje naar het strand als hij weg mocht, voor alle telefoontjes, sms'jes en e-mails die ons, naar we hoopten, bij elkaar zouden houden. Net als mijn vader en Opal hielden we onszelf niet voor de gek. Ik wist welk effect afstand kon hebben. Maar nu bevond een deel van mezelf zich hier, en niet alleen op de maquette. Ik was van plan om ernaar terug te keren.

Toen ik het portier van de auto dichtsloeg, keek ik naar zijn huis en zag ik mevrouw Dobson-Wade in haar keuken. Dave was aan het werk, hun andere auto stond er niet en zij was alleen. Ze bladerde een kookboek door. Toen ik zo naar haar keek, dacht ik aan mijn moeder en alle problemen die we de laatste twee jaar hadden gehad. Vertrouwen en bedrog, afstand en de baas spelen. Het had geleken alsof dat uniek was voor ons, maar ik wist dat dat niet waar was. Ik wist ook dat niet iedereen een soort vrede zou kunnen bereiken zoals wij. Maar Dave had iets voor mij gedaan. Iets terugdoen was wel het minste wat ik voor hem kon doen.

Toen ik een paar minuten later op haar deur klopte, met mijn vader en moeder achter me, keek ze verrast. Terwijl we binnenkwamen en ik uitlegde waarom ik er was, werd ze een beetje achterdochtig. Maar toen we eenmaal aan de tafel zaten en ik haar het verhaal vertelde van wat er die avond was gebeurd, dat Dave mij had willen helpen, en mijn vader had verteld waar ik was, zag ik haar gezicht een beetje ontspannen. Ze beloofde ons niets en zei alleen dat ze zou nadenken over wat ik haar had verteld. Maar opeens gebeurde er iets. Met mij.

Het was terwijl we in de auto stapten om te vertrekken. Opal en mijn vader stonden op de oprit om ons uit te zwaaien en het huis achter hen was zo goed als leeg. Het was heel vreemd. Het was het omgekeerde van toen ik al die jaren geleden met hem uit Tyler was vertrokken. Hij was bij verhuizingen nooit degene geweest die mij zag vertrekken, en ineens wist ik niet of ik het wel kon.

'Dit is geen echt afscheid,' zei hij toen ik hem stevig omhelsde en Opal naast hem stond te snuffen. 'Ik zie je heel snel weer.'

'Ik weet het.' Ik slikte en deed een stap achteruit. 'Ik... Ik vind het vreselijk om je achter te laten.'

'Maak je over mij geen zorgen.' Hij lachte. 'Ga nu maar.'

Het lukte me om niet in huilen uit te barsten tot we in de auto zaten en wegreden. Maar toen het huis en zij ernaast steeds kleiner werden, hield ik het niet meer droog.

'O god,' zei mijn moeder, en haar handen trilden terwijl ze de richtingaanwijzer aanzette. 'Niet huilen. Anders hou ik het ook niet meer.'

'Het spijt me,' zei ik, en ik wreef met de rug van mijn hand langs mijn neus. 'Het gaat al. Echt.'

Ze knikte en draaide de hoofdweg op. Maar toen we een straat verderop waren, zette ze de richtingaanwijzer weer aan en parkeerde ze de auto bij een bank. Vervolgens schakelde ze de motor uit en keek ze mij aan. 'Ik kan je dit niet aandoen.'

Ik veegde mijn tranen weg. 'Wat niet?'

'Je weer ontwortelen, je meenemen... je weet wel.' Ze zuchtte, snufte weer en wapperde met een hand toen ze zei: 'Niet nadat ik me de afgelopen twee jaar er zelf zo tegen heb verzet. Het is gewoon te hypocriet. Ik kan het niet.'

'Maar,' zei ik toen ze een tissue uit het dashboardkastje haalde en haar neus snoot. 'Ik heb geen andere keus. Tenzij je wilt dat ik naar Hawaii ga. Toch?'

'Dat weet ik nog niet zo zeker,' zei ze, en ze startte de motor weer. 'Laten we dat eens gaan bekijken.'

Uiteindelijk sloten we een ander compromis. Ik mocht blijven van mijn moeder, in ruil voor de belofte dat ik haar regelmatig zou opzoeken, in Tyler of in Colby. Wat mijn vader betreft, hij moest ervan worden overtuigd dat Opal, die me haar logeerkamer aanbood in ruil voor hulp bij het opstarten van haar nieuwe restaurant, niet te veel hooi op haar vork nam. Het was mijn verantwoordelijkheid om mijn beide ouders nauwgezet op de hoogte te houden, hun telefoontjes en e-mails te beantwoorden en eerlijk te zijn over hoe het met me ging. Tot nu toe was het makkelijk geweest om me aan mijn afspraken te houden.

Ik vond het heerlijk om het jaar op Jackson af te maken. Voor het eerst was ik echt onderdeel van een klas en kon ik meedoen aan de rituelen zoals de eindexamenstunt en het uitdelen van de jaarboeken, en was mijn schooltijd op hetzelfde moment afgelopen als voor mijn klasgenoten. Ik leerde voor mijn examens met Dave, bij hem op de bank in de huiskamer. Hij werkte al vooruit aan natuurkunde voor gevorderden en ik worstelde met goniometrie. En als hij moest werken, organiseerde ik studiesessies in de FrayBake met Heather, Riley en Ellis, en lieten we ons aandrijven door Luie Donders Speciaal, die hij persoonlijk voor ons maakte. Toen ik een keer mijn servet liet vallen en vooroverboog om het op te pakken, ving ik een glimp op van Rileys voet, die ze om die van Ellis had gedraaid. Ze hielden het stil, maar misschien waren haar dagen dat ze op klootzakken viel hiermee wel geteld.

In de herfst, als ik naar de u ging, zou ik op een studentenkamer gaan wonen en mijn karige levenswijsheden meenemen. Ik was ook aangenomen op Defriese, maar het stond geen moment ter discussie dat ik zou afwijken van mijn derde optie om te blijven. En Dave. Hij werd natuurlijk overal aangenomen waar hij zich had aangemeld, maar hij had het mit uitgekozen. Ik probeerde niet te veel te denken aan de afstand tussen ons, maar ik hoopte dat wij elkaar altijd zouden weten te vinden, wat er ook gebeurde. Ik had het gevoel dat ik mijn ervaring met koffers pakken nog weleens goed zou kunnen gebruiken.

'Hoe gaat het met die salade?' riep Jason toen ik een handjevol wortelreepjes over het bord uitstrooide.

'Klaar,' antwoordde ik. Ik draaide me om en zette het bord in het serveerluik.

'Geweldig. Maak het broodje en de saus maar klaar, en dan hebben we het helemaal voor elkaar.'

Toen ik het broodje pakte en het opengeslagen op de grill legde om te roosteren, keek ik door het raam en zag ik Deb langslopen, terwijl ze een schort om haar middel knoopte. 'Ik dacht dat jij vandaag niet werkte,' riep ik naar haar.

'Ik kwam alleen langs om mijn fooien van gisteren op te halen,' zei ze, en ze pakte twee waterglazen, die ze vulde met ijs. 'Maar Opal trekt het allemaal niet, dus steek ik toch maar even de handen uit de mouwen.'

Ik lachte. Toen de maquette klaar was, had Deb iets te veel tijd over. Maar het bleek later dat diezelfde organisatietalenten er nu ook voor zorgden dat zij een geweldige serveerster was. Ze was nog maar net begonnen, maar ze had

Opals werkwijze al vele malen verbeterd. Ook met behulp van afkortingen.

'Waar is dat broodje?' vroeg Tracey, die haar hoofd door het serveerluik stak. 'Hallo?'

'Het komt eraan,' zei Jason tegen haar. 'Geen paniek.'

Ze trok een gezicht, pakte de salade en een bakje dressing, en zette alles op een dienblad. Achter haar stak Deb nog een bestelling op de prikker.

'Bestelling,' zei ik.

'Zeg maar.'

Ik keek omlaag. 'Pizza margherita, extra saus en knoflook.'

'Goed. Leg dit maar op het bord en dan begin ik eraan.'

Hij liet het broodje van zijn roerspaan glijden en ik nam het aan en deed het in het mandje dat ik had voorbereid. Achter me stond de radio aan en ik hoorde de klanten praten die stonden te wachten op een tafel, en het geklets van Opal. Ik dacht aan mijn vader, ergens op Hawaii, die misschien precies hetzelfde deed, en ik miste hem zoals altijd. Maar toen deed ik wat hij van me zou verlangen en ging ik weer aan het werk.

Het was druk en dat bleef het nog anderhalf uur. Ook al had ik een quesadilla verknald omdat ik hem te lang in de pan had laten liggen en was ik vergeten een hamburger aan de kok door te geven, die we vervolgens niet meer in rekening konden brengen, toch ging het verder redelijk goed. Uiteindelijk, om halfeen, zei Jason dat ik pauze kon nemen. Ik pakte mijn mobieltje, een bekertje water en ging door de achterdeur naar buiten.

Het was zonnig en warm – weer een bloedhete zomerdag – toen ik mijn berichten bekeek. Ik had een voicemail van mijn moeder, die nog even belde over het komende weekend dat we in Colby zouden doorbrengen. Er was een e-mail van de universiteit over een oriëntatiedag en een sms van Dave.

Het was alleen een foto, zonder tekst. Toen ik erop klikte, keek ik hoe mijn scherm ermee werd gevuld. Het was een shot van vier handen, twee met een tatoeage van een cirkel, maar alle vier met een gert om de pols. Erachter was blauwe lucht en een bord met daarop WELKOM IN TEXAS.

'Hé, Mclean,' riep Jason. 'Bestelling.'

Ik kwam overeind, liet mijn telefoon in mijn zak glijden en dronk het water op. Toen ik terugkwam naar de keuken, liep ik achter hem langs, verkreukelde mijn beker, draaide me om en richtte op de vuilnisbak achter me. Ik maakte een sprongetje en liet hem met een perfecte boog door de lucht suizen. Heel mooi. Keurig in het netje.